Im Lichte
der
Vergangenheit

John Banville

Im Lichte
der
Vergangenheit

Roman

Aus dem Englischen
von Christa Schuenke

Kiepenheuer & Witsch

*Die Übersetzerin dankt dem Deutschen Übersetzerfonds für
die großzügige Förderung ihrer Arbeit an diesem Buch.*

MIX
Papier aus verantwor-
tungsvollen Quellen
FSC® C006701

Verlag Kiepenheuer & Witsch, FSC® N001512

1. Auflage 2014

Titel der Originalausgabe: Ancient Light
Copyright © John Banville 2012
Aus dem Englischen von Christa Schuenke
© 2014, Verlag Kiepenheuer & Witsch, Köln
Umschlaggestaltung: Rudolf Linn, Köln,
basierend auf dem Originalumschlag von Penguin UK
Umschlagmotiv Vorderseite: © Elliott Erwitt/Magnum Photos
Umschlagmotiv Rückseite: © David Creedon Photography
Autorenfoto: © Doug Banville
Gesetzt aus der Adobe Garamond
Satz: Buch-Werkstatt GmbH, Bad Aibling
Druck und Bindearbeiten: CPI books GmbH, Leck
ISBN 978-3-462-04595-6

in memoriam Caroline Walsh

Die Knospe ist erblüht.
Eierpampe ist braun.
Ich bin fidel wie ein Flo.
Manchmal geht was schief.

Catherine Cleave,
in der Kindheit

I

Billy Gray war mein bester Freund, und seine Mutter war meine erste Liebe. Vielleicht ist Liebe ein zu starkes Wort, aber ich weiß kein schwächeres, das passen würde. Die ganze Geschichte ist ein halbes Jahrhundert her. Ich war fünfzehn, und Mrs Gray war fünfunddreißig. Solche Dinge sagen sich so leicht, denn Worte haben keine Scham und sind auch niemals überrascht. Es könnte sogar sein, dass sie noch lebt. Dann wäre sie jetzt etwa dreiundachtzig, vierundachtzig. Kein Alter, heutzutage. Und wenn ich mich nun auf den Weg machen würde, um sie zu suchen? Das wär doch mal was. Ich fände es ganz schön, noch mal verliebt zu sein, mich noch mal zu verlieben, nur einmal noch. Wir könnten uns ein Serum aus dem Sekret von Affendrüsen spritzen lassen, alle beide, und wären wieder wie vor fünfzig Jahren – hilflos hingerissen. Ich wüsste schon ganz gerne, wie es ihr geht, gesetzt den Fall, sie weilt noch unter uns. Damals war sie so unglücklich, so unglücklich, jedenfalls kam sie mir so vor, trotz ihrer tapferen, ungebrochenen Fröhlichkeit, und ich kann nur inständig hoffen, dass sie es nicht geblieben ist.

Woran erinnere ich mich, wenn ich hier heute an sie denke, in diesen leisen, fahlen Tagen, da das Jahr zu Ende geht? In meinem Kopf wimmelt es von Bildern aus einer fernen, längst vergangenen Zeit, und bei der Hälfte davon bin ich mir nicht sicher, ob es Erinnerungen sind oder Erfindungen. Nicht, dass das so ein großer Unterschied wäre. Manche sagen ja, dass wir uns, ohne es zu merken, permanent alles ausdenken, alles aus-

11

schmücken, verschönern, und ich bin durchaus geneigt, ihnen zu glauben, denn Madame Erinnerung ist eine große, raffinierte Simulantin. Wenn ich zurückschaue, ist alles im Fluss, ohne Anfang, fließend zu keinem Ende hin, zu keinem jedenfalls, das ich erleben werde, es sei denn, als den letzten, den finalen Punkt. Das Treibgut, das ich aus dem allgemeinen Wrack – und was ist denn das Leben weiter als ein Schiffbruch, der nach und nach vonstattengeht? – zu retten mich entschlossen habe und in verglasten Kästen ausstelle, erweckt vielleicht den Eindruck einer gewissen Unausweichlichkeit, und doch ist alles bloß wahllos herausgegriffen; repräsentativ vielleicht, vielleicht sogar zwangsläufig, aber trotz allem wahllos.

Mrs Gray hatte sich mir zunächst in zwei ganz verschiedenen Manifestationen offenbart, und zwischen beiden lagen Jahre. Mag sein, die erste Frau war gar nicht sie, mag sein, es war nur ihre Verkündigung, gewissermaßen, und dennoch ist mir der Gedanke lieb, dass diese beiden eine waren. April, natürlich. Wissen Sie noch, was April früher, in unserer Jugend, bedeutet hat, jenes Gefühl von strömender Nässe, und wie der Wind sich Schwälle von Blau aus der Luft schöpfte, und die Vögel, wie von Sinnen, in den blühenden Bäumen? Zehn oder elf muss ich gewesen sein. Ich war gerade in den Kirchhof von Mary Our Mother Immaculate eingebogen, wie üblich mit gesenktem Kopf – Lydia sagt immer, ich laufe herum wie ein ewiger Büßer –, und das Erste, was ich von der Frau auf dem Fahrrad wahrnahm, war das Surren der Reifen, ein Geräusch, das ich schon als Knabe erotisierend fand, und das ist bis heute so geblieben, ich weiß auch nicht, warum. Die Kirche stand auf einer Anhöhe, und als ich aufsah und die Frau erblickte, wie sie näher kam, und hinter ihr ragte der Kirchturm auf, da war ich wie elektrisiert, denn sie kam mir so vor, als schwebte sie geradewegs vom Himmel hernieder und als käme das Geräusch, das ich gehört hatte, nicht von den Reifen auf dem Asphalt, sondern von Flügeln, die mit raschem Schlag die Lüfte teilten. Sie war beinah gleichauf mit mir, fuhr im Freilauf, entspannt zurückgelehnt, nur eine Hand am Lenker. Die Schöße ihres Gabardineregenmantels flatterten rechts und links hinter ihr wie, ja, wie Flügel, und einen blauen Pulli hatte sie an, unter dem eine Bluse mit weißem Kragen hervorschaute. Wie deutlich ich sie vor mir sehe! Sie *muss* meine Erfindung sein, ich meine, diese ganzen Einzelheiten kann ich doch nur erfunden haben. Sie trug einen weiten, wehenden Rock, und plötzlich packte ihn der Frühlingswind und hob ihn hoch und entblößte sie bis rauf zur Taille. Ach, ja.

Heutzutage wird einem ja ständig versichert, es gebe, was die Wahrnehmung der Welt betrifft, gar keine nennenswerten Unterschiede zwischen den Geschlechtern, aber ich wage zu behaupten, dass keine Frau je diesen Andrang dunkler Wonne empfunden hat, die einem Mann, gleich welchen Alters, gleich, ob Dreikäsehoch, ob Tattergreis, durch seine Adern strömt, wenn er die Scham der Frau, wie man es früher eigenartigerweise nannte, versehentlich, also per Zufall, öffentlich zur Schau gestellt sieht. Anders als die Frauen es vielleicht vermuten und, wie ich mir denken könnte, auch durchaus zu ihrer Enttäuschung, ist das, was uns Männer wie gebannt dastehen lässt, was uns den Mund austrocknet und macht, dass uns beinah die Augen aus dem Kopf fallen, gar nicht das Fleisch an sich, sondern vielmehr das kleine bisschen seidenes Drumherum, gleichsam die letzte Barriere zwischen der Nacktheit einer Frau und unserem glotzenden Gebanntsein. Ich weiß, das ergibt keinen Sinn, aber wenn im Sommer an einem überfüllten Strand die Badeanzüge der weiblichen Anwesenden plötzlich wie durch einen dunklen Zauber Unterwäsche wären, dann würden augenblicklich alle männlichen Geschöpfe, die kleinen Nackedeis mit ihrem dicken Bauch und ihrem keck hervorgereckten Pullermann, die träge sich räkelnden, muskelbepackten Rettungsschwimmer, ja selbst die Pantoffelhelden mit ihren hochgekrempelten Hosenbeinen und ihren geknoteten Taschentüchern auf dem Kopf, buchstäblich alle, sich verwandeln in eine Horde puterroter, jiepernder, nach Beute gierender Satyrn.

Ich denke da besonders an die gute alte Zeit, damals, als ich jung war und die Frauen unter ihren Kleidern – und welche Frau, einmal abgesehen von ein paar Spielverderberinnen in Bundfaltenhosen, Golferinnen oder Filmstars, trug damals keine Kleider – mit all den Tauen und Gestängen, den Klüvern, Gaffeln, Decksprüngen und Stagen jeder Art und Form aussahen wie von einem Schiffsausrüster ausgestattet. Meine Fahrraddame nun, mit ihren straffen Strumpfhaltern und ihren perlweißen Schlüpfern aus Satin, die hatte ganz den Schmiss und auch die Grazie eines getrimmten Schoners, der furchtlos mitten in einen steifen Nordwest hineinsteuert. Sie schien genauso erschrocken wie ich über den Windstoß und darüber, was er mit ihrer Sittsamkeit anstellte. Sie schaute an sich hinunter, dann an mir, hob die Brauen, formte den Mund zu einem O, lachte glucksend, strich sich achtlos mit dem Rücken ihrer freien Hand den Rock über den Knien glatt und segelte vergnügt davon. Mir kam sie vor wie eine Vision der Göttin selbst, doch als ich mich umdrehte und ihr nachsah, da war sie einfach eine Frau, die auf einem schwarzen Fahrrad von dannen rumpelte, eine Frau mit solchen Schulterklappen oder Epauletten am Mantel, wie sie damals Mode waren, Nylons dazu mit schiefen Nähten und dieser Pagenkopf – genau wie meine Mutter. Langsam und besonnen bog sie mit eierndem Vorderrad in den Kirchhof ein und ließ die Klingel zirpen, eh sie hinausfuhr auf die Straße und links die Church Road runter.

Ich kannte sie nicht, hatte sie noch nie gesehen, jedenfalls nicht bewusst, obwohl ich eigentlich glaubte, mittlerweile jeden Bewohner unserer engen kleinen Stadt schon mindestens einmal gesehen zu haben. Und habe ich sie dann wirklich noch ein weiteres Mal gesehen? Kann das tatsächlich Mrs Gray gewesen sein, dieselbe Mrs Gray, die vier, fünf Jahre später so folgenreich in mein Leben einbrechen sollte? Es will mir nicht gelingen, mir das Gesicht der Frau auf dem Fahrrad deutlich genug in Erinnerung zu rufen, um mit Bestimmtheit sagen zu können, ob es sich dabei tatsächlich um eine frühe Sichtung meiner Venus Domestica gehandelt hatte; gleichwohl besteht die Möglichkeit, und daran halte ich beharrlich und nicht ohne Wehmut fest.

Was mich an dieser Begegnung auf dem Kirchhof so sehr berührt hat, war – neben der primitiven Erregung – das Gefühl, dass mir ein kurzer Blick in die Welt des Weiblichen schlechthin gewährt worden war, dass ich, und sei's auch nur ein paar Sekunden lang, Zutritt hatte zu dem großen Geheimnis. Was mich so elektrisiert und so verzaubert hat, war nicht allein der Anblick der wohlgeformten Beine und der faszinierend komplizierten Unterbekleidung einer Frau, der mir da vergönnt gewesen war, sondern diese selbstverständliche, belustigte und zugleich großzügige Art, wie sie an mir hinuntersah, mit diesem heiseren Lachen, und diese lässige, beiläufige Grazie, mit der sie ihren wehenden Rock bändigte. Das muss ein weiterer Grund sein, weshalb sie in meiner Fantasie mit Mrs Gray verschmolzen ist, weshalb sie und Mrs Gray für mich die beiden Seiten ein und derselben kostbaren Medaille sind, denn Grazie und Großzügigkeit, das war es, was ich an jener ersten und, wie ich bisweilen treulos denke – verzeih mir, Lydia –, einzigen wirklichen Leidenschaft meines Lebens geschätzt habe oder hätte schätzen sollen. Gleichsam das Wasserzeichen, das, was Mrs Gray in jeder ihrer Gesten mir gegenüber zu erkennen gab, war Freundlichkeit oder etwas, das man früher Herzensgüte nannte. Ich bin, glaube ich, nicht übermäßig innig veranlagt. Ich hab sie nicht verdient, das weiß ich heute, doch wie konnte ich es damals wissen, ich war ja schließlich noch ein Knabe, unreif und unerprobt. Kaum, dass ich diese Worte hingeschrieben habe, da höre ich auch schon das hinterlistige Gewinsel darin, den weinerlichen Versuch der Rechtfertigung. Die Wahrheit ist, ich hab sie nicht genug geliebt, ich meine, ich habe sie nicht so geliebt, wie ich es hätte können – jung, wie ich war, und ich glaube, sie hat darunter gelitten, und mehr ist dazu nicht zu sagen, obwohl mich das mit Sicherheit nicht daran hindern wird, noch eine ganze Menge mehr zu sagen.

Sie hieß Celia. Celia Gray. Hört sich irgendwie nicht ganz richtig an, oder, diese Kombination? Die Ehenamen von Frauen hören sich immer ein bisschen falsch an, finde ich. Heißt das, dass alle diese Frauen mit den falschen Männern verheiratet sind oder zumindest mit Männern, die den falschen Nachnamen haben? Celia und Gray, diese Paarung hat so was unglaublich Träges, so ein langsames Zischen, gefolgt von einem weichen Bums, das harte G in Gray ist nicht annähernd hart genug. Sie war überhaupt nicht träge, beileibe nicht. Wenn ich das schöne alte Wort stramm gebrauche, wird man es falsch verstehen, ihm zu viel Gewicht geben, im wörtlichen wie im übertragenen Sinne. Ich glaube gar nicht, dass sie schön war, zumindest nicht nach landläufigem Verständnis, obgleich man die Verleihung des goldenen Apfels wohl schwerlich einem Fünfzehnjährigen überlassen dürfte; ich fand sie weder schön noch sonst was; nachdem der erste Glanz verblasst war, hab ich wahrscheinlich gar nicht mehr über sie nachgedacht, sie war einfach da, eine angenehme Selbstverständlichkeit.

Schuld daran, dass ich unversehens in diese Reise in die Vergangenheit hineingestolpert bin, war eine Erinnerung, die mit ihr zu tun hat, ein Bild, das plötzlich ungeheißen wieder aufgetaucht war. Etwas, das sie angehabt hat, Halbrock nennt man das, glaube ich – ja, schon wieder Unterbekleidung – ein rutschiges Ding aus lachsfarbener Seide oder Nylon, so lang wie ein Rock, mit einem elastischen Bund, der sich, wenn sie es ausgezogen hatte, als rosa Striemen vorn an ihrem Bauch abzeichnete und an den Seiten und auch, wenngleich nicht ganz so deutlich, hinten, über ihrem herrlich ausladenden Hintern mit den beiden tiefen Grübchen und den zwei knubbeligen, vom Sitzen sandpapierartig aufgerauten Stellen darunter. Dieser rosige Gürtel rund um ihre Taille hat mich tief gerührt, ließ er doch an zärtliche Züchtigung denken, an erlesenes Leiden – ich dachte natürlich an einen Harem, keine Frage, an gebrandmarkte Huris und dergleichen –, und während ich so lag und meine Wange an ihrem Zwerchfell ruhte und ich die wellige Linie langsam mit der Spitze meines Zeigefingers nachzog, bewegte mein Atem die glänzenden dunklen Härchen unten an ihrem Bauch, und im Ohr hatte ich das Zischeln und Kollern ihrer Eingeweide, die unentwegt ihr Werk der Wandlung taten. Entlang der ungleichmäßigen, schmalen Spur des Gummibunds, da, wo das Blut fürsorglich hin zur Oberfläche drängte, war ihre Haut stets heißer. Auch ohne ich, dass ich mich an der ketzerischen Assoziation der Dornenkrone delektierte, die dieser Streifen weckte. Denn was wir miteinander trieben, war allemal durchdrungen von einer leichten, nur ganz leichten, ungesunden Frömmigkeit.

Ich halte inne, um einen Traum zu erzählen oder wenigstens zu erwähnen, den ich letzte Nacht hatte und in dem meine Frau mich wegen einer anderen Frau verlassen hat. Ich weiß nicht, was das zu bedeuten haben könnte, ob es überhaupt etwas bedeutet, aber einen Eindruck hinterlassen hat es allemal. Wie allgemein in Träumen, so waren auch in diesem die Leute eindeutig sie selbst und zugleich auch wieder nicht, meine Frau, um bei der Hauptperson zu bleiben, erschien darin klein, blond und herrisch. Wie konnte ich eigentlich wissen, dass sie es war, wenn sie sich doch so wenig ähnlich sah? Auch ich war nicht so, wie ich bin, sondern korpulent und schwerfällig, triefäugig, mit langsamen Bewegungen, sagen wir mal, wie ein altes Walross oder irgendein anderes leises, ungeschlachtes, im Wasser lebendes Säugetier; es gab so eine Ahnung, etwas wie einen runden Buckel, ledrig und grau, der um einen Berg herum gleitet und verschwindet. Da waren wir nun also, verloren füreinander, sie nicht sie und ich nicht ich.

Meine Frau hegt keinerlei sapphische Neigungen, soweit ich weiß – doch wie weit mag das sein? –, aber in diesem Traum, da war sie eine frisch-fröhliche Lesbe. Das Objekt ihrer gewandelten Vorlieben war eine merkwürdig kleine, männlich wirkende, hüftlose Kreatur mit schütteren Koteletten und einem Hauch von Schnurrbart und hatte, wenn ich jetzt so darüber nachdenke, eine verblüffende Ähnlichkeit mit Edgar Allan Poe. Was die Details des eigentlichen Traums betrifft, so will ich damit weder Sie noch mich langweilen. Wie ich wohl schon erwähnte, glaube ich ohnehin nicht daran, dass wir Einzelheiten in Erinnerung behalten, und falls doch, dann sind diese so stark redigiert und zensuriert und insgesamt so ausgeschmückt, dass sie etwas ganz Neues darstellen, einen Traum von einem Traum, der das Original verwandelt oder auch verklärt, wie der Traum an sich die Wach-Erfahrung verwandelt oder verklärt. Was mich nicht davon abhält, an Träume mit wie auch immer geartetem numinosem und prophetischem Gehalt zu glauben. Für Lydia dürfte es jetzt allerdings zu spät sein, um mich zu verlassen. Ich weiß nur, dass ich heute früh, eh noch der Morgen graute, mit dem bedrückenden Gefühl von Verlust und Entbehrung aufgewacht bin und mit einer alles durchdringenden Traurigkeit. Es deutet alles darauf hin, dass irgendwas geschehen wird.

Ich glaub, ich hatte so was Ähnliches wie eine kleine Liebelei mit Billy Gray, bevor ich mich in seine Mutter verliebte. Da ist es wieder, dieses Wort – Liebe; wie leicht es einem doch aus der Feder fließt. Seltsam, auf diese Art an Billy zu denken. Er wäre jetzt in meinem Alter. Das ist wohl kaum bemerkenswert – in meinem Alter war er damals schließlich auch –, und doch erschreckt es mich. Ich habe das Gefühl, plötzlich einen Schritt hinauf – oder ist es ein Schritt hinunter? – getan zu haben in ein neues Stadium des Alterns. Ob ich ihn wohl erkennen würde, wenn ich ihn träfe? Oder er mich? Er hatte eine solche Wut, als der Skandal losbrach. Ich empfand den Schock der öffentlichen Schande gewiss genauso stark wie er, vielleicht sogar noch stärker, möcht ich meinen, und doch verblüffte mich die Leidenschaft, mit der er mich verstoßen hat. Mich hätte es nämlich nicht weiter gestört, wenn er mit meiner Mutter ins Bett gegangen wäre, was ich mir allerdings auch nur schwer vorstellen konnte – wobei ich mir freilich auch nur schwer vorstellen konnte, dass überhaupt irgendwer mit meiner Ma ins Bett ging, mit diesem armen alten Ding, denn dafür habe ich sie insgeheim gehalten, für arm, für alt und für ein Ding. Und das wird es wohl auch gewesen sein, was Billy so empört hat, dass er sich damit auseinandersetzen musste, dass seine Mutter eine Frau war, die von jemandem begehrt wurde, und obendrein, dass dieser Jemand ausgerechnet ich war. Ja, er muss tatsächlich Martern aller Arten ausgestanden haben bei der Vorstellung, wie wir zwei, einander nackt umklammernd, in Cotters Haus auf einer dreckigen Matratze uns auf dem Boden wälzten. Wahrscheinlich hatte er seine Mutter noch nie unbekleidet gesehen oder konnte sich jedenfalls an nichts dergleichen erinnern.

Er war es ja, der Cotters Haus entdeckt hatte, und ich war permanent in Sorge, er könnte mich und seine Mutter eines schönen Tages dort beim Liebesspiel erwischen. Ob ihr eigentlich klar war, dass Billy das Haus kannte? Ich weiß es nicht mehr. Wenn ja, dann wäre meine Sorge nichts gewesen gegen die Angst, die sie bei dem Gedanken ausgestanden haben muss, ihr einziger Sohn könnte sie dabei erwischen, wie sie sich dort in diesem ollen Drecksloch mit den laubübersäten Dielen auf einer schmutzigen Matratze mit seinem besten Freund verlustiert.

Ich denke an den Tag zurück, als ich das Haus zum ersten Male sah. Ich war mit Billy in dem Haselwäldchen am Fluss gewesen, er hatte mich auf einen Felsvorsprung geschleppt und mir zwischen den Baumwipfeln das Dach gezeigt. Von da oben, wo wir standen, konnte man nämlich nur das Dach sehen, und nicht mal das erkannte ich zuerst, denn die Ziegel waren mit Moos bedeckt und ebenso grün wie das Laub der Bäume ringsherum. Das war wohl auch der Grund dafür, dass es so lange unentdeckt geblieben war und Mrs Gray und ich sogleich ein sicheres Versteck für unsere Schäferstündchen darin erkannt hatten. Ich wär am liebsten auf der Stelle runter und dort eingebrochen – wir waren schließlich Jungs und jung genug, uns so was wie ein Klubhaus zu wünschen, wie wir das damals genannt hätten –, aber Billy wollte nicht so recht, was ich komisch fand, denn immerhin hatte er ja das Haus entdeckt und war sogar drin gewesen, behauptete er jedenfalls. Ich glaube, er hat sich ein bisschen gegruselt; vielleicht hatte er ja eine böse Vorahnung, oder er hat geglaubt, dass es dort nicht mit rechten Dingen zuging, was ja auch bald so kommen sollte, nur dass dann keine Geister da herumspukten, sondern die Dame Venus und ihr ausgelassener Knabe.

Merkwürdig, dass ich uns an jenem Tag mit prall gefüllten

Hosentaschen sehe, gefüllt mit Haselnüssen, die wir unten in dem Wäldchen gepflückt hatten, und den Boden ringsherum mit abgefallenem Laub gepflastert wie mit lauter goldenen Plättchen, aber es war April, es muss April gewesen sein, die Blätter grün und an den Bäumen, die Haselnüsse noch nicht mal geformt. Und doch, wie sehr ich mich auch anstrenge, ich sehe keinen Frühling, sondern Herbst. Ich nehme an, wir sind dann wieder losgezogen, wir zwei, durch grünes, nicht durch goldenes Laub, die Hosentaschen nicht gefüllt mit Nüssen, sind heimgegangen und haben Cotters Haus in Ruhe gelassen. Aber irgendetwas war mit mir passiert, als ich zwischen den Bäumen dieses eingefallene Dach gesehen hatte, und gleich am nächsten Tag ging ich zurück, geleitet von der Liebe, der stets bedürftigen und allemal aufs Praktische gerichteten, und fand in jenem baufälligen Haus genau den Unterschlupf, den Mrs Gray und ich so nötig brauchten. Denn, ja, zu der Zeit waren wir bereits intim, um es so zartfühlend wie möglich auszudrücken.

Billy hatte so was Sanftes an sich, das sehr anziehend war. Sein Gesicht war hübsch, obwohl die Haut nicht gut war, ziemlich narbig, wie bei seiner Mutter, muss ich sagen, und zu Pickeln neigend. Er hatte auch die Augen seiner Mutter, denselben feuchten Umbraton, und wunderschöne lange, feine Wimpern, jede ganz genau von jeder anderen zu unterscheiden, sodass ich an diesen speziellen Pinsel dachte – oder heute denke –, den Miniaturmaler benutzen und dessen Spitze aus einem einzigen Zobelhaar besteht. Sein Gang war komisch, o-beinig und walzend, und dabei schwenkte er die Arme vor dem Körper, was immer so aussah, als sammelte er im Gehen irgendwelche unsichtbaren Garben ein. Zu Weihnachten hatte er mir in jenem Jahr ein Nagelnecessaire aus feinem Schweinsleder geschenkt – ja, ein Nagelnecessaire mit Schere, Nagelknipser, Feile und einem polierten Elfenbeinstäbchen, das an einem Ende wie ein flacher Löffel geformt war und das meine Mutter misstrauisch untersuchte, um dann zu verkünden, dass es entweder ein Nagelhautschieber sei – *ein Nagelhautschieber?* – oder aber, wesentlich prosaischer, ein Instrument, mit dem man den Dreck unter den Nägeln herauskratzen könne. Ich wunderte mich über dieses mädchenhafte Geschenk, nahm es indessen freundlich und mit Wohlwollen entgegen. Mir war's nicht in den Sinn gekommen, ihm etwas zu schenken; er sah nicht aus, als hätte er dergleichen von mir erwartet oder mein Versäumnis überhaupt bemerkt.

Jetzt frage ich mich plötzlich, ob es nicht vielleicht seine Mutter war, die dieses Necessaire für ihn gekauft hatte, damit er es mir schenkte, ein schüchtern-heimliches Geschenk, von einem Stellvertreter überbracht, wovon sie glaubte, ich würde schon erraten, dass es in Wirklichkeit von ihr kam. Das war ein paar Monate, bevor wir beide, sie und ich, ein – nun mach schon, sag es, Himmelherrgott noch einmal! – eh wir ein Liebespaar geworden waren. Sie kannte mich natürlich, denn ich war in jenem Winter fast jeden Morgen auf dem Schulweg bei den Grays vorbeigekommen, um Billy abzuholen. Meinte sie etwa, ich sei einer von der Sorte, für die ein Nagelnecessaire das passende Weihnachtsgeschenk ist? Billy selbst war in Sachen Körperpflege eher weniger gründlich. Er badete noch seltener als wir anderen, was an dem wohlvertrauten Mief zu merken war, den er gelegentlich verströmte; die Poren in den Furchen neben seinen Nasenlöchern waren mit etwas Schwärzlichem verstopft, und häufig stellte ich mir schaudernd und mit einer Mischung aus Lust und Widerwillen vor, wie ich mich mit den Daumennägeln als Pinzette an die Arbeit machte, wonach ich zweifellos für diesen eleganten kleinen Beitel aus Elfenbein Verwendung haben würde. Billy trug löchrige Pullover, und seine Kragen waren immer angeschmuddelt. Er besaß ein Luftgewehr und schoss damit auf Frösche. Er war wirklich mein bester Freund, und ich liebte ihn – irgendwie. Besiegelt hatten wir unsere Kameradschaft eines Winterabends bei einer Zigarette, die wir heimlich zusammen auf dem Rücksitz des Gray'schen Kombis rauchten, der draußen vor dem Haus geparkt war – und den Sie bald schon sehr viel besser kennenlernen sollen –, wo Billy mir anvertraute, dass er gar nicht William hieß, wie ich immer geglaubt hatte, sondern Wilfred und dass sein zweiter Vorname Florence war, nach seinem verstorbenen Onkel Flor. Wilfred! Florence! Ich habe sein Geheimnis nicht verraten, das zumindest darf ich als Pluspunkt für mich in Anspruch nehmen, wenn es auch nicht viel ist, ja, ich weiß. Doch ach, wie hatte er an jenem Tag geweint, vor Schmerz und Wut und vor Erniedrigung, als er hinter die Sache mit mir und seiner Mutter kam; wie hatte er geweint, und ich, ich war der hauptsächliche Grund für seine bitteren Tränen.

Ich kann mich nicht erinnern, wann ich Mrs Gray zum ersten Mal gesehen habe, das heißt, sofern sie nicht die Frau dort auf dem Fahrrad war. Müttern schenkten wir nicht so viel Beachtung; Brüdern, ja, selbst Schwestern, aber nicht Müttern. Unscheinbar, formlos waren sie und auch geschlechtslos, nicht viel mehr als eine Schürze, ein Schopf von ungekämmtem Haar und so ein leichter Schweißgeruch, der einem in die Nase stach. Ständig wuselten sie irgendwie im Hintergrund herum, machten irgendwas mit Backblechen oder Socken. Ich war bestimmt schon viele Male in Mrs Grays Nähe gewesen, bevor ich sie auf so eine spezielle, eindeutige Art wahrnahm.

Verwirrenderweise habe ich eine Erinnerung an sie, die garantiert nicht stimmen kann, im Winter, wie sie sich mit Talkumpuder an den glänzenden Innenseiten meiner Oberschenkel zu schaffen machte, die ich mir an den Hosen wundgescheuert hatte; höchst unwahrscheinlich, allein schon darum, weil ich dabei nämlich kurze Hosen angehabt hab, was aber doch mit fünfzehn kaum der Fall sein konnte, da wir ja alle seinerzeit bereits mit elf, spätestens zwölf ausschließlich unsere lang ersehnten langen Hosen trugen. Wessen Mutter war es denn dann gewesen, frag ich mich, die mit dem Talkum, und was für eine Gelegenheit zu einer noch früheren Initiation hatte ich mir da vielleicht entgehen lassen? Sei's drum, es gab nicht den Moment der blendenden Erleuchtung, in dem Mrs Gray höchstselbst die Mühsal und die Fesseln der Häuslichkeit von sich geworfen hätte und mit dem vollen Frühlingswind aus Zephyrs aufgeblasenen Backen auf ihrer Austernschale auf mich zugesegelt gekommen wäre. Selbst als wir schon miteinander ins Bett gingen, fiel es mir noch eine Zeit lang schwer, sie angemessen zu beschreiben – und hätte ich's versucht, so wäre das, was ich beschrieben hätte, wahrscheinlich eher eine Version meiner selbst gewesen, denn wenn ich sie betrachtete, sah ich zuerst einmal mich selber, mein Abbild in dem prächtigen Spiegel, zu dem ich sie mir machte.

Billy hat nie mit mir über sie geredet – warum auch? –, und er schien ihr kein bisschen mehr Beachtung zu schenken als ich selber lange Zeit. Er hat immer gebummelt und war oft noch nicht fertig, wenn ich ihn morgens zur Schule abholen wollte, weshalb ich meist ins Haus gebeten wurde, speziell bei Regen oder wenn es kalt war. Die Einladung kam nicht von ihm – erinnern Sie sich nicht mehr an die stumme Wut und die brennende Scham, die stets in uns aufbrandeten, wenn unsere Freunde uns auch nur einen Augenblick lang gleichsam in flagranti im nackten Schoße unserer Familien zu sehen kriegten? – also muss sie von ihr gekommen sein. Freilich kann ich mich nicht entsinnen, sie ein einziges Mal in ihrer Schürze und mit hochgekrempelten Ärmeln an der Haustüre gesehen zu haben oder von ihr an den Familienfrühstückstisch gebeten worden zu sein. Und dennoch sehe ich den Tisch vor mir, der fast die ganze Küche einnahm, den großen amerikanischen Kühlschrank, dessen Farbe und Beschaffenheit an dicke Sahne erinnerte, den Weidenkorb mit Wäsche auf dem Abtropfbrett, den Kalender vom Lebensmittelladen, der beim falschen Monat aufgeschlagen war, und diesen gedrungenen Toaster aus Chrom, auf dessen Bug die Sonne ein wimmelndes Glanzlicht warf.

Oh, der morgendliche Duft von fremden Küchen, die wattige Wärme, das Klappern und Hasten, wenn alles schlechte Laune hat und noch im Halbschlaf ist. Nie schien das Neue, Unbekannte, das das Leben bereit hält, lebendiger hervorzutreten als in solchen Augenblicken der Intimität und der Unordnung.

Billy hatte eine Schwester, jünger als er, ein nervendes Geschöpf, das aussah wie ein Kobold, mit langen, ziemlich fettigen Zöpfen und einem schmalen, spitzen kalkweißen Gesicht, dessen obere Hälfte hinter einer gewaltigen Hornbrille mit lupendicken Gläsern verschwamm. Mich schien sie zum Kreischen komisch zu finden und krümmte sich vor boshaftem Vergnügen, wenn ich wie ein krummer Krüppel mit meinem Ranzen in die Küche geschlurft kam. Sie hieß Kitty, und wenn sie mich mit zusammengekniffenen Augen anlächelte und dabei die Lippen aufeinanderpresste, sodass sie einen dünnen, farblosen Bogen bildeten, der wahrhaftig die ganze Breite zwischen ihren kompliziert verschnörkelten, abstehenden rosa Ohren einnahm, dann hatte sie tatsächlich etwas von einer Katze. Heut frag ich mich, ob sie nicht etwa auch in mich verknallt war und die ganze schniefende Erheiterung einfach bloß dazu diente, dies zu verbergen. Oder ist das nur meine Eitelkeit? Ich bin, oder war, schließlich Schauspieler. Irgendwas war mit ihr, sie hatte etwas an sich, worüber man nicht sprach und was dafür sorgte, dass sie, wie man das damals nannte, irgendwie heikel war. Mir ging sie auf die Nerven, und ich glaube, ich hatte sogar ein bisschen Angst vor ihr; was, falls dem in der Tat so war, für meinen Weitblick spräche.

Mr Gray, der Ehemann und Vater, war lang und dürr und obendrein kurzsichtig, genau wie seine Tochter – er war übrigens Optiker, ein Umstand, dessen höchst ironische Seite niemanden von uns unbeeindruckt ließ –, und trug stets eine Fliege und einen Pullunder mit Fair-Isle-Muster. Und natürlich alsbald die beiden kurzen knubbeligen Hörner, die ihm direkt über dem Haaransatz sprossen und an denen man den Hahnrei erkennt, zu dem ich ihn, ich muss es leider sagen, machte.

War meine Leidenschaft für Mrs Gray am Anfang nicht im Grunde nur die etwas intensivere Spielart einer Überzeugung, die wir alle in diesem Alter haben, nämlich, dass die Familien unserer Freunde viel, viel netter, großzügiger, interessanter – mit einem Wort, viel angenehmer seien als unsere eigene? Billy hatte ja zumindest eine Familie; bei mir hingegen gab es nur mich und meine verwitwete Mutter. Sie führte eine Pension für Handelsvertreter und andere Durchreisende, die dort nicht wohnten, sondern eher wie ängstliche Gespenster herumspukten. Ich hielt mich möglichst wenig zu Hause auf. Bei den Grays war am späten Nachmittag oft keiner daheim, weshalb Billy und ich nach der Schule immer ein paar Stunden dort herumlungerten. Wo waren eigentlich die anderen? Zum Beispiel Mrs Gray und Kitty, wo haben die wohl in der Zeit gesteckt? Ich sehe Billy noch in seinem marineblauen Schulblazer und dem schmuddlig weißen Hemd, wie er mit einer Hand den fleckigen Schulschlips runterzerrt, die Tür des Kühlschranks aufreißt und mit glasigem Blick in dessen erleuchtetes Inneres starrt, als würde er was Spannendes im Fernsehen sehen. Oben im Wohnzimmer gab es tatsächlich einen Fernseher, und manchmal gingen wir dort hinauf und hockten uns davor, die Hände in den Hosentaschen, vor uns auf dem Boden unsere Ranzen, und versuchten, uns die nachmittäglichen Pferderennen an irgendwelchen Orten mit exotisch klingenden Namen drüben auf dem Festland anzuschauen, Namen wie Epsom, Chepstow oder Haydock Park. Der Empfang war miserabel, und oft sahen wir bloß ein paar Phantomreiter, die schief auf ihren Phantomrossen hockten und sich blindlings durch ein schneegestöberartiges weißes Gewimmel schlugen.

Einmal an einem dieser trüben, faden Nachmittage hatte Billy den Schlüssel zur Hausbar aufgespürt – ja, die Grays besaßen so etwas Extravagantes wie eine Hausbar, denn sie gehörten zu den vermögenderen Leuten der Stadt, obwohl ich zu bezweifeln wage, dass irgendwer bei ihnen wirklich Cocktails trank – und wir machten uns über eine kostbare Flasche zwölf Jahre alten Whiskeys her, die seinem Vater gehörte. Wie wir da so am Fenster standen, mein Freund und ich, mit den kristallenen Whiskeygläsern in der Hand, fühlten wir uns wie zwei Lebemänner vom Beginn des 19. Jahrhunderts, die voller Verachtung auf die nüchterne, die ach so triste Welt hinabschauten. Es war mein erster Whiskey, und obwohl ich nie wirklich Gefallen an dem Zeug gefunden habe, erschienen mir der dumpfe, bittere Geruch und dieses Brennen auf der Zunge wie ein Versprechen auf die Zukunft, auf all die vielen großartigen Abenteuer, die das Leben ganz gewiss für mich bereithielt. Draußen auf dem kleinen Platz vergoldete das matte Sonnenlicht des frühen Frühlings die Kirschbäume und ließ die schwarzen, arthritischen Spitzen ihrer Zweige glänzen; der alte Busher, unser Lumpenmann, quälte sich auf seinem Karren vorwärts, vor den behangenen Hufen seines Pferdes flog schwirrend eine Bachstelze auf, und angesichts all dessen empfand ich den scharfen, süßen Schmerz einer noch unbestimmten, doch schon deutlich wahrnehmbaren Sehnsucht – wie der Phantomschmerz, den ein Amputierter in dem ihm abgenommenen Glied verspürt. Sah ich da schon – noch winzig zwar auf die Entfernung, doch immer deutlicher hervortretend – im Zeitentunnel die Gestalt meiner künftigen Liebe voraus, der Herrin des Hauses Gray, die bereits tändelnd, gleichsam wie von ungefähr, mir immer näherkam?

Wie hab ich sie genannt, ich meine, wie habe ich sie angesprochen? Ich kann mich nicht erinnern, jemals ihren Namen benutzt zu haben, obwohl ich es bestimmt getan habe. Ihr Mann nannte sie manchmal Lily, ich aber hatte, glaub ich, keinen Kosenamen für sie, keine zärtliche Bezeichnung. Ich habe den nicht von der Hand zu weisenden Verdacht, dass ich im Taumel der Leidenschaft mehr als einmal das Wort *Mutter* ausrief! Oje. Was soll ich davon halten? Doch hoffentlich nicht das, was andere womöglich darin sehen.

Billy ging mit der Whiskeyflasche ins Badezimmer und füllte die verräterische Leere mit Leitungswasser auf, und ich trocknete mit meinem Taschentuch die Gläser ab, rieb sie, so gut ich es vermochte, blank und stellte sie wieder an ihren angestammten Platz in der Hausbar. Nun, da wir Komplizen waren, hatten Billy und ich plötzlich Scheu voreinander, und ich griff rasch nach meinem Ranzen und machte mich davon, verließ meinen Freund, der wieder in sich zusammengesackt auf dem Sofa hockte und unkenntlichen Reitern dabei zusah, wie sie durch statisches Schneegestöber trabten.

Ich wäre gerne in der Lage zu behaupten, dass dies der Tag war, an dem ich sie zum ersten Male wirklich sah, denn ich erinnere mich mit einer solchen Deutlichkeit daran, wie ich an diesem Tag Mrs Gray erstmals Auge in Auge gegenüberstand, an der Haustür; sie kam, ich ging, ihr Gesicht war von der prickelnd frischen Luft gerötet, und meine Nerven kribbelten noch von dem Whiskey; eine zufällige Berührung der Hand, ein überraschter, sehnsüchtiger Blick; ein Kloß im Hals; ein leichtes Stolpern des Herzens. Doch nein, die Diele war leer, bis auf Billys Fahrrad und den vereinsamten Rollschuh, der offenbar von Kitty war, und in der Tür begegnete mir niemand, überhaupt niemand. Als ich hinaustrat, kam mir der Abstand zwischen dem Gehsteig und meinem Kopf größer vor, als er eigentlich sein sollte, und obendrein schien der Gehsteig irgendwie nach vorn zu kippen, als ginge ich auf Stelzen, Stelzen, die unten wabblig weiche Federn hatten – kurzum, ich war betrunken, nicht sturzbetrunken zwar, doch immerhin betrunken. Bloß gut, dass ich in diesem Zustand hirnerweichter Euphorie nicht Mrs Gray begegnet bin, denn wer weiß schon, was ich sonst getan und damit gewiss alles ruiniert hätte, noch ehe es begann.

Und seht! Dort unten auf dem Platz ist, als ich rauskomme – unmöglich –, wieder Herbst, nicht Frühling, und das Sonnenlicht ist abgeklärt, das Laub der Kirschbäume ist rostig rot, und Busher, der Lumpenmann, ist tot. Warum sind die Jahreszeiten nur so stur, warum widersetzen sie sich mir nur so? Warum schubst mich die Musenmutter so herum und gibt mir lauter falsche Tipps und Hinweise, die überhaupt nicht stimmen?

Gerade war meine Frau bei mir in meinem Adlerhorst hier oben unterm Dach, kam widerwillig die steile, trügerische, ihr verhasste Bodentreppe emporgestiegen, um mir zu sagen, dass ich einen Anruf verpasst hatte. Als sie den Kopf zu der niedrigen Tür hereinsteckte – wie schlau ich schützend meinen Arm hier um das Blatt Papier gelegt hab, wie ein Schulbub, der Schweinkram kritzelt und dabei ertappt wird –, verstand ich zuerst gar nicht, was sie sagte. Tief versunken in der versunkenen Welt der Vergangenheit, musste ich meine ganze Konzentration zusammennehmen. Normalerweise höre ich es, wenn unten im Wohnzimmer das Telefon klingelt, ein fernes, seltsam klagendes

Geräusch, das mein Herz ängstlich holpern lässt, wie früher, als meine Tochter noch ein kleines Baby war, wenn mich ihr Schreien nachts geweckt hat.

Eine Frau sei dran gewesen, sagte Lydia, den Namen habe sie nicht mitbekommen, doch unverkennbar eine Amerikanerin. Ich wartete. Lydia schaute jetzt verträumt an mir vorbei durch das Mansardenfenster vor meinem Schreibtisch hinüber zu den fernen Bergen, die blassblau und flächig aussahen, als wären sie in einem ganz schwachen, wässrigen Lavendelton an den Himmel gemalt; einer der Reize unserer Stadt besteht darin, dass sie nur wenige Stellen hat, von wo aus diese sanften und, wie ich immer denke, jungfräulichen Hügel nicht zu sehen sind; man muss dazu nur die Bereitschaft haben, sich ein klein wenig hochzurecken. In welcher Angelegenheit mich diese Frau am Telefon denn sprechen wollte, fragte ich sie freundlich. Nur mühsam riss sich Lydia von der Aussicht los. Ein Film, sagte sie, ein Spielfilm, in dem man mir wohl eine Hauptrolle anbieten wolle. Das ist interessant. Ich habe noch nie in einem Film mitgespielt. Lydias Bick wurde leer, ich meine, noch leerer, als er ohnehin schon war. Sie glaube nicht, dass die Frau ihr den Titel genannt habe. Die planten wohl anscheinend so was wie eine Filmbiografie, aber über wen – keine Ahnung –, irgendein Deutscher oder so. Ich nickte. Ob die Frau vielleicht eine Nummer hinterlassen habe, unter der ich sie zurückrufen könne? Darauf senkte Lydia den Kopf und sah mich unter ihren gerunzelten Brauen ernst und schweigend an, wie ein Kind, dem man eine schwierige und bedrückende Frage gestellt hat, auf die es keine Antwort weiß. Na, macht nichts, sagte ich, die Frau, wer immer sie auch sei, werde bestimmt noch einmal anrufen.

Meine arme Lydia, wenn sie mal wieder eine schlechte Nacht gehabt hat, dann ist sie immer leicht benebelt. Ihr richtiger Name ist übrigens Leah – Lydia war ein Hörfehler meinerseits, der haften geblieben war –, *ehemals* Leah Mercer, wie meine Mutter gesagt haben würde. Sie ist groß und sieht gut aus mit ihren breiten Schultern und ihrem dramatischen Profil. Ihre Haarfarbe hat zwei verschiedene Nuancen, früher nannte man das Pfeffer-und-Salz, und in der Dichte unten ein paar fahle, dunkler getönte Strähnen. Als ich sie kennenlernte, glänzte es wie ein Rabenflügel mit einem herrlichen Silberstreif darin, wie eine Stichflamme aus weißem Feuer; als der Silberstreif breiter zu werden begann, erlag sie dem Schmeichler Adrian bei *Curl Up and Dye,* und seitdem ist sie kaum noch wiederzuerkennen, wenn sie von ihrem monatlichen Termin bei diesem Meisterkoloristen nach Hause kommt. Ihre leuchtenden schwarzen Augen, die Augen einer Wüstentochter, wie ich immer fand, sind in letzter Zeit ein wenig trüber, wie verschleiert, weshalb ich mir Sorgen mache, dass sie den grauen Star haben könnte. Als sie jung war, hatte ihre Figur die üppigen Konturen Ingr鸟scher Odalisken, nun aber ist der Glanz dahin, und sie trägt nur noch weite, wallende Gewänder in matten Farben, ihre Tarnung, wie sie traurig lachend sagt. Sie trinkt ein bisschen zu viel, aber das tue ich ja auch; unser großer Kummer, der seit zehn Jahren währt, lässt sich einfach nicht ertränken, wie heftig wir auch strampeln, damit er sich unter die Oberfläche verzieht und auch dort bleibt. Stark rauchen tut sie ebenfalls. Sie besitzt eine spitze Zunge, vor der ich mich zunehmend hüte. Ich mag sie sehr, und sie mag mich, glaube ich jedenfalls, trotz unserer Reibereien und gelegentlichen schmallippigen Meinungsverschiedenheiten.

Wir hatten eine grauenvolle Nacht, alle beide, ich mit meinem Traum von dieser androgynen Verfasserin von Gruselgeschichten, die mich aus Lydias Zuneigung verdrängt hatte, und Lydia mit einem ihrer nächtlichen Schübe von Wahnsinn, von denen sie in den letzten zehn Jahren in unregelmäßigen Abständen heimgesucht wird. Sie wacht auf oder springt zumindest aus dem Bett, rast im Dunkeln durch sämtliche Zimmer, vom Keller bis zum Dach, und ruft lauthals den Namen unserer Tochter. Das ist so eine Art Schlafwandelei, bei der sie überzeugt ist, dass unsere Catherine, unsere Cass, noch lebt und wieder klein ist und sich irgendwo im Haus verlaufen hat. Ich stehe völlig groggy auf und renne, selbst noch ganz verschlafen, hinter ihr her. Ich versuche nicht, sie zurückzuhalten, sondern richte mich nach dem Altweiberratschlag, jemanden, der in diesem Zustand ist, auf keinen Fall zu stören, bleibe aber in der Nähe, um sie, falls sie über irgendetwas stolpern sollte, aufzufangen, ehe sie stürzt, und sie davor zu schützen, dass sie sich verletzt. Es ist unheimlich, so durchs dunkle Haus zu hasten – ich wage nicht, das Licht anzumachen –, verzweifelt auf der Jagd nach dieser flüchtigen Gestalt. Ringsherum bedrängen uns die Schatten wie ein stummer Chor, und hin und wieder fällt ein wenig Mondlicht durch ein Fenster oder der Lichtkreis einer Straßenlaterne, der aussieht wie ein abgeblendeter Scheinwerfer, und ich fühle mich an jene tragischen Königinnen der griechischen Tragödie erinnert, die mitten in der Nacht durch den Palast des Königs, ihres Gatten, rasen und schreien nach ihrem Kind, das sie verloren haben. Irgendwann ist sie dann müde oder kommt zur Besinnung oder beides, wie vorige Nacht, als sie schließlich, bloß noch ein Häufchen Elend, auf der Treppe hockte und ganz schrecklich zu weinen und zu schluchzen anfing. Und ich stand hilflos daneben und wusste gar nicht, wie ich sie umarmen sollte; sie kam mir vor, als sei sie nur noch irgendein amorpher Schemen – in ihrem ärmellosen schwarzen Nachthemd, mit hängendem Kopf; sie raufte sich die Haare, die in der Dunkelheit genauso schwarz aussahen wie damals, als ich ihr zum ersten Mal begegnet war, wie sie aus der Drehtür des Halcyon trat, jenes Hotels, das ihrem Vater gehörte und an dem glückliche Erinnerungen hingen, wie sie hinaustrat in den Sommertag und die hohen schmalen Glasscheiben der Tür sahen aus, als sprühten sie Funken – ein Feuerwerk in Blau und Gold – ach ja fürwahr ein Höhepunkt!

Für mich kommt das Schlimmste an diesem ganzen Theater, an diesem gequälten Kreischen und Heulen, immer zum Schluss, wenn sie total zerknirscht ist, mit sich selbst hadert wegen ihrer Albernheiten und mich anfleht, ich möge ihr verzeihen, dass sie mich so grob geweckt und mir wegen nichts und wieder nichts Angst gemacht habe. Das Problem sei einfach, sagt sie, dass sie in diesem somnambulen Zustand tatsächlich glaube, Cass sei noch am Leben, ihre lebendige Tochter sei irgendwo in einem Raum in diesem Hause hier gefangen, starr vor Angst und unfähig, um Hilfe zu rufen und sich bemerkbar zu machen. Letzte Nacht hat sie sich so sehr geschämt und war so wütend, dass sie sich selbst verfluchte und lauter fürchterliche Sachen sagte, bis ich mich neben sie hockte und sie ungeschickt, geradezu affenartig, in den Arm nahm, sodass sie den Kopf an meine Schulter legen konnte und sich endlich beruhigt hat. Ihr lief die Nase, und ich hielt ihr meinen Pyjamaärmel hin, damit sie sich hineinschnäuzen konnte. Sie hat gezittert, doch als ich ihr ihren Bademantel oder eine Decke holen wollte, hat sie sich noch fester an mich geklammert und mich nicht weggelassen. Ich habe noch den leicht muffigen Geruch ihres Haars in der Nase, die Rundung ihrer nackten Schulter lag kühl und glatt wie eine Marmorkugel in meiner Hand. Und düster, erschrocken, wie sprachlose Diener, standen die Flurmöbel im Zwielicht um uns herum.

Ich glaube, ich weiß, was Lydia peinigt, neben jenem durch nichts zu lindernden Schmerz, den sie all diese zehn langen Jahre, seit unsere Tochter starb, in ihrem Herzen nährt. Lydia hat nie an irgendwelche kommenden Welten geglaubt, genauso wenig wie ich, aber ich habe den Verdacht, sie befürchtet, ein grausames Schlupfloch in den Gesetzen von Leben und Tod könnte dafür gesorgt haben, dass Cass nicht ganz gestorben ist, sondern irgendwie noch existiert, gefangen im Lande der Schatten, und dort leidet, die Hälfte der Granatapfelkerne noch im Munde, und vergebens wartet, dass ihre Mutter kommt und sie zurückfordert, damit sie wieder bei den Lebenden sein kann. Doch was jetzt Lydias Grauen ist, war einmal ihre Hoffnung. *Wie kann denn jemand sterben, der so lebendig war?*, hat sie mich damals in der Nacht in diesem Hotel in Italien gefragt, wohin wir geflogen waren, um Cass' Leiche einzufordern, und dabei war ihr Ton so wild, ihr Blick so zwingend, dass auch ich einen Moment lang glaubte, es handle sich vielleicht um einen Irrtum, es sei vielleicht die unkenntliche Tochter eines andern gewesen, die sich dort auf den meerumwogten Klippen unter der kahlen kleinen Kirche von San Pietro in den Tod gestürzt hatte.

Wie schon gesagt, Lydia und ich, wir hatten nie an die Unsterblichkeit der Seele geglaubt und nur milde und reichlich von oben herab gelächelt, wenn andere über ihre Hoffnung sprachen, ihre dahingeschiedenen Lieben dermaleinst wiederzusehen, doch nichts vermag das Wachs erstarrter Überzeugungen so zu erweichen wie der Tod des einzigen Kindes. Nach Cass' Tod – und ich kann diese Worte bis heute nicht geschrieben vor mir sehen, ohne ungläubig zu erschrecken, so unwahrscheinlich kommen sie mir vor, selbst jetzt, da ich sie in dieses Blatt Papier einritze –, danach ertappten wir uns dabei, wie wir zögernd und verschämt begannen, die Möglichkeit einer zwar nicht buchstäblich nächsten, aber doch einer Welt nächst, also neben dieser hier in Erwägung zu ziehen, einer Welt, in der die Geister derer, die nicht mehr hier und doch nicht ganz weg sind, vielleicht ja noch verweilen. Wir hielten uns an allem fest, was wie ein Zeichen aussah, an jedem noch so vagen Omen, an den leisesten Andeutungen. Zufälle waren nicht mehr, wie bisher, bloß Fältchen in der sonst so gleichmütig plausiblen Oberfläche der Realität, sondern Teile eines Codes, groß und drängend, so etwas wie verzweifelte Signale von der anderen Seite, die wir – es trieb uns schier zum Wahnsinn – einfach nicht entschlüsseln konnten. Wie eifrig hörten wir nun hin und ließen alles Sonstige in der Schwebe, wenn wir beiläufig in Gesellschaft andere davon reden hörten, dass auch sie jemanden verloren hatten, wie atemlos hingen wir an ihren Lippen, wie gierig lasen wir in ihren Mienen, um zu sehen, ob sie tatsächlich daran glaubten, dass die, die sie verloren hatten, nicht ganz verloren waren. Bestimmte Anordnungen angeblich zufälliger Objekte trafen uns mit runischer Gewalt. Besonders jene großen Vogelschwärme, Stare waren es, glaube ich, die sich an manchen Tagen draußen überm Meer zusammenscharten, in amöbenhaft waberndem Schwarz herabstießen und dann in perfekter, spontaner Koordination wirbelnd eine Folge von Ideogrammen an den Himmel zu schreiben schienen, die zwar allein an uns gerichtet, aber doch allzu rasch und flüchtig hingeworfen waren, als dass es uns hätte gelingen können, sie zu deuten. All dieses Nichtentzifferbare war eine Qual für uns.

Ich sage uns, aber natürlich haben wir nie über diese kläglichen Hoffnungen auf einen Fingerzeig aus dem Jenseits gesprochen. Die Trauer erzeugt so eine eigenartige Befangenheit zwischen den Trauernden, fast schon eine Verlegenheit, die sich nicht leicht erklären lässt. Ist es die Angst, dass solche Dinge, wenn sie einmal ausgesprochen sind, nur noch mehr Gewicht bekommen, zu einer noch schwereren Bürde werden? Nein, das ist es nicht, nicht ganz. Die Zurückhaltung, das Taktgefühl, die unser beiderseitiges Trauern Lydia und mir auferlegte, war zugleich ein Stück weit Großmut, war das, was den Kerkermeister auf Zehenspitzen an der Zelle vorübergehen lässt, in welcher der Delinquent in seiner letzten Nacht schläft, und gleichzeitig Ausdruck unserer Furcht, wir könnten die dämonischen

Folterknechte aufschrecken, deren spezielle Pflicht darin bestand, uns zu quälen, und sie anstacheln zu noch intensiveren Exerzitien. Doch auch unausgesprochen wusste jeder, was der andere dachte, und, schmerzhafter noch, was der andere fühlte – denn das ist ein weiterer Effekt unserer geteilten Sorge: diese Empathie, diese traurig-düstere Telepathie.

Ich denke an den Morgen nach Lydias allererstem nächtlichen Wüten, als sie von ihrem Kissen hochgefahren war, überzeugt, dass unsere jüngst verstorbene Tochter noch am Leben sei und sich irgendwo im Haus befinde. Selbst als der Schock vorüber war und wir uns ins Bett zurückgeschleppt hatten, konnten wir nicht wieder einschlafen, nicht richtig – Lydia schluchzte immer noch weiter, es hörte sich an, als ob sie einen Schluckauf hätte, und mir pochte das Herz wie rasend –, sondern lagen lange stocksteif auf dem Bett, als übten wir schon für den Tag, an dem wir beide Leichen sind. Die Vorhänge waren dick und fest geschlossen, und dass bereits der Morgen graute, merkte ich erst, als ich sah, wie über mir ein hell schimmerndes Bild sich formte, das sich immer weiter ausbreitete, bis es beinah die ganze Zimmerdecke einnahm. Anfangs hielt ich es für eine Halluzination, die mir mein vom Schlafentzug zermürbtes, noch halb verdrehtes Bewusstsein vorspiegelte. Auch konnte ich mir keinen Reim darauf machen, wo oben und wo unten war – kein Wunder, denn das Bild stand auf dem Kopf, wie ich nach ein paar Augenblicken registrierte. Die Sache war nämlich die, dass die nadelöhrgroße Öffnung zwischen den Vorhanghälften einen schmalen Lichtstrahl einließ, der den Raum in eine Camera Obscura verwandelte, und das dort oben über uns war eine umgekehrte Spiegelung der Außenwelt. Da war die Straße unterm Fenster mit ihrem blaubeerblauen Asphalt und, näher dran, ein glänzender schwarzer Huckel, der zum Dach unseres Autos gehörte, und die einzelne Weißbirke gegenüber, schlank und fröstelnd wie ein nacktes junges Mädchen, und hinter alledem die Bucht, die zwischen den zwei Anlegern, dem Nordpier und dem Südpier, steckte wie zwischen Daumen und Zeigefinger, und *da*hinter dann das blassere Azur der See, die am nicht sichtbaren Horizont unmerklich in den Himmel überging. Wie deutlich all das war, wie scharf umgrenzt! Ich sah die den Nordpier säumenden Schuppen mit ihren matt im ersten Licht der Sonne leuchtenden Asbestdächern und leeseitig des Südpiers die stachligen bernsteinfarbenen Masten der einander sacht anrempelnden Segelboote, die dort vor Anker lagen. Mir war, als könnte ich sogar die kleinen Wellen auf dem Wasser sehen, und hier und da ein wenig munter hingetupften Schaum. Noch immer in dem Glauben, dass ich wohl träumen müsse oder einer Täuschung aufgesessen sei, fragte ich Lydia, ob auch sie diese strahlend helle Fata Morgana sehe, und sie sagte ja, ja, und dann fasste sie nach meiner Hand und hielt sie fest. Wir redeten im Flüsterton, als könnte dieses fragile Arrangement aus Licht und allen Farben des Regenbogens durch unser bloßes stimmliches Agieren in Trümmer gehen. Das Ding schien innerlich zu zittern, alles daran schien leise zu vibrieren, als wären das, was wir da sahen, die wimmelnden Lichtteilchen selbst, die strömenden Photonen, und das stimmte ja wohl, streng genommen, auch. Und doch war es gewiss, das fühlten wir, gewiss nicht nur eine Naturerscheinung, für die es eine ganz einfache, von einem leisen Hüsteln angekündigte und von einem entschuldigenden Brummen gefolgte wissenschaftliche Erklärung gäbe – das hier war gewiss etwas, das uns gegeben war, eine Gabe, ein Gruß, mit anderen Worten ein sicheres Zeichen, gesandt, uns zu trösten. Wie erstarrt lagen wir da und sahen zu, ich weiß nicht mehr, wie lange, ach, noch ziemlich lange. Als die Sonne aufging, verfestigte sich die verkehrte Welt da oben über uns und räumte nach und nach die Zimmerdecke, bis sie an einer Kante einzurasten schien und stetig die Wand hinabzugleiten begann und sich zu guter Letzt in den Teppich ergoss und verschwunden war. Sogleich standen wir auf – was hätten wir auch weiter tun sollen? – und fingen an mit unseren alltäglichen Verrichtungen. Waren wir getröstet? Fühlten wir uns erleichtert? Ein bisschen, bis das Wunder jenes Schauspiels, das uns beschert gewesen war, begann, sich aufzulösen, wegzurutschen, zu entgleiten und aufzugehen in der normalen, faserigen Struktur der Dinge.

Unsere Tochter starb auch an der Küste, an einer anderen Küste, bei Porto Venere, was, falls Sie es nicht wissen, eine alte ligurische Hafenstadt an der Spitze einer Landzunge ist, die sich bis in den Golf von Genua erstreckt, gegenüber von Lerici, wo Shelley, der Dichter, ertrank. Die Römer kannten es als Veneris Portus, denn vor langer Zeit gab es dort einen Schrein für diese bezaubernde Göttin auf dem trüben Felsvorsprung, wo heute die dem Apostel Petrus gewidmete Kirche San Pietro steht. Die Byzantiner hatten ihre Flotte in der Bucht von Porto Venere stationiert. Der Ruhm ist längst verblasst, und heute ist es nur noch eine leicht melancholische, vom Salz gebleichte Stadt, die sehr beliebt ist bei Touristen und für Hochzeitsfeiern. Als man uns unsere Tochter im Leichenschauhaus zeigte, hatte sie kein Gesicht mehr: Die Felsen von San Pietro und die Wogen der See hatten es ausgelöscht und sie in antlitzloser Anonymität zurückgelassen. Aber sie war es, ganz gewiss, da gab es keinen Zweifel, trotz der verzweifelten Hoffnung ihrer Mutter auf einen Irrtum bei der Identifizierung.

Warum Cass ausgerechnet in Ligurien war, haben wir nie herausgefunden. Sie war siebenundzwanzig und irgendwie so was wie eine Wissenschaftlerin, wenn auch einigermaßen sprunghaft – sie hatte bereits seit ihrer Kindheit am Mandelbaum-

Syndrom gelitten, einem seltenen psychischen Defekt. Was weiß man schon über einen anderen Menschen, selbst wenn's die eigene Tochter ist? Ein kluger Mann, dessen Namen ich vergessen habe – mein Gedächtnis ist mittlerweile das reinste Sieb –, stellte einst die vertrackte Frage nach der Länge einer Küstenlinie. Wahrlich keine schwere Aufgabe, möchte man meinen, leicht zu lösen für einen, sagen wir mal, einen professionellen Landvermesser mit seinem Perspektiv und seinem Bandmaß. Doch überlegen Sie einen Augenblick. Wie fein kalibriert muss so ein Bandmaß sein, dass es mit diesen ganzen Ecken und Winkeln klarkommt? Und die Ecken haben Ecken, die Winkel Winkel und immer so weiter, bis in alle Ewigkeit, oder zumindest bis zu der nicht klar bestimmten Grenze, wo die Materie ganz allmählich, nahtlos, wie man so sagt, übergeht in die dünne Luft. Ähnlich verhält es sich auch mit den Dimensionen eines Lebens, wo man auf einer bestimmten Ebene innehält und einfach sagt, das war sie, unsere Cass, obwohl man selbstverständlich weiß, sie war es nicht.

Sie war schwanger, als sie starb. Das war ein Schock für uns als Eltern, ein nachträglicher Schock, zusätzlich zu der Katastrophe ihres Todes. Ich würde gerne wissen, wer der Vater war, der nicht werdende Vater; ja, das würde ich tatsächlich sehr gern wissen.

Die ominöse Filmfrau hat noch einmal angerufen, und diesmal war ich zuerst am Telefon, bin von meinem Bodenstübchen aus die Treppen hinuntergerast, die Knie wie Ellenbogen in Bewegung – und da erst nahm ich meinen Eifer wahr und schämte mich ein wenig. Ihr Name, sagte sie, sei Marcy Meriwether, sie rufe aus Carver City an der Küste Kaliforniens an. Nicht mehr jung, Raucherstimme. Sie fragte, ob Mr Alexander Cleave persönlich am Apparat sei, der Schauspieler. Ich überlegte, ob etwa einer meiner Bekannten mir einen Streich spielen wollte – die Leute am Theater haben eine bedrückende Freude daran, andere zum Besten zu halten. Sie schien verstimmt, weil ich sie nicht zurückgerufen hatte. Ich beeilte mich zu erklären, meine Frau habe ihren Namen nicht richtig verstanden, was für Ms Meriwether das Stichwort war, ihn mir halb genervt, halb spöttisch zu buchstabieren, was entweder bedeuten konnte, dass sie mir meine Ausrede, die sich selbst für meine Ohren lasch und unglaubwürdig anhörte, nicht abnahm, oder dass sie es einfach leid war, ihren zwar durchaus einschmeichelnden, aber doch auch etwas albernen Namen buchstabieren zu müssen, weil die Leute entweder nicht richtig hinhörten oder aber ihren Ohren nicht trauten und ihn jedenfalls beim ersten Mal nicht richtig mitbekommen hatten. Sie ist bestimmt in leitender Position, eine wichtige Frau bei Pentagram Pictures, einer unabhängigen Produktionsfirma, die einen Film drehen will, der auf der Biografie eines gewissen Axel Vander basieren soll. Auch diesen Namen buchstabierte sie mir, langsam, als sei sie mittlerweile überzeugt, es mit einem Schwachkopf zu tun zu haben, was ja auch durchaus verständlich ist bei jemandem, der sein Leben lang mit Schauspielern gearbeitet hat. Ich gab zu, nicht zu wissen, wer Alex Vander ist oder war, was sie indes als belanglos abtat, und sie erklärte, sie werde mir Material über ihn schicken. Sie lachte trocken auf, als sie das sagte, keine Ahnung, warum. Der Film solle *Erfindung der Vergangenheit* heißen, kein sehr eingängiger Titel, dachte ich, sagte es aber nicht. Regie führen solle Toby Taggart. Auf diese Ankündigung folgte ein langes, abwartendes Schweigen, das auszufüllen sie, so viel war klar, von mir erwartete, aber das konnte ich nicht, denn auch von diesem Toby Taggart hatte ich noch nie gehört.

Ich nahm an, Ms Meriwether sei inzwischen entschlossen, sich nicht mehr weiter mit einem wie mir abzugeben, der ja offensichtlich überhaupt nicht Bescheid wusste, stattdessen aber versicherte sie mir, ganz im Gegenteil, alle an dem Projekt Beteiligten fänden die Aussicht, mit mir zu arbeiten, ungemein spannend, und ich sei für diese Rolle natürlich nicht nur die erste, sondern auch die einzig naheliegende Wahl. Diese Schmeichelei quittierte ich pflichtschuldig mit einem dankbaren Schnurren, um sodann, zaghaft zwar, doch in für meine Begriffe keineswegs rechtfertigendem Ton zu erwähnen, dass ich aber noch nie bei einem Film mitgespielt hatte. War das, was ich darauf am anderen Ende hörte, etwa ein rasches Luftholen? Ist es denn möglich, dass eine so erfahrene Filmfrau, wie Ms Meriwether es doch sicher war, einem Schauspieler gerade eine Hauptrolle anbot, ohne über diesen Punkt im Bilde zu sein? Das sei schon in Ordnung, sagte sie, absolut in Ordnung; Toby wolle sogar unbedingt jemanden, der neu auf der Leinwand sei – ein unbekanntes Gesicht – ich bin immerhin in den Sechzigern – eine Behauptung, der sie, das merkte ich, ebenso wenig Glauben schenkte wie ich selbst. Und dann legte sie plötzlich auf, und dies so abrupt, dass ich mir nur noch die Augen reiben konnte. Das Letzte, was ich von ihr hörte, während der Hörer schon auf die Gabel fiel, war der Beginn eines heiser rasselnden Hustenanfalls. Und wieder fragte ich mich voller Unbehagen, ob das womöglich alles nur ein dummer Streich war, befand jedoch, ohne irgendeinen vernünftigen Gegenbeweis, es sei keiner.

Axel Vander. So, so.

Mrs Gray und ich, wir hatten unsere erste – wie soll ich es nennen? Unsere erste Begegnung? Das klingt mir zu vertraulich und zu unverblümt – denn schließlich war das ja noch keine leibhaftige Begegnung – und gleichzeitig auch zu prosaisch. Was es auch war, wir hatten es an einem pastellfarbenen Apriltag bei Windböen und Regenschauern, als der Himmel weit und frisch gewaschen war. Ja, wieder mal April; irgendwie ist in dieser Geschichte immer April. Ich war unterdessen ein raues Bürschlein von fünfzehn Jahren, und Mrs Gray war eine voll erblühte verheiratete Mittdreißigerin. Ich war mir sicher, dass unsere Stadt eine derartige Liaison noch nie erlebt hatte, doch da lag ich wohl falsch, denn es gibt nichts, was es nicht schon mal gegeben hat, abgesehen von dieser einen Sache, die im Paradies geschah und mit der die ganze Katastrophe ihren Anfang nahm. Es dauerte freilich seine Zeit, bis es in der Stadt herum war, und ohne die Tratschlust und unstillbare Neugier einer gewissen Schnüfflerin hätte vermutlich überhaupt nie jemand irgendwas davon erfahren. Doch hier kommt das, woran ich mich erinnere, was ich im Gedächtnis bewahrt habe.

Ich zaudere, einer Befangenheit gewahr, als zupfte mich die prüde Vergangenheit am Ärmel, um mir Einhalt zu gebieten. Jedoch die kleine Liebelei – das ist das Wort! – an jenem Tage war gegen das, was später kommen sollte, das reinste Kinderspiel.

Sei's drum, auf geht's.

Mein Gott, ich fühl mich so, als wär ich wieder fünfzehn.

Es war kein Samstag, ganz gewiss kein Sonntag, also muss es ein Ferientag gewesen sein, oder ein Feiertag – der Tag des Heiligen Priapus vielleicht –, jedenfalls war keine Schule, und ich war bei Billy zu Hause. Wir wollten eigentlich irgendwohin gehen, irgendwas unternehmen. An dem kleinen kiesbestreuten Platz, an dem die Grays wohnten, fröstelten die Kirschbäume im Wind, und über die Gehwege fegten fludrige Bänder aus Blütenblättern wie blassrosa Federboas. Die fliegenden Wolken, die rauchgrau waren wie geschmolzenes Silber, hatten große Löcher, durch die der feuchtblaue Himmel schien, und geschäftige kleine Vögel flitzten hastig hin und her oder drängten sich in dichten Reihen auf den Dachfirsten, plusterten sich auf und tauschten zwitschernd und pfeifend ihre Zoten aus. Billy machte mir die Tür auf. Er war mal wieder noch nicht so weit, erst halb angezogen, hatte zwar schon Hemd und Pullover an, aber noch keine Socken, untenrum war er noch in seiner gestreiften Schlafanzughose und müffelte nach ungewaschenem Bettzeug. Er ging vor mir die Treppe hinauf und brachte mich ins Wohnzimmer.

Damals, als eine Zentralheizung nur für wirklich reiche Leute erschwinglich war, herrschte in unseren Häusern im Frühling morgens stets so eine ganz eigene Kühle, in der sämtliche Konturen scharf und alle Dinge wie gelackt aussahen, als ob die Luft sich über Nacht in Wasserglas verwandelt hätte. Billy ging sich fertig anziehen, und ich stand mitten im Zimmer und war irgendwie nichts, noch nicht einmal so recht ich selbst. Es gibt solche Momente, da gleitet man sozusagen in einen Zustand der Neutralität hinüber, da ist einem alles völlig egal, da kriegt man das andere oft nicht einmal mit, ist oft gar nicht richtig *da,* jedenfalls nicht in irgendeinem eigentlichen Sinne. Ich fühlte mich an jenem Morgen aber nicht direkt abwesend, das trifft es nicht; aus heutiger Sicht war ich eher in einem Zustand passiver Empfänglichkeit oder eines nicht wirklich bewussten Wartens. Die hohen metallgerahmten Fenster hier, ganz Sonnenschein und Himmel, waren zu grell für meine Augen, und so drehte ich mich um und ließ den Blick ziellos durchs Zimmer schweifen. Wie durch und durch bedeutungsschwanger sie einem doch allemal vorkommen, die Dinge in Zimmern, die nicht unsere eigenen sind: dieser chintzbezogene Sessel, irgendwie auf dem Sprung, als sei er im Begriff, sich grollend aufzuraffen; diese Stehlampe, die so still ausharrt und ihr Gesicht unter einem Chinesenhut verbirgt; das Klavier, auf dessen Deckel eine völlig unversehrte graue Staubschicht liegt und das vernachlässigt, verkrampft, verbittert an der Wand steht wie ein großes, hässliches Haustier, das die Familie längst schon nicht mehr liebt. Ganz deutlich hörte ich die anzüglichen Pfiffe der lüsternen Vögel da draußen. Und dann spürte ich auf einmal doch etwas, ein vages Zucken an der einen Seite, als wäre ein schwacher Lichtstrahl auf mich gerichtet worden oder als hätte ein warmer Atem meine Wange gestreift. Rasch schaute ich zur offenen Tür hinüber, doch sie war leer. War da jemand gewesen? War jenes Pfeifen, das ich gehört hatte, das letzte Gellen eines verklingenden Gelächters?

Schnell ging ich hinüber zur Tür. Der Korridor war leer, obwohl es mir so vorkam, als würde ich dort draußen die Spuren einer unsichtbaren Präsenz wahrnehmen, ein Fältchen in der Luft, wo eben noch jemand gewesen war. Von Billy aber war weit und breit nichts zu sehen – vielleicht war er wieder ins Bett gegangen, es hätte mich nicht gewundert. Ich schlich den Korridor entlang, der Teppich – welche Farbe, welche Farbe hat der eigentlich gehabt? – dämpfte meine Schritte, und ich hatte keine Ahnung, wohin ich ging oder wonach ich suchte. In den Kaminen wisperte der Wind. Was doch die Welt für

Selbstgespräche führt, auf ihre eigene Weise, so verträumt und heimlichtuerisch. Eine Tür stand halb offen, was mir erst auffiel, als ich schon fast daran vorbei war. Ich sehe mich noch, wie ich zunächst zur Seite schaute, dann nach hinten, und plötzlich wurde alles ganz, ganz langsam und geriet irgendwie ins Schlingern und fing an zu ruckeln.

Dieser Teppich, jetzt fällt's mir wieder ein: Er war blassblau oder blaugrau gestreift, ein sogenannter Läufer, glaube ich, und die Dielen rechts und links davon waren hässlich dunkelbraun lackiert und glänzten wie angelutschte, klebrige Karamellbonbons. Sieh mal einer an, was man nicht alles wieder heraufrufen kann, wenn man sich konzentriert.

Zeit und Erinnerung sind in der Tat ein pingeliges Team von Innenausstattern, in einer Tour am Möbelrücken, ständig werden die Zimmer neu eingerichtet und sogar neu eingeteilt. Ich bin überzeugt, dass der Raum, in den ich durch die offene Tür hineinsehen konnte, ein Badezimmer war, denn ich erinnere mich noch ganz genau an diesen kühlen Glanz von Porzellan und Zink; was mir jedoch ins Auge fiel, das war ein Spiegel, wie diese Spiegel an den Frisierkommoden in Damenschlafzimmern damals ausgesehen haben: oben abgerundet und mit Flügeln an den Seiten und sogar – kann das stimmen? – mit so dreieckigen kleinen Klappen, die an den beiden Flügeln angebracht waren und die die Dame, wenn sie vor ihrem Toilettentischchen saß, schräg nach vorne ausziehen konnte, um sich von oben zu betrachten. Noch mehr verwirrte mich indes ein zweiter Spiegel, so ein großer Ankleidespiegel, der offenbar an der Außenseite der nach innen öffnenden Tür befestigt war; in ihm sah ich das Zimmer gespiegelt, in dessen Mitte die Frisierkommode, oder was auch immer, mit ihrem eigenen Spiegel stand, besser gesagt, mit ihren Spiegeln. Was ich also zunächst gesehen hatte, war, genau genommen, nicht das Bade- oder Schlafzimmer selbst, sondern nur seine Spiegelung – und Mrs Gray, die aber keine Spiegelung war, sondern die Spiegelung einer Spiegelung.

Wenn Sie mir bitte folgen wollen durch das kristallene Labyrinth.

Ich steh da also wie gebannt vor dieser Tür und gaffe seitwärts in den großen Spiegel, der – unfassbar – außen angebracht war an dieser offenen Türe, die nach innen aufging. Mir war nicht sofort klar, was ich da sah. Bis dahin war der einzige Körper, den ich aus nächster Nähe kannte, mein eigener gewesen, und nicht mal mit dem stand ich auf wirklich vertrautem Fuß, zumal er ja noch gar nicht richtig fertig war. Wie ich mir eine Frau vorstellte, die nichts anhat – keine Ahnung. Natürlich hatte ich mit heißen Backen Drucke alter Gemälde studiert und mir die rosa Schenkel diverser von Meisterhand gemalter, irgendwelche Faune abwehrender Vogelscheuchen begafft, dito die eine oder andere, wie Madame Geoffrin es einst so trefflich formuliert hat, inmitten eines Kinderfrikassees thronende klassische Matrone, wobei mir durchaus klar war, dass selbst die nackteste all dieser üppigen Gestalten mit ihren trichterförmigen Brüsten und gänzlich kahlen, spaltenlosen Deltas nicht das Geringste mit einer realistischen Darstellung der Frau, so wie sie die Natur erschuf, zu tun hatte. In der Schule, unter den Bänken, gingen gelegentlich irgendwelche schmuddligen alten Postkarten von einer fummelnden Hand zur andern, wobei diese daguerreotypierten Kokotten, die da entblößte Teile ihrer selbst zur Schau stellten, meistens hinter schmierigen Daumenabdrücken und einem Filigran aus weißen Knitterfalten versteckt waren. Mein Ideal von reifer Weiblichkeit, das war die Kayser-Bondor-Dame, eine dreißig Zentimeter hohe Schönheit aus Pappe, die, angetan mit einem lavendelfarbenen Morgenmantel, unter dem die Kante eines aufregend keuschen Unterrocks hervorblitzte, gefolgt von einem Paar unvergleichlicher, nicht enden wollender, in 15-den-Nylons steckender Beine, in der Strumpfabteilung von Miss D'Arcys Kurzwarenladen an unserem Ende der Main Street auf dem Ladentisch stand und die, die Anmut und die Raffinesse in Person, gebieterisch in so manch eine meiner nächtlichen Fantasien gefegt kam. Welche sterbliche Frau hätte es schon mit einem solchen Wesen aufnehmen können, mit solch erhabener Haltung?

Mrs Gray im Spiegel, im gespiegelten Spiegel, war nackt. Ich weiß, galanter wäre es zu sagen, sie war unbekleidet, aber nackt ist das rechte Wort. Nach der ersten Verwirrung und dem ersten Schrecken staunte ich, wie krisselig ihre Haut aussah – wahrscheinlich hatte sie Gänsehaut – und wie stumpf sie glänzte, wie eine beschlagene Messerklinge. Statt der von mir erwarteten Pfirsich- und Pinktöne – Rubens hat da so einiges auf dem Kerbholz – wies ihr Körper, sehr zu meiner Verwunderung, eine Skala gedämpfter Farbschattierungen auf, die von Magnesiumweiß bis hin zu Zinn und Silber reichten, zu weichem Gelb und blassem Ocker und hier und da sogar zu einem Hauch von Grün und in den Höhlungen zu moosig malvenfarbenen Nuancen.

Was sich mir darbot, war ein Triptychon von ihr, ein Körper, der gleichsam zergliedert war, besser gesagt, zerlegt. Der Mittelteil des Spiegels, also des Spiegels der Frisierkommode, wenn es denn eine solche war, bildete den Rahmen für ihren Torso, Brüste und Bauch und weiter unten die verwischte dunkle Stelle, während die Seitenflügel ihre Arme und die seltsam verbogenen Ellenbogen zeigten. Irgendwo oben war ein Auge, das mich unverwandt und leicht herausfordernd fixierte, als ob es sagen wollte *Ja, hier bin ich, und was sagst du nun zu mir?* Ich weiß wohl, dass dieses verworrene Arrangement sehr unwahrscheinlich, wenn nicht gar unmöglich ist – zum einen hätte sie ganz nah dran und unmittelbar vor dem Spiegel sitzen müssen, mit dem Rücken zu mir, damit ich sie so reflektiert sehen konnte, aber sie war ja gar nicht da, es war ja nur ihr Spiegelbild. Konnte es sein, dass sie irgendwie weiter weg war, an der anderen Seite des Zimmers, mir verborgen im Winkel jener offenen Tür? Aber dann hätte sie den Spiegel doch nicht so ausfüllen können, sondern wäre mir weiter weg erschienen und viel kleiner. Es sei denn, dass die beiden Spiegel, der auf der Frisierkommode, der sie spiegelte, und der an der Tür, der ihr Spiegelbild spiegelte, zusammen eine irgendwie vergrößernde Wirkung gehabt hätten. Was ich aber nicht glaube. Doch wie anders kann ich all dies Ungewöhnliche, all dieses Unwahrscheinliche erklären? Ich kann es nicht. Was ich beschrieben habe, sehe ich in der Erinnerung genau so vor mir, und ich muss doch sagen, was ich sehe. Als ich sie später darauf ansprach, stritt Mrs Gray rundheraus ab, dass dergleichen jemals vorgekommen sei, ich müsse sie ja für ein schönes Flittchen – ihr Wort – halten, meinte sie, wenn ich ihr zutrauen würde, dass sie sich jemandem, der fremd im Haus ist, so zur Schau stellt, noch dazu einem Knaben, der obendrein der beste Freund ihres Sohnes ist. Ich bin mir aber sicher, dass das gelogen war.

Und das war auch schon alles, dieser ganz kurze Blick auf eine fragmentierte Frau, dann ging ich sofort weiter den Korridor entlang, ja, geradezu gestolpert bin ich, als wenn mir einer tüchtig eins ins Kreuz gegeben hätte. Was? werden Sie nun rufen. Und das nennt der eine Begegnung, das nennt der eine Liebelei? Oh, aber bedenken Sie doch den brodelnden Aufruhr im Herzen eines Knaben nach einer solchen Zügellosigkeit, nach einer solchen Gefälligkeit. Und dennoch, nein, kein Aufruhr. Ich war nicht schockiert oder entflammt, wie man hätte erwarten können. Mein heftigstes Gefühl war das einer stillen Genugtuung, wie sie ein Anthropologe oder Zoologe verspüren mag, der durch einen glücklichen Zufall völlig unerwartet eine Kreatur erspäht hat, deren Aussehen und Eigenschaften eine Theorie über das Wesen einer ganzen Gattung bestätigen. Ich hatte nun ein Wissen, und dieses Wissen würde mir bleiben, und wenn Sie sich jetzt über mich lustig machen und sagen, das Einzige, was ich wusste, war, wie eine nackte Frau aussieht, dann zeigen Sie damit nur, dass Sie sich nicht mehr erinnern können, wie es war, als Sie jung waren und gierig nach Erfahrung, gierig nach dem, was man gemeinhin Liebe nennt. Dass die Frau nicht zusammengezuckt war unter meinem Blick, nicht türenschlagend davongerannt war oder wenigstens die Hand gehoben hatte, um sich zu bedecken, das war in meinen Augen weder acht- noch schamlos, sondern eher merkwürdig, sehr merkwürdig; es war für mich ein Anlass, gründlich und ausgiebig darüber nachzudenken.

Die Sache endete jedoch nicht ohne einen Schreck. Als ich an der Treppe war, hörte ich auf einmal schnelle Schritte hinter mir und drehte mich nicht um, denn ich hatte Angst, dass sie es wäre, die wie eine Mänade hinter mir hergerannt käme, immer noch ohne einen Fetzen am Leibe und von wer weiß was für einer wilden Absicht getrieben. Ich spürte meine Haut im Nacken puckern, darauf gefasst, mit aller Kraft gepackt zu werden von Händen, klammernden Fingern, wenn nicht gar Zähnen. Was konnte sie von mir wollen? Das Offenkundige war nicht das Offenkundige – ich war erst fünfzehn, wenn Sie sich erinnern. Hin- und hergerissen zwischen dem Impuls, mich Hals über Kopf die Treppe hinunterzustürzen und fluchtartig das Haus zu verlassen, um es nie wieder zu betreten, und dem entgegengesetzten Drang, meinen Mann zu stehen, mich umzudrehen und die Arme auszubreiten, um die verschwenderische, unverhoffte Gabe üppiger Weiblichkeit ans Herz zu drücken, die sich mir, nackt wie eine Nadel, wie Langlands Piers, der Pflüger, weiland so trefflich formulierte, atemlos und bebend vor Verlangen an den Hals wirft. Doch es war nicht Mrs Gray, die mir hinterhergelaufen kam, sondern ihre Tochter, Billys Schwester, die Nervensäge Kitty – Rattenschwänze, Nasenfahrrad –, die sich jetzt keuchend und kichernd an mir vorbeizwängte, die Treppe hinunterpolterte und unten stehen blieb, sich umsah, mir einen Blick zuwarf, so spöttisch und so wissend, dass sich mir die Haare sträubten, und im nächsten Augenblick verschwunden war.

Ich musste erst mal tief Luft holen, was aus irgendeinem Grunde wehtat, dann stieg auch ich die Treppe hinunter, aber schön vorsichtig. Der Flur war leer, von Kitty keine Spur, wie ich erleichtert sah. Leise machte ich die Haustür auf und trat hinaus auf den Platz, und meine Hoden summten wie diese hübschen Porzellanisolatoren, diese dicken kleinen Dinger, die Ähnlichkeit mit einer Puppe hatten und wo die Drähte durchgingen oder drum herum – erinnern Sie sich noch? Ich wusste, dass sich Billy wundern würde, wo ich abgeblieben war, aber ich fand, dass ich ihm unter diesen Umständen nicht unter die Augen treten konnte, jedenfalls nicht im Moment. Er hatte große Ähnlichkeit mit seiner Mutter, habe ich das schon erwähnt? Aber komischerweise kam er nie darauf zurück, dass ich aus dem Haus gelaufen war, nicht am nächsten Tag, als ich ihn wiedersah, und auch sonst nie. Manchmal frage ich mich – nun ja, ich weiß selbst nicht, was ich mich manchmal frage. Die Familie ist eine komische Einrichtung, und die Leute, die dazugehören, die Mitglieder, wissen eine Menge komische Dinge, oft, ohne überhaupt zu wissen, dass sie sie wissen. Als Billy das mit mir und seiner Mutter endlich herausgefunden hatte, kam mir da seine Wut, kamen mir diese heftigen Tränen nicht ein klein wenig übertrieben vor, selbst angesichts dieser durchaus verstörenden Lage, in die wir da allesamt mit einem Mal hineingeraten waren? Was ich damit sagen will? Nichts.

Weitergehen, na los schon, weitergehen, heißt die Instruktion, die wir am Schauplatz eines Unfalls oder eines Verbrechens erhalten.

Die Tage gingen dahin. Die Hälfte der Zeit verbrachte ich damit, über das Abbild von Mrs Gray im Spiegel meiner Erinnerung nachzudenken, die andere Hälfte stellte ich mir vor, ich hätte mir das alles nur vorgestellt. Es dauerte mindestens eine Woche, bis ich sie wiedersah. Draußen vor der Stadt, an der Bucht, gab es einen Tennisclub, bei dem die Grays eine Familienmitgliedschaft hatten und wo ich manchmal mit Billy ein paar Bälle wechselte, wobei ich mit meinen billigen Turnschuhen und meinem abgewetzten Unterhemd immer das schreckliche Gefühl hatte, dass mich alle anstarrten. Ach ja, die Tennisclubs von damals! Herrlich, diese alten Plätze – dort habe ich mein Herz verloren. Allein die Namen – Melrose, Ashburn, Wilton, The Limes – kündeten von einer Welt, die um so vieles eleganter war als jene schäbige Provinz, in der wir lebten. Der besagte draußen an der Bucht hieß Courtlands. Ich hatte Mrs Gray nur ein einziges Mal dort spielen sehen, zusammen mit ihrem Mann im Doppel gegen ein anderes Ehepaar – in meiner Erinnerung einfach zwei weiß gekleidete Phantome, die in der gespenstischen Geräuschlosigkeit einer verlorenen Vergangenheit auf und ab hüpften. Mrs Gray spielte am Netz, mal drohend geduckt, das Hinterteil in der Luft, mal im Sprung emporgereckt, um einen Ball zu schlagen, wie ein Samurai, der einen Feind diagonal in zwei Hälften spaltet. Ihre Beine waren zwar nicht so lang wie die der Kayser-Bondor-Lady, sogar eher kräftig, aber schön braun und mit durchaus wohlgeformten Fesseln. Sie trug lieber Shorts als diese langweiligen Röckchen und hatte feuchte Stellen unter den Achseln ihres kurzärmeligen Baumwollshirts.

An jenem Tag, dem Tag, als es passierte – als das, was ich erzählen will, passierte, war ich allein auf dem Nachhauseweg; da überholte sie mich mit dem Wagen und blieb stehen. War das derselbe Tag, an dem das Doppel stattfand? Ich weiß nicht mehr. Wenn ja, wo war ihr Mann? Und wenn ich aus dem Club kam, wo war Billy? Eingesperrt, alle beide, von der Liebesgöttin, aufgehalten, abgelenkt, in der Toilette eingeschlossen und vergeblich schreiend, man möge sie rauslassen – wie auch immer, sie waren nicht da. Es war Abend, und nach einem Tag mit vielen Regenschauern sah die Sonne wässrig aus. Die Straße, mit duftenden Flecken Feuchtigkeit gemustert, verlief neben der Bahnlinie, und dahinter lag die Bucht, eine wogende Masse von aufgewühltem Violett, und den Horizont säumte, einer Fransenborte gleich, ein Gewall eisweißer Wolken. Ich hatte mir meinen Pulli über die Schultern geworfen und die Ärmel lose vorn zusammengeknotet, wie ein richtiger Tennisspieler, und trug meinen Schläger in seiner Hülle lässig unter dem Arm. Als ich den Motor hinter mir abbremsen hörte, wusste ich, keine Ahnung, woher, dass sie es war, und hatte dass Gefühl, dass auch mein Herzschlag sich verlangsamte und in ein synkopisches Stolpern überging. Ich blieb stehen, drehte mich um und verzog in gespieltem Erstaunen das Gesicht. Sie musste sich ganz weit über den Beifahrersitz beugen, damit sie das Fenster herunterkurbeln konnte. Der Wagen war kein richtiger Pkw, sondern ein leicht zerbeulter mattgrauer Kombi; sie hatte den Motor laufen lassen, und das große hässliche, bucklige Vehikel keuchte und zitterte auf seinem Chassis wie ein altes Pferd, das erkältet ist und nach hinten blauen Rauch aushustet. Mrs Gray lag halb auf dem Bauch, drehte das Gesicht zum offenen Fenster hinauf, lächelte mich spöttisch an und erinnerte mich an die liebenswürdig mokanten Heldinnen der Screwballkomödien von anno dazumal, die ein Feuerwerk an Witzen losließen und ihre Kavaliere schikanierten und die das Vermögen ihrer verdrießlichen Väter quietschvergnügt für Sportkarossen und alberne Hüte verjubelten. Sagte ich schon, dass ihre Haare so einen eichbraunen Ton hatten und der Schnitt undefinierbar war, und dass sie an der einen Seite eine Locke hatte, die sie andauernd hinters Ohr schob und die immer wieder hervorkam? »Na, junger Mann«, sagte sie, »ich glaube, wir haben denselben Weg.« Und so war es in der Tat, obschon der Weg, wie sich bald zeigen sollte, mitnichten der nach Hause war.

Sie war eine ungeduldige Fahrerin, der die Füße gern von den Pedalen rutschten, und die andauernd leise fluchte und den an der Lenkradsäule angebrachten Schalthebel heftig herumriss, wobei ihr linker Arm sich wie ein gelenkiger Pumpenschwengel bewegte. Hat sie geraucht? Aber ja doch; die Zigarette schoss alle naselang durch den offenen Schlitz nach oben, wo sie das Fenster einen Zentimeter weit offen gelassen hatte, wobei die Asche jedes Mal zum größten Teil wieder ins Wageninnere zurückstob. Der breite Vordersitz hatte keine Armlehne in der Mitte und war dick gepolstert wie ein Sofa, und wenn sie auf die Bremse trat oder einen anderen Gang einlegte, hüpften wir beide unisono ein bisschen in die Höhe. Mrs Gray schwieg lange vor sich hin, blickte angestrengt geradeaus auf die Straße und schien mit ihren Gedanken ganz woanders zu sein. Ich hatte die Hände im Schoß, die Fingerspitzen aneinandergelegt. Woran habe ich gedacht? An nichts, nichts, woran ich mich erinnern könnte; ich hab einfach gewartet, wieder mal, darauf gewartet, was passieren würde, genau wie damals an dem Tag im Wohnzimmer der Grays, vor jener Begegnung im Spiegel, doch diesmal aufgeregter, atemloser. Sie hatte ihre Tennissachen ausgezogen und trug ein Kleid aus einem leichten Stoff mit blassem Blumenmuster. Ab und zu stieg mir ein Schwaden ihres Duftgemischs in die Nase, während ein bisschen Rauch wie feiner Nieselregen seitwärts von ihren Lippen perlte, direkt in meinen Mund. Noch nie zuvor war ich mir der Gegenwart eines anderen Menschen so schmerzhaft bewusst gewesen, dieses separate Wesen, dieses inkommensurable Nichtich; ein Volumen, das die Luft verdrängte, ein sanftes Gewicht, das auf der anderen Seite die Sitzbank beschwerte; ein arbeitender Geist, ein schlagendes Herz. Wir umfuhren die Stadt, folgten einer sonnengesprenkelten Seitenstraße, an einer Trockenmauer entlang und an einem Wäldchen von flimmernden Birken. Es war ein Teil des Hinterlands der Stadt, in den ich selten kam; wie sonderbar, dass es in einem derart eng begrenzten Ort wie unserem Bereiche gab, in die man in der Regel eher nicht ging. Es wurde langsam Abend, aber es war noch ziemlich hell, neben uns jagte die Sonne durch die Bäume, jene Bäume, die, wenn ich sie heute sehe, viel zu dicht belaubt sind, es war ja erst April, immer wieder verschieben sich die Jahreszeiten. Wir erklommen einen flachen Hügel, wo der Wald zurückwich und sich uns ein unerwartet weiter Panoramablick über das grell beleuchtete Hochland bot, bis hin zum Meer, dann tauchten wir in ein schattiges kleines Tal hinab, und dann, an einer morastigen Biegung, riss Mrs Gray murrend das Lenkrad herum, der Wagen schoss nach links, und weiter ging es die Straße entlang, bis wir auf einen überwucherten Waldweg kamen, wo sie den Fuß vom Gas nahm, sodass der Kombi ein paar Meter über den holprigen Boden torkelte und schließlich ächzend und schlingernd stehen blieb.

Sie schaltete den Motor aus. Vogelgezwitscher durchbrach die Stille. Die Hände noch am Lenkrad, beugte sie sich vor und lugte durch die schräge Windschutzscheibe hinauf ins elfenbeinfarbene und braune Maßwerk der Zweige über uns. »Magst du mich küssen«, fragte sie, den Blick weiter nach oben gerichtet.

Es war weniger eine Aufforderung als vielmehr eine sachliche Frage; sie schien einfach neugierig zu sein. Ich blickte ins düstere Brombeergestrüpp neben dem Wagen. Was mich überraschte, war, dass mich das alles überhaupt nicht überraschte. Und dann, wie so was halt so geht, drehten wir einander im selben Moment die Köpfe zu, sie stemmte, um sich abzustützen, die Faust zwischen uns in den weichen Sitz, zog die Schulter hoch, hielt das Gesicht leicht schräg und kam mit geschlossenen Augen näher, und ich küsste sie. Es war ein Kuss, der wirklich sehr unschuldig war. Ihre Lippen waren trocken und fühlten sich spröde wie ein Käferflügel an. Nach ein, zwei Sekunden ließen wir los und lehnten uns zurück, und ich musste mich räuspern. Wie schrill die Vogelstimmen durch den hohlen Wald drangen. »Ja«, murmelte Mrs Gray, wie um sich irgendetwas zu bestätigen, dann ließ sie den Motor wieder an, drehte sich nach hinten, um durchs Heckfenster zu schauen, die Sehnen seitlich an ihrem Hals waren straff gespannt, und ihr einer Arm ruhte auf der Rücklehne des Beifahrersitzes, sie legte knirschend den Rückwärtsgang ein und schaukelte uns von dem Waldweg rückwärts wieder auf die Straße.

Ich wusste herzlich wenig über Mädchen – gerade deshalb lag mir das Wenige, was ich wusste, ja auch so sehr am Herzen – und fast nichts über erwachsene Frauen. Einmal am Meer, ich war vielleicht zehn oder elf, hatte ich einen Sommer lang aus der Ferne eine brünette Schönheit meines Alters angebetet – aber wer hätte nicht im honigsüßen Dunst der Kindheit am Meer eine brünette Schönheit angebetet? – und einen Winter lang in der Stadt einen Rotschopf namens Hettie Hickey, die trotz ihres alles andere als hübschen Namens so zart wie ein Figürchen aus Meißener Porzellan war und jede Menge Spitzenunterröcke übereinandertrug und ihre Beine zur Schau stellte, wenn sie den Jive tanzte, und an drei aufeinanderfolgenden unvergesslichen Samstagabenden durfte ich im Alhambra in der letzten Reihe neben ihr sitzen und ihr in den Ausschnitt fassen und eine ihrer überraschend kalten, aber aufregend geschmeidigen, weichen kleinen Brüste in der Hand halten.

Diese Streifschüsse von des Liebesgottes Pfeilen und dann noch das Bild einer vom Wind entblößten Radlerin im Kirchhof – auch hier war sicher ein verspielter Gott am Werk – waren bis dato alles gewesen, was ich an erotischen Erfahrungen vorzuweisen hatte, abgesehen von gewissen einsamen Exerzitien, die ich nicht mitzähle. Nun, nach jenem Kuss im Wagen, kam ich mir vor, als würde ich gar nicht richtig leben, sondern in einem Zustand zitternden Potenzials dahinschweben, und so tappte ich durch die Tage und warf mich nachts auf ein verschwitztes, stinkendes Bett und fragte mich, hab ich es wirklich gewagt –? und hat sie es gewagt –? Was dachte ich mir nicht für Listen aus, wie ich sie wiedersehen könnte, wie noch einmal mit ihr allein sein, um mich zu vergewissern, dass das, was ich kaum glauben konnte, wirklich wahr gewesen war, dass, wenn ich meinen Vorteil nutzte, sie mich vielleicht – ja, was denn eigentlich? Das war der Punkt, wo alles vage wurde. Oft konnte ich gar nicht sagen, was drängender war, die Sehnsucht danach, dass sie mir erlaubte, in sie einzudringen – denn nach jenem Kuss hatten meine vormals passiven Absichten das Stadium einer aktiven Absicht erlangt –, oder das Bedürfnis zu verstehen, was genau die Folgen eines solchen Eindringens und solchen Treibens wären. Die Kategorien des Verbs »wissen« waren durcheinandergeraten. Das heißt, ich war mehr oder minder vertraut damit, was ich meinerseits zu machen hatte und was sie mit sich machen lassen musste, aber so unerfahren ich auch war, so hatte ich doch das sichere Gefühl, dass die reine Technik dabei das Wenigste wäre.

Sicher war ich mir jedoch, dass das, was meine zwei Begegnungen mit Mrs Gray – die von fern, am Ende jener Spiegel-

Kette, und die von Nahem, im Kombi unter den Bäumen – zu verheißen schienen, eine Erfahrung von ganz neuem Rang sein würde. Einerseits empfand ich eine schwindelerregend intensivierte Mischung aus Ahnen und Entsetzen und andererseits eine perlende Entschlossenheit, bei allem, was sich als ein Angebot erweisen mochte, zuzugreifen, und zwar mit beiden Händen – und was für andere Extremitäten sonst noch dazu nötig sein mochten. Erschrocken und wohl auch ein klein wenig schockiert registrierte ich nun dieses wilde Hämmern meines Blutes. Und doch, trotz dieser Leidenschaft und dieser Schmerzen, war da die ganze Zeit so ein anhaltendes, eigenartiges Gefühl, als sei ich unbeteiligt, als würde ich es irgendwie nicht ganz erfassen, als sei ich da und auch wieder nicht da, als fände alles das noch immer in den Tiefen eines Spiegels statt, während ich selbst draußen stand, hineinstarrte, unberührt blieb. Nun gut, Sie kennen das Gefühl, ich bin ja schließlich nicht der Einzige, dem so etwas widerfährt.

Auf jenen kurzen Augenblick im Birkenwäldchen folgte ein einwöchiges Schweigen. Zuerst war ich enttäuscht, dann wütend, dann vergrämt und mutlos. Ich fühlte mich betrogen und glaubte, dass der Kuss, genau wie die Zurschaustellung im Spiegel, für Mrs Gray quasi bedeutungslos gewesen sei. Ich kam mir wie ein Ausgestoßener vor, einsam und verlassen mit meiner Demütigung. Ich wich Billy aus und ging allein zur Schule. Er schien meine Kühle gar nicht zu bemerken, mein neues Misstrauen. Ich beobachtete ihn heimlich, versuchte herauszufinden, ob er etwas davon mitbekommen hatte, was zwischen mir und seiner Mutter passiert war. In meinen trüberen Momenten redete ich mir ein, Mrs Gray spiele ein hinterlistiges Spiel mit mir und mache sich über mich lustig, und dann brannte ich vor Scham, weil ich mich so leicht an der Nase hatte herumführen lassen. Ich hatte die widerliche Vorstellung, dass sie beim

Abendbrot ausplauderte, was zwischen uns gewesen war – »Und dann hat er's wirklich getan, er hat mich geküsst!« –, und sie alle vier, sogar der griesgrämige Mr Gray, vor Vergnügen kreischten und einander ausgelassen in die Seite stießen. Ich war dermaßen verzweifelt, dass selbst meine Mutter aus ihrer chronischen Lethargie erwachte, obwohl ihre gemurmelten Nachfragen und halbherzige Besorgnis mich nur in Rage brachten, weshalb ich ihr die Antwort schuldig blieb und türenknallend aus dem Haus stapfte.

Als ich Mrs Gray am Ende dieser zweiten qualvollen Woche schließlich per Zufall auf der Straße traf, hatte ich zunächst den Impuls, so zu tun, als ob ich sie gar nicht bemerkte, einen messerscharfen Hochmut an den Tag zu legen und einfach wortlos und ohne eine Geste an ihr vorbeizugehen. Es war ein winterlich windiger Frühlingstag mit sprühenden Schneeregenschauern, und wir waren weit und breit die Einzigen im Fishers Walk, einer kleinen Gasse mit weiß getünchten Bauernhäusern, die sich unter der hohen Granitmauer des Bahnhofs entlangzog. Sie stemmte sich mit eingezogenem Kopf gegen den Wind, ihr Regenschirm flappte mit den Flügeln wie eine Fledermaus, und wenn ich mich ihr nicht direkt in den Weg gestellt hätte, wäre nämlich sie an mir vorbeigegangen, weil sie mich durch den Schirm nur von den Knien abwärts sehen konnte. Woher nahm ich bloß den Mut, die Unverschämtheit, mich so dreist vor sie hinzustellen? Ich sah, dass sie zuerst nicht wusste, wer ich war, und als sie mich dann doch erkannte, schien sie verwirrt zu sein. Hatte sie tatsächlich alles schon vergessen, oder hatte sie sich nur vorgenommen, so zu tun, als ob sie alles vergessen hätte, die Darbietung im Spiegel, die Umarmung im Kombi? Sie trug keinen Hut, ihr Haar war mit glitzernden Perlen aus schmelzendem Eis übersät. »Ach«, sagte sie und lächelte zaghaft, »wie siehst du denn aus? Du bist ja ganz erfroren.« Ich bibberte anscheinend, aber nicht so sehr vor Kälte, sondern vor lauter kleinmütiger Aufregung, weil wir uns hier so rein zufällig über den Weg gelaufen waren. Sie trug Galoschen und einen rauchfarbenen durchsichtigen Plastikmantel, der bis zum Kinn zugeknöpft war. Solche Mäntel trägt heute kein Mensch mehr und Galoschen auch nicht; warum eigentlich nicht? Ihr Gesicht hatte Kälteflecken, ihr Kinn war rau und glänzte, und ihre Augen tränten. Wir standen da und ließen uns vom Wind durchrütteln und waren, jeder auf seine Weise, hilflos. Von der Schinkenfabrik am anderen Flussufer wehte eine stinkende Böe zu uns herüber. Neben uns glänzte die nasse Steinmauer und verströmte einen Geruch nach feuchtem Mörtel. Hätte sie nicht die Not und das verzweifelte Flehen in meinem Blick bemerkt, ich glaube, sie hätte sich einfach an mir vorbeigezwängt und wäre weitergegangen. Sie sah mich eine ganze Weile nachdenklich an, zweifellos ging sie die verschiedenen Möglichkeiten durch, kalkulierte die Risiken; schließlich fasste sie einen Entschluss.

»Komm mit«, sagte sie und drehte sich um, und dann gingen wir zusammen weiter, wieder zurück in die Richtung, aus der sie gekommen war.

Es war die Osterwoche, und Mr Gray war an diesem Nachmittag mit Billy und seiner Schwester in den Zirkus gegangen. Ich stellte sie mir vor, die drei, wie sie sich dort in der Kälte auf einer Holzbank aneinanderkuschelten, und den Geruch des niedergetrampelten Grases, der zwischen ihren Knien hochstieg, um sie herum das Donnern der flatternden Zeltbahn und das Geplärre und Gefurze der Kapelle, und fühlte mich überlegen, erwachsener nicht nur als Billy und seine Schwester, sondern auch als ihr Vater. Ich war in ihrem Haus, in ihrer Küche, saß an dem großen viereckigen Holztisch, trank einen Pott Tee mit Milch, den Mrs Gray mir gemacht hatte, aufmerksam zwar und auf der Hut, das ist schon wahr, aber doch beschützt und warm und zitternd vor Erwartung wie ein Jagdhund. Was sollten mir Akrobaten oder ein paar langweilige Clowns oder selbst eine Reiterin im Flitterdress auf einem ungesattelten Pferd? Wie ich hier saß, hätte ich mich gefreut, wenn mir einer gesagt hätte, die große Zeltkuppel sei vom Wind zerfetzt worden und hätte alle unter sich begraben, die Künstler genauso wie die Zuschauer. In der Ecke sprühte ein kleiner eiserner Bullerofen, dessen Rohr vor Hitze bebte, hinter seiner verrußten Glasscheibe zischend Funken. Hinter mir brachte sich der Kühlschrankmotor ächzend und stöhnend selbst zum Schweigen, und wo eben noch ein ungehörtes Brummen gewesen war, da herrschte plötzlich eine hohle Stille. Mrs Gray, die hinausgegangen war, um ihren Regenmantel abzulegen und die Gummischuhe auszuziehen, kam zurück; sie rieb sich die Hände. Ihr gerade noch fleckiges Gesicht glühte jetzt rosig, ihr Haar aber war nach wie vor dunkel von der Nässe und stand stachelig ab. »Du hast mir ja gar nicht gesagt, dass ich einen Tropfen an der Nase hatte«, sagte sie.

Sie wirkte ein bisschen hilflos und dabei gleichzeitig wehmütig amüsiert. Das hier war schließlich Neuland, keine Frage, für sie genauso wie für mich. Wenn ich ein Mann gewesen wäre und kein Junge, hätte sie vielleicht gewusst, wie sie weiter vorgehen musste, ein kleines Geplänkel, ein listiges Lächeln, ein bisschen Widerstand, der genau das Gegenteil bedeuten sollte – das Übliche halt –, was aber sollte sie mit mir anfangen, mit diesem Bürschchen, das wie ein Frosch hier bei ihr am Küchentisch hockte, mit vom Regen durchnässten, leicht dampfenden Hosenbeinen, eisern den Blick gesenkt hielt, die Ellbogen auf die Holzplatte stemmte, den Teepott fest mit beiden Händen umklammerte und dem es vor Schüchternheit und unterdrückter Geilheit schier die Sprache verschlagen hatte?

Jedenfalls meisterte sie die Situation mit einer Lässigkeit und Forschheit, die gehörig zu würdigen es mir damals noch an Erfahrung fehlte. In einem vollgestopften Raum hinter der Küche gab es eine Waschmaschine, aus deren offenem Deckel ein großes metallenes Paddel ragte, ein Spülstein, ein Bügelbrett, das steif auf seinen dürren Beinen stand und an eine Gottesanbeterin erinnerte, sowie ein Campingbett mit Metallrahmen, das man glatt für einen OP-Tisch hätte halten können, wenn es nicht so niedrig gewesen wäre. Aber wenn ich jetzt so darüber nachdenke – war das denn wirklich ein Bett? Es konnte auch eine Rosshaarmatratze sein, die einfach auf dem Boden lag, denn ich meine, mich an karikaturmäßige Sträflingsstreifen zu erinnern, und an groben Drillich, der mir die nackten Knie kratzte. Oder verwechsle ich das mit der Matratze auf dem Fußboden in Cotters Haus, die später kam? Wie dem auch sei, auf diese Bettstatt legten wir uns miteinander, erst auf die Seite, die Gesichter einander zugewandt, noch angezogen, und dann drückte sie sich in voller Länge an mich und küsste mich auf den Mund, hart und aus irgendeinem Grunde ärgerlich, so jedenfalls kam es mir vor. Als ich an ihrer Schläfe vorbei einen raschen Blick hinauf zur hohen Decke warf, hatte ich das beängstigende Gefühl, am Grunde eines tiefen Brunnens zu liegen, inmitten von lauter versunkenen Dingen.

Über dem Bett, auf halber Höhe der Wand, war ein einzelnes Fenster mit einer Milchglasscheibe, und das Regenlicht, das dort hereinfiel, war sanft und grau und stetig, und dies und der Geruch nach Wäsche und nach irgendeiner Seife oder Creme, die Mrs Gray für ihr Gesicht benutzte, all das zusammen kam mir vor, als ob es geradewegs aus der fernen Vergangenheit meiner Säuglingszeit emporstieg. Und wirklich, ich fühlte mich wie ein viel zu groß geratenes Baby, das wimmernd und zuckend auf dieser warmen, matronenhaften Frau herumturnte. Denn wir hatten Fortschritte gemacht, oh ja, wir hatten rasch Fortschritte gemacht. Ich vermute mal, sie hatte gar nicht mehr vorgehabt, als dass wir einfach eine Weile züchtig angezogen zusammenliegen und uns mit Lippen, Zähnen und Hüftknochen aneinanderreiben, aber wenn das ihr Plan gewesen war, dann hatte sie die Rechnung ohne die zielstrebige Heftigkeit eines fünfzehnjährigen Knaben gemacht. Als ich mir Hose und Unterhose abgestrampelt hatte, fühlte sich die Luft so kühl und seidig an auf meiner nackten Haut, dass ich mir vorkam wie ein einziges, riesengroßes blödes Lächeln. Hatte ich die Socken noch an? Mrs Gray, die mir eine Hand auf die Brust gelegt hatte, um meine Ungeduld zu zügeln, stand auf und zog ihr Kleid aus, dann lüpfte sie ihren Unterrock, schlüpfte aus ihrer Unterwäsche, legte sich, immer noch in dieser einen gleitenden Bewegung, wieder hin und erlaubte mir, sie abermals mit meinen Tentakeln zu umschlingen. Nun sagte sie mir immerzu nur nein ins Ohr, nein nein nein neiiiiiin!, aber das klang eher wie ein Lachen als wie eine Bitte, doch zu unterlassen, was ich gerade tat.

Und was ich tat, war, wie sich zeigen sollte, genauso leicht, wie wenn man ganz mühelos schwimmen lernt. Beängstigend auch, natürlich, über jenen unergründlichen Tiefen, doch viel stärker als die Angst war das Gefühl, endlich, und dabei doch auch eigentlich schon etwas früh, einen triumphalen Höhepunkt erklommen zu haben. Kaum dass ich fertig war – ja, leider ging wohl alles ziemlich schnell – und mich von Mrs Gray heruntergerollt hatte und kipplig, ein Bien angewinkelt, am äußersten Rand der schmalen Matratze auf dem Rücken lag, indes sie sich an die Wand quetschte, schwoll mir auch schon der Kamm vor lauter Stolz, und dabei war ich da noch völlig außer Puste. Ich hatte das dringende Bedürfnis loszulaufen und es irgendwem zu erzählen – aber wem konnte ich es erzählen? Nicht meinem besten Freund, so viel war sicher. Ich würde mich damit begnügen müssen, mein Geheimnis in mir zu verschließen und es mit niemandem zu teilen. Auch wenn ich noch sehr jung war, so war ich doch schon alt genug, um zu wissen, dass diese Verschwiegenheit zugleich eine Form von Macht war: Macht über mich selbst und auch über Mrs Gray.

Wenn ich schon eine solche Heidenangst hatte und wie ein armer Irrer hier herumschwamm, wie mag sie dann wohl erst empfunden haben? Was, wenn im Zirkus eine Katastrophe passiert war und man die Vorstellung abbrechen musste und Kitty plötzlich angerannt kam, um ihrer Mutter zu erzählen, wie der junge Mann auf dem Trapez den Halt verloren hatte und durchs staubwimmelnde Dunkel in die Tiefe gestürzt war, mitten in die Manege, dass ringsherum das Sägemehl aufstob, und er sich das Genick gebrochen hatte – und sie dann sah, wie ihre Frau Mama hier halb nackt irgendwelche unbegreiflichen akrobatischen Übungen machte mit diesem ulkigen Bürschchen, diesem Freund von ihrem Bruder? Auf einmal war ich fassungslos, wie viel Mrs Gray riskierte. Was dachte sie sich nur dabei, wie konnte sie es wagen? So stolz ich auch auf meine Leistung war, es ging mir einfach nicht in den Kopf, dass sie einzig meinetwegen willens und mehr als willens war, so viel aufs Spiel zu setzen. Ich muss sagen, ich konnte mir platterdings nicht vorstellen, dass mich jemand so sehr mochte, ich hielt mich nicht für dermaßen geliebt. Aber nicht etwa aus Schüchternheit oder mangelndem Selbstwertgefühl, nein, ganz im Gegenteil: So ganz versunken in mein Empfinden für mich selbst, besaß ich schlichtweg keine Elle, mit der ich hätte messen können, was sie eventuell für mich empfand. So war es jedenfalls am Anfang, und so blieb es bis zum Schluss. Wie das halt ist, wenn man sich selbst durch einen anderen entdeckt.

Nachdem sie mir nun gegeben hatte, wonach ich mich so über die Maßen qualvoll verzehrte, stand ich vor der verzwickten Aufgabe, mich wieder von ihr loszumachen. Ich meine nicht, dass ich nicht dankbar war oder dass ich keine Zuneigung empfand. Im Gegenteil, ich schwebte regelrecht, war wie betäubt vor lauter Zärtlichkeit und ungläubiger Dankbarkeit. Eine erwachsene Frau, genauso alt wie meine Mutter, und doch zugleich von dieser so verschieden, wie man nur sein konnte, eine verheiratete Frau mit Kindern, die Mama meines besten Kumpels, hatte ihr Kleid ausgezogen und ihre Strumpfhalter aufgehakt und war aus ihren Schlüpfern – weiß, weit, praktisch – gestiegen und hatte sich, den einen Strumpf noch an, der andere war runtergerutscht und hing ihr ums Knie, mit ausgebreiteten Armen hingelegt, damit ich mich auf sie legen und mich in sie ergießen konnte, und sogar jetzt drehte sie sich wieder mit einem wohlig bibbernden Seufzer auf die Seite und drückte ihren Bauch an meinen Rücken, der hochgeschobene Unterrock hatte sich um ihre Taille gewickelt, das drahtig-warme Haargekräusel unten in ihrem Schoß berührte meinen Hintern, und dabei streichelte sie mit den Fingerkuppen meine linke Schläfe und gurrte mir etwas ins Ohr, das sich anhörte wie ein leises, wollüstiges Wiegenlied. Wie sollte ich mich da nicht für den am reichsten gesegneten, den meistgeliebten Sohn der Stadt, des Landes halten – ja, der ganzen Welt?

Ich hatte noch ihren Geschmack im Mund. Meine Hände kribbelten noch von der eigentümlich kühlen Rauheit ihrer Haut von den Hüften hoch bis zu den Außenseiten ihrer Oberarme. Ich hörte noch ihr Keuchen und fühlte sie noch scheinbar fallen, rausfallen aus meinen Armen, während sie sich gleichzeitig heftig aufbäumte und sich dabei ganz fest an mich drückte. Und doch war sie nicht ich, sie war jemand ganz anders, und trotz meiner Jugend und obwohl all das für mich vollkommen neu war, sah ich sogleich mit mitleidloser Klarheit, dass ich nun vor der heiklen Aufgabe stand, sie wieder in die Welt zurückzustoßen, mitten hinein in all die ungezählten anderen Dinge, die nicht ich waren. Ja, ich war in der Tat schon weg von ihr, fühlte mich ihretwegen schon traurig und allein, obwohl mich ihre Arme noch umschlungen hielten und ich im Nacken ihren warmen Atem spürte. Ich hatte einmal zwei Hunde gesehen, die nach dem Deckakt noch ineinander feststeckten und dastanden, Hinterteil an Hinterteil, den Kopf in die jeweils entgegengesetzte Richtung gewandt; der Rüde glotzte gelangweilt und trübsinnig vor sich hin, während die Hündin deprimiert den Kopf hängen ließ, und Gott möge mir vergeben, aber genau daran musste ich damals denken und kriegte es einfach nicht aus dem Schädel, als ich, sprungbereit wie eine Feder, auf der niedrigen Bettkante lag, mich fortwünschte an einen anderen Ort und jene verschwenderische, erstaunliche, unglaubliche Viertelstunde glücklicher Mühsal in der Umarmung einer richtigen, ausgewachsenen Frau nochmals Revue passieren ließ. So jung, Alex, so jung noch und schon so brutal!

Endlich rappelten wir uns irgendwie hoch und packten uns wieder fest in unsere Sachen ein, verschämt jetzt wie Adam und Eva im Garten, nachdem der Apfel gegessen war. Oder nein, der Verschämte war ich. Ich hätte schwören können, dass ich sie mit meinem ganzen Gestoße und Gestocher innerlich verletzt hatte, aber sie war ganz gefasst und wirkte sogar irgendwie zerstreut, überlegte vielleicht schon, was sie zum Abendbrot machen sollte, wenn die Familie nachher aus dem Zirkus kam, oder fragte sich angesichts unserer Umgebung, ob meine Mutter am nächsten Waschtag wohl die verräterischen Flecke in meiner Unterwäsche bemerken würde. Erst die Liebe, spricht der Zyniker, dann die Stunde der Wahrheit.

Auch ich hatte meine Ablenkungen und wollte zum Beispiel wissen, warum es hier in diesem Raum, der doch allem Anschein nach die Wäschekammer war, ein Bett gab, wenn es auch bloß eine blanke Matratze war, fürchtete aber, dass es taktlos wäre, sie danach zu fragen – ich hab es nie herausgefunden –, und mich beschlich der Argwohn, dass ich womöglich nicht der Erste war, der hier mit ihr gelegen hatte – ein Argwohn, der jedoch, da bin ich mir ganz sicher, unbegründet war, denn sie war gewiss das Gegenteil von promisk, trotz allem, was sich just ereignet hatte, und allem, was sich noch ereignen sollte zwischen ihr und mir. Hinzu kam, dass ich mich unangenehm klebrig fühlte in der Leistengegend, und hungrig war ich obendrein, aber welcher junge Kerl wäre das nicht gewesen nach solchen Strapazen? Der Regen hatte schon vor einer Weile aufgehört, jetzt aber ging ein neuer Schauer los und klimperte ans Fenster überm Bett, und ich sah zu, wie windgetriebene Geistertropfen an das gräulich beschlagene Fenster klatschten und dran hinunterglitten. Etwas wie Schwermut überkam mich und ließ mich an die nassen Äste der Kirschbäume denken, die draußen schwärzlich glänzten, und an die schmutzbespritzten Blüten, die herniederfielen. Ich fragte mich, ob das so sein musste, wenn man verliebt war, diese jähen, schwermütigen Wallungen des Herzens.

Mrs Gray machte gerade einen Strumpf am Strumpfhalter fest, sie hatte den Saum ihres Kleides hochgezogen, und ich stellte mir vor, ich würde vor ihr auf die Knie fallen und mein Gesicht da oben zwischen ihren nackten und sehr weißen Beinen vergraben, die kleine Fettpölsterchen hatten und sich über den engen Strumpfrändern rundeten. Sie sah meinen Blick und lächelte nachsichtig. »Du bist so ein netter Junge«, sagte sie, während sie sich aufrichtete, eine kurze, schwungvolle Bewegung von der Schulter bis zum Knie machte, um ihre Kleider in Ordnung zu bringen, eine Geste, die ich, wie ich mit einem Anflug von Verdruss registrierte, schon oft bei meiner Mutter gesehen hatte. Dann streckte sie den Arm aus und streichelte mein Gesicht und nahm meine Wange in die Hand, und ihr Lächeln bekam mit einem Mal einen verstörten Zug und verwandelte sich beinah in ein Stirnrunzeln. »Was mach ich bloß mit dir?«, murmelte sie mit einem hilflosen kleinen Lachen, als würde sie das alles in eine Art heiteres Erstaunen versetzen. »Du rasierst dich ja noch nicht mal!«

Sie kam mir sehr alt vor – immerhin war sie im Alter meiner Mutter. Ich war mir nicht sicher, wie ich das finden sollte. Sollte ich mich geschmeichelt fühlen, dass eine Frau von solcher Reife, eine respektable Ehefrau und Mutter, mich befleckten, mies balbierten und alles andere als wohlriechenden Burschen so überwältigend begehrenswert fand, dass sie sich einfach nicht beherrschen konnte und mich ins Bett zerren musste, während sich ihr ahnungsloser Mann mit den Kindern über die Späße von Clown Coco scheckig lachte oder in angstvoller Bewunderung hinaufsah, wo die kleine Roxanne und ihre schlecht rasierten Brüder plattfüßig übers Hochseil hüpften? Oder war ich einfach bloß ein Zeitvertreib gewesen, ein Spielzeug für den Augenblick, mit dem eine gelangweilte Hausfrau sich in den öden Nachmittagsstunden eines ganz gewöhnlichen Alltags vergnügen und das sie dann umstandslos hinauswerfen konnte, während sie sich wieder ihren eigenen Angelegenheiten zuwandte, nämlich der Aufgabe, genau das zu sein, was sie tatsächlich war, und mich ganz einfach zu vergessen, mich und die verwandelten Wesen, die wir zwei scheinbar gewesen waren, als sie in meinen Armen zappelte und vor Ekstase lauthals schrie?

So nach und nach kann ich nicht mehr umhin zu sehen, mit welch einer Beharrlichkeit das Leitmotiv des Zirkus mit seinem Pomp und Flitter sich immer wieder in die Handlung einmischt. Ich nehme an, das ist ein passender Hintergrund für das hektische Schauspiel, das Mrs Gray und ich soeben aufgeführt hatten, wiewohl unser Publikum einzig aus einer Waschmaschine, einem Plättbrett und einem Waschmittelkarton der

Marke *Tide* bestand, wenngleich freilich die Göttin mit all ihren bestirnten Feen gleichfalls zugegen war, mir unsichtbar.

Vorsichtig stahl ich mich aus dem Haus, noch trunkener als seinerzeit vom Whiskey von Billys Vater, mir zitterten die Knie, als wäre ich ein alter Mann, und mein Gesicht brannte immer noch wie Feuer. Der Apriltag, in den ich hinaustrat, war natürlich wie verwandelt, ein einziges Sprudeln und Beben und Schäumen des Lichts, das ganze Gegenteil von meiner satten Trägheit, und als ich mich durch ihn hindurchbewegte, kam ich mir vor, als würde ich nicht laufen, sondern mich vorwärts wälzen wie ein großer, schlaff gewordener Ballon. Als ich heimkam, ging ich meiner Mutter aus dem Weg, denn ich war mir sicher, dass die bläulichen Male einer gerade erst, wenn auch nur vorläufig, gestillten Lust in meinem brennenden Gesicht noch deutlich genug zu sehen waren, und so verschwand ich gleich in meinem Zimmer und warf mich, ja, ich warf mich regelrecht aufs Bett und blieb dort auf dem Rücken liegen, einen Unterarm schützend vor den geschlossenen Augen, und ließ auf einer inneren Leinwand in wahnsinnig langsamem Zeitlupentempo noch einmal alles, Bild für Bild, ablaufen, was vor nicht einmal einer Stunde auf jenem anderen Bett geschehen war, wehmütig und zugleich verwundert angestarrt von einem Sammelsurium unschuldiger Haushaltsgerätschaften. Unten in dem mit Wasser vollgesogenen Garten spülte sich eine Amsel mit einer Kaskade von Gesang die Kehle, und während ich ihr lauschte, stiegen mir heiße Tränen in die Augen. »Oh Mrs Gray!«, rief ich leise, »Oh, meine Liebste!«, und schlang in süßem Schmerz die Arme um mich, derweilen mir die Vorhaut wehtat, als stäche einer immer wieder mit einem Dolch in sie hinein.

Nie hätte ich gedacht, dass wir beide das, was wir an jenem Tag getan hatten, jemals wieder tun würden. Dass es überhaupt geschehen war, das war schon schwer genug zu glauben, dass es sich wiederholen sollte, war gänzlich unvorstellbar. Es war daher von größter Wichtigkeit, jede Einzelheit heraufzurufen, zu verifizieren, zu katalogisieren und in der bleiverkleideten Schatulle des Gedächtnisses zu verwahren. Hier allerdings erlebte ich Enttäuschendes. Freude, stellte sich heraus, war genauso schwierig nachzuerleben, wie es Schmerz gewesen wäre. Dieses Unvermögen gehörte ohne Zweifel zu dem Preis, den man dafür zu zahlen hatte, dass man vor den Wiederholungsmächten der Fantasie geschützt war, denn wenn ich alles das, was ich empfunden hatte, als ich auf Mrs Gray herumgerappelt war, jedes Mal, wenn ich daran dachte, noch einmal mit derselben Kraft hätte empfinden dürfen, das wäre, glaube ich, mein Tod gewesen. Ähnlich erging es mir auch mit Mrs Gray selbst, ich war nicht in der Lage, mir ein zufriedenstellend deutliches und in sich stimmiges Bild von ihr zu vergegenwärtigen. Ich konnte mich an sie erinnern, gewiss konnte ich das, doch nur als Folge einzelner versprengter und verstreuter Teile, wie bei diesen alten Gemälden von der Kreuzigung, auf denen die Folterinstrumente, die Nägel und der Hammer, der Speer und der Schwamm aus der Nähe betrachtet und mit viel Liebe zum Detail in den Vordergrund gerückt werden, indes irgendwo an der Seite Christus in nebulöser Anonymität am Kreuz stirbt – lieber Gott, vergib mir, dass ich Unzucht und Blasphemie hier dergestalt vermenge. Ich sah ihre Augen, glänzend wie feuchter Bernstein und denen von Billy so verstörend ähnlich, in Tränen schwimmend unter halb geschlossenen Lidern, zuckend wie Falterflügel; ich sah die feuchten Wurzeln ihres aus der Stirn gestrichenen Haars, in dem sich hier und da schon ein paar graue Strähnen zeigten; ich spürte, wie die pralle Fülle einer üppigen, glänzenden Brust mir weich in die Hand fiel; ich hörte ihre verzückten Schreie und konnte ihren Atem riechen, der leicht nach Eiern roch. Die Frau an sich jedoch, sie als ein Ganzes, sie konnte ich im Geiste nicht noch einmal haben. Und auch ich selbst, ja, sogar ich dort mit ihr, auch das überstieg mein Erinnerungsvermögen, war nichts mehr weiter als ein Paar klammernder Arme und krampfender Beine und ein Hintern, der wie bescheuert rauf- und runterging. Das alles war ein Rätsel und beunruhigte mich, denn ich war ja noch nicht an jene schroffe Kluft zwischen der Tat an sich und der Erinnerung an das, was man getan hatte, gewöhnt, und es würde Übung brauchen und die daraus resultierende Vertrautheit mit der Sache selbst, bis ich imstande wäre, sie mit meinem geistigen Auge vollends zu fixieren und sie im Ganzen zu erschaffen, in der Totale und mich mit ihr. Aber was meine ich, wenn ich in der Totale und im Ganzen sage? Was hatte ich mir denn von ihr bewahrt, was weiter als ein Fantasiegebilde, das ich mir ganz allein erschaffen hatte? Das war ein noch größeres Rätsel, eine noch größere Beunruhigung, dieses Enigma der Entfremdung.

An diesem Tag wollte ich meiner Mutter nicht mehr begegnen, und das nicht nur, weil ich glaubte, dass mir das schlechte Gewissen unübersehbar ins Gesicht geschrieben stand. Der Punkt war, dass ich nie mehr eine Frau, nicht einmal meine Ma, je wieder auf die gleiche Art wie früher würde sehen können. Hatte es früher Mädchen und Mütter gegeben, so gab es jetzt mit einem Mal ein Wesen, das weder das eine noch das andere war, und ich hatte kaum eine Ahnung, was ich davon halten sollte.

Als ich gehen wollte und schon an der Haustür war, schon auf dem Fußabtreter stand, hatte Mrs Gray mich noch aufgehalten und mich nach meinem Gemütszustand befragt. Sie selbst war auf eine recht verschwommene Weise fromm und wollte sichergehen, dass ich mit unserem Herrn im Reinen sei, speziell mit seiner Heiligen Mutter, für die sie ganz besondere Verehrung hegte. Sie war ängstlich darauf bedacht, dass ich unverzüglich zur

Beichte ging. Es war nicht zu übersehen, dass sie sich die Sache gründlich überlegt hatte – womöglich während unseres Gerangels in der Wäschekammer auf dem behelfsmäßigen Bett? –, und nun sprach sie, ich dürfe zwar natürlich keine Zeit verlieren, die just begangene Sünde gleich zu beichten, es sei jedoch nicht nötig zu verraten, mit wem ich sie begangen hatte. Auch sie würde zur Beichte gehen, selbstredend, ohne meinen Namen preiszugeben. Während sie das alles sagte, strich sie mir forsch den Kragen glatt und fuhr mir mit den Fingern, so gut es eben ging, durch mein störrisches Haar – als ob ich Billy wäre, als ob sie ihren Sohn zur Schule schickte! Dann legte sie mir die Hände auf die Schultern, hielt mich auf Armlänge von sich weg und sah mich mit vorsichtig-kritischem Blick von oben bis unten an. Sie lächelte und gab mir einen Kuss auf die Stirn. »Du wirst mal ein hübscher Kerl«, sagte sie, »weißt du das?« Aus irgendeinem Grunde hämmerte mein Blut bei diesem doch immerhin mit ironischem Unterton ausgesprochenen Kompliment gleich wieder wie wild, und wenn ich geübter gewesen wäre und mir weniger Sorgen gemacht hätte, dass der Rest der Familie jeden Augenblick zurück sein konnte, hätte ich sie rückwärts die Treppe runter in die Wäschekammer gedrängt, uns beiden die Kleider vom Leib gerissen, sie auf diese Pritsche oder Matratze geschubst und gleich noch mal von vorne angefangen. Sie missdeutete meine plötzlich verfinsterte Miene als Ausdruck grimmigen Zweifels und sagte, sie habe das ganz ehrlich gemeint, dass ich gut aussehe, ich solle mich doch freuen. Mir fiel keine Antwort ein, und so, in einem Aufruhr von Gefühlen, ließ ich sie stehen und stolperte geschwellt in den Regen hinaus.

Ich ging wirklich zur Beichte. Der Priester, für den ich mich in der in samstäglichen Abendsonnenschein getauchten Kirche nach einigem Herumsuchen endlich mit heißen Wangen entschieden hatte, war einer, bei dem ich schon ganz oft gewesen

71

war, ein dicker, asthmatischer Mann mit hängenden Schultern und Leichenbittermiene, der durch einen lustigen, für ihn selbst wahrscheinlich gar nicht so lustigen Zufall auf den Namen Priest hörte, Father Priest. Ich machte mir Sorgen, dass er mich von früheren Gelegenheiten wiedererkannte, doch die Bürde, die ich trug, war so gewaltig, dass ich das dringende Bedürfnis hatte nach einem Ohr, an das ich und das an mich gewöhnt war. Immer, wenn er die kleine Tür hinter dem Gitter zurückgezogen hatte – ich höre noch dieses abrupte Klacken, wenn sie anschlug, das mich jedes Mal zusammenfahren ließ –, gab er als Erstes einen schweren Seufzer von sich, mit dem ein lang ertragener Widerwille sich Luft zu machen schien. Das fand ich ganz ermutigend, ein Zeichen dafür, dass seine Lust, sich meine Sünden anzuhören, genauso gering war wie meine, sie zu bekennen. Ich leierte zunächst die Liste der vorgegebenen Vergehen runter – Lügen, Fluchen, Ungehorsam –, bevor ich, mir versagte fast die Stimme, federleicht flüsternd zum Eigentlichen kam, zu dem Entscheidenden. Der Beichtstuhl roch nach Wachs und altem Firnis und ungereinigtem Serge. Schweigend hörte sich Father Priest mein Gambit an, mit dem ich zögernd die Partie eröffnete, und ließ nun wieder einen Seufzer los, der diesmal ungeheuer traurig klang. »Unkeusche Taten«, sagte er. »Verstehe. Mit dir selbst oder mit einem anderen, mein Kind?«

»Mit einem anderen, Father.«

»Einem Mädchen, ja? Oder war's ein Junge?«

Das ließ mir Zeit zum Überlegen. Unkeusche Taten mit einem Jungen – worin sollten die wohl bestehen? Sei's drum, darauf war eine Antwort möglich, die in meinen Augen schlau und ausweichend war. »Kein Junge, Father, nein«, sagte ich.

Da rief er triumphierend, als ob er bloß darauf gelauert hätte: »Deine Schwester?«

Meine *Schwester?* – selbst wenn ich eine hätte! Mein Hemd-kragen fühlte sich plötzlich furchtbar eng an, ich erstickte fast. »Nein, Father, nicht mit meiner Schwester.«

»Also mit jemand anders. Ich verstehe. War es die nackte Haut, die du berührt hast, mein Kind?«

»Ja, Father.«

»Am Bein?«

»Ja, Father.«

»Weit oben am Bein?«

»Sehr weit oben, Father.«

»Aach.« Es gab ein mächtiges, verstohlenes Herumgerutsche – ich musste an ein Pferd in einer Startbox denken –, er kam heran und drückte sich noch dichter an das Gitter. Trotz der Holzwand des Beichtstuhls, die uns trennte, hatte ich das Gefühl, dass wir uns jetzt schon beinah in den Armen lagen, in flüsternder, ver-schwitzter Unterhaltung. »Fahr fort, mein Kind«, murmelte er.

Ich fuhr fort. Ich versuchte ihm eine wer weiß wie verwor-rene Version von der Geschichte aufzutischen, aber am Schluss, nach allerlei zimperlichem Beiseiteziehen der Feigenblätter, war er zu der Tatsache vorgedrungen, dass die Person, mit der ich unkeusche Taten begangen hatte, eine verheiratete Frau war.

»Hast du dich in sie reingesteckt?«, fragte er.

»Jawohl, Father«, erwiderte ich und hörte mich schlucken.

Um genau zu sein, das eigentliche Reinstecken, das hatte sie besorgt, weil ich so aufgeregt und ungeschickt gewesen war, doch das war, fand ich, ein Detail, das ich getrost beiseitelassen durfte.

Es folgte ein längeres, schwer atmendes Schweigen, an des-sen Ende Father Priest sich räusperte und sich noch näher an-schmiegte. »Mein Sohn«, sprach er in warmem Ton, wobei das unscharfe Dreiviertelprofil seines großen Kopfes das vergitterte Rechteck komplett ausfüllte, »das ist eine schwere Sünde, eine sehr schwere Sünde.«

Er hatte noch eine Menge mehr zu sagen, über die Heilig-
keit des Ehebetts und dass unser Leib der Tempel des Heiligen
Geistes sei und jede Sünde, die wir begingen, unserem Erlöser
aufs Neue die Nägel in die Hände und den Speer in die Seite
treibe, doch ich hörte kaum zu, so durch und durch gesalbt war
ich mit dem kühlen Balsam der Absolution. Als ich versprochen
hatte, nie wieder etwas Unrechtes zu tun, und der Priester mich
gesegnet hatte, ging ich nach vorn und kniete vor dem Altar
nieder, um mit gesenktem Kopf und gefalteten Händen meine
Buße zu verrichten, innerlich glühend vor Frömmigkeit und süßem Trost – wie herrlich, jung zu sein und frisch gebeichtet! –,
doch plötzlich tauchte zu meinem Entsetzen ein winzig kleiner
scharlachroter Teufel auf, hockte sich auf meine linke Schulter
und fing an, mir eine grässliche und anatomisch exakte Schil-
derung dessen, was Mrs Gray und ich an jenem Tag auf diesem
flachen Bett miteinander gemacht hatten, ins Ohr zu flüstern.
Wie funkelte das rote Auge des Ewigen Lichts mich böse an,
wie schockiert und schmerzverzerrt erschienen die Gesichter der
Gipsheiligen allüberall in ihren Nischen! Ich sollte wissen, dass
ich, stürbe ich in diesem Augenblick, schnurstracks zur Hölle
führe, nicht nur, weil ich solch schändliche Taten begangen, sondern weil ich noch obendrein in diesen heiligen Hallen solch
schändliche Erinnerungen an dieselben hegte, doch die Stimme
des kleinen Teufels war so einschmeichelnd und die Dinge, die
er sagte, waren so süß – irgendwie war sein Bericht detaillierter
und nachdrücklicher als alle Wiederholungen, deren ich selbst
bislang fähig gewesen war –, dass ich es einfach nicht über mich
brachte, mich ihm zu entziehen, und zum Schluss musste ich
aufhören zu beten und hinausrennen und im hereinbrechenden
Dämmerschein des Abends bekümmert vor mich hin schmollen.

Als ich am darauffolgenden Montag nach der Schule heimkam, empfing mich meine Mutter in höchst erregtem Zustand

an der Haustür. Ein Blick in ihr starres Gesicht und auf ihre vor Wut zitternde Unterlippe sagten mir, dass ich in Schwierigkeiten war. Father Priest war da gewesen, höchstpersönlich! An einem Wochentag, mitten am Nachmittag, während sie ihr Haushaltsbuch führte, war er auf einmal da gewesen, ohne Vorwarnung, war mit eingezogenem Kopf durch die Haustür getreten, den Hut in der Hand, und ihr war nichts weiter übrig geblieben, als ihn nach hinten durch ins Wohnzimmer zu bitten, das sonst noch nicht einmal die Pensionsgäste betreten durften, und ihm einen Tee zu machen. Natürlich wusste ich, dass er gekommen war, um sich eingedenk der Dinge, die ich ihm erzählt hatte, über mich zu unterhalten. Ich war empört und hatte gleichzeitig Angst – was war denn mit dem vielgepriesenen Beichtgeheimnis? – und vor lauter Wut und Kränkung kamen mir die Tränen. Was ich denn angestellt hatte, wollte meine Mutter wissen. Ich schüttelte den Kopf und zeigte ihr meine unschuldigen Handflächen, während ich im Geiste Mrs Gray sah, wie sie ohne Schuhe, mit blutenden Füßen und kahl geschorenem Kopf von einem Mob aufgebrachter, Knüppel schwingender, rachsüchtiger, Verwünschungen ausstoßender Mütter durch die Straßen der Stadt gejagt wurde.

Ich wurde in die Küche geschleift, den Ort, an dem alle häuslichen Krisen geregelt wurden und wo nun schnell klar wurde, dass sich meine Mutter überhaupt nicht dafür interessierte, was ich getan hatte; wütend auf mich war sie nur, weil ich der Grund war, dass Father Priest die friedliche Ruhe eines Nachmittags ohne Pensionsgäste gestört hatte, an dem sie sich ganz ihrer Buchführung hatte widmen wollen. Meine Mutter hatte keine Zeit für den Klerus, und ich vermute, auch nicht für den Gott, den er vertrat. Sie war, wenn überhaupt, ohne sich dessen recht bewusst zu sein, ein Heidenkind, und ihre ganze Frömmigkeit war auf die niederen Gestalten des Pantheon gerichtet, den hl. Antonius zum Beispiel, den Wiederbringer verlorener Sachen, und den sanften hl. Franziskus und die von ihr mehr noch als alle anderen verehrte hl. Katharina von Siena, Jungfrau, Diplomatin und triumphale Stigmatisierte, deren Wunden für die Augen Sterblicher auf unerklärliche Weise unsichtbar waren. »Ich bin ihn gar nicht wieder losgeworden«, sagte sie indigniert, »sitzt am Tisch, schlabbert seinen Tee und erzählt mir was von den Christian Brothers.« Zuerst war sie bloß ratlos gewesen und hatte nicht verstanden, worauf er hinauswollte. Er hatte von den wunderbaren Möglichkeiten geschwärmt, die in den Priesterseminaren der Christian Brothers geboten würden, den grünen Spielfeldern und den Schwimmbädern mit Olympia-Standard, den ebenso herz- wie nahrhaften Mahlzeiten, von denen man starke Knochen und pralle Muskeln bekomme, ganz zu schweigen natürlich von dem unvergleichlichen Reichtum an Gelehrsamkeit, der einem hellen und aufnahmefähigen jungen Burschen, wie ihr Sohn doch zweifellos einer sei, dort im Handumdrehen eingehämmert würde. Da hatte sie endlich verstanden und war außer sich gewesen.

»Eine Berufung zu den Christian Brothers!«, höhnte sie bitter. »Warum nicht gleich zum Priesteramt!«

Ich war also in Sicherheit, meine Sünde war geheim geblieben, und ich würde nie wieder zu Father Priest oder irgendwem sonst zur Beichte gehen, denn dieser Tag war der Beginn meiner Apostasie.

Das Material, wie Marcy Meriwether es nannte – aus irgendeinem Grunde hörte sich das für mich so an, als handele es sich um die Überreste einer Autopsie –, das den weiten Weg von der Sonnenseite des fernen Amerika bis hierher zu uns zurückgelegt hat, ist heute eingetroffen. Welch ein Trara um seine Ankunft! Hufgetrappel und ein Fanfarenstoß aus dem Posthorn wären nicht fehl am Platze gewesen. Der Kurier, der den Habitus eines Balkankriegsverbrechers hatte: kahl geschorener Kopf, von oben bis unten in glänzendes Schwarz gekleidet, an den Füßen eine Art geschnürter Springerstiefel, die halb die Schienbeine hochgingen, begnügte sich nicht damit, die Glocke zu läuten, sondern begann sogleich, mit der Faust an die Tür zu wummern. Er weigerte sich, Lydia den großen Polsterumschlag zu übergeben, und bestand vielmehr darauf, denselben allein dem Empfänger persönlich auszuhändigen. Selbst als ich bereits, von der erzürnten Lydia herbeigerufen, mein Bodenstübchen verlassen hatte und die Treppe hinunterkam, verlangte er noch, ich möge meine Identität anhand eines mit einem Lichtbild versehenen Personaldokuments nachweisen. Ich fand das, gelinde gesagt, überflüssig, aber er ließ sich nicht erweichen – das Bild, das dieser Bursche von sich selbst hat, ist ebenso wahnwitzig wie seine Vorstellung von Pflichterfüllung – und zum Schluss holte ich meinen Pass, den er, schwer durch die Nase atmend, eine volle halbe Minute lang in Augenschein nahm, und dann brachte er die andere Hälfte damit zu, misstrauisch prüfend mein Gesicht zu mustern. Ich war dermaßen eingeschüchtert von seiner durch nichts gerechtfertigten Aufsässigkeit, dass mir, glaub ich, sogar die Hand gezittert hat, als ich das Formular auf seinem Klemmbrett mit meinem Namen unterschrieb. Wenn ich jetzt Filmstar werde, muss ich mich wohl an solche Dinge gewöhnen, daran, Kurierpost zu bekommen, meine ich, und mich mit solchen Schurken abzugeben.

Ich versuchte, den Umschlag mithilfe meiner Fingernägel aufzureißen, aber er steckte in einer undurchdringlichen Plastikhülle, sodass ich damit in die Küche gehen, ihn auf den Tisch legen und ihm mit dem Brotmesser zu Leibe rücken musste, wobei mir Lydia amüsiert zusah. Als ich ihn endlich offen hatte, kam ein Haufen Papier heraus und ergoss sich über die Tischplatte. Zeitungsausschnitte, Ausdrucke von Zeitschriftenartikeln und lange, kleingedruckte Buchbesprechungen von Leuten mit auffälligen und häufig auch komplizierten Namen – Deleuze, Baudrillard, Irigaray und, aus irgendeinem Grunde, mein Favorit Paul de Man –, Leute, von denen ich vage gehört hatte und die sich allesamt mit den Arbeiten und den Ansichten von Axel Vander befassten, die meisten davon äußerst polemisch.

Der war also auf dem Gebiet der Literatur tätig, dieser Vander, ein Kritiker und Lehrer und sichtlich einer, der fröhlich Kontroversen angezettelt hat. Kaum ein plausibler Held für einen abendfüllenden Spielfilm, hätte ich gedacht. Ich hab den Vormittag an meinem Schreibtisch zugebracht und mich durchgekämpft durch das, was seine Widersacher und Verunglimpfer über ihn zu sagen hatten – Freunde hatte er anscheinend nicht so viele –, aber ich bin nicht weit gekommen. Das Spezialgebiet von diesem Vander ist schwer durchschaubar und verschlüsselt – oft taucht das Wort Dekonstruktion auf –, damit hätte meine Tochter Cass sich bestens ausgekannt. Zusammen mit den losen Blättern war zwar kein Drehbuch angekommen, aber dafür ein dicker Band *Erfindung der Vergangenheit* – da haben die also ihren Titel her –, der mit bemerkenswerter Dreistigkeit von sich behauptet, Axel Vanders nicht autorisierte Biografie zu sein. Ich legte ihn beiseite, um mich später damit zu befassen. Ich werde sehr tief Luft holen müssen, bevor ich mich in diesen morastigen Brunnen der Fakten und gewiss auch Fiktionen stürze, denn Biografien sind zwangsläufig, wenn auch nicht absichtlich, immer voller Lügen. Er scheint ein ziemlich schlüpfriges Exemplar gewesen zu sein, dieser Vander – dessen Name mir übrigens sehr nach einem Anagramm aussieht. Auch kommt er mir irgendwie bekannt vor, und ich frage mich, ob Cass mir vielleicht einmal von ihm erzählt hat.

Abends rief Marcy Meriwether wieder an – ich stelle mir vor, dass ihr das Telefon vom jahrelangen Gebrauch an der Hand festgewachsen ist, so wie Orpheus seine Leier –, um sich zu erkundigen, ob das Material angekommen sei. Sie sagte, dass sie mir auch noch jemanden herschicken werde, einen ihrer Scouts, wie sie ihn nannte. Er heiße Billy Striker. Komischer Name, aber wenigstens eine Unterbrechung der alliterativen Serie von Marcy Meriwether über Toby Taggart bis hin zu Dawn Devonport – ja, Dawn Devonport: Habe ich schon erwähnt, dass ich in *Erfindung der Vergangenheit* an ihrer Seite spielen soll? Jetzt sind Sie beeindruckt. Die Aussicht, mit einem so illustren Star zu arbeiten, macht mir, offen gestanden, Angst. Neben solch einer strahlenden Berühmtheit kann ich doch einfach nur verblassen.

Um mich von diesen beunruhigend aufregenden Dingen abzulenken, habe ich hier am Seitenrand herumgemalt und ein paar kleine Berechnungen angestellt. Jenes erste Schäferstündchen mit Mrs Gray, unter der Schirmherrschaft des Plättbretts, fand eine Woche vor ihrem Geburtstag statt, der auf den letzten

Tag des Monats April fiel beziehungsweise fällt, falls sie noch lebt. Das heißt, unsere Affäre, Verknalltheit, rücksichtslose Tollheit oder wie immer man es nennen will, dauerte alles in allem noch nicht mal ganz fünf Monate oder, um genau zu sein, einhundertvierundfünfzig Tage und Nächte. Oder nein, Nächte waren es nur hundertdreiundfünfzig, denn am Abend des letzten Tages war sie für immer von mir fortgegangen. Nicht, dass wir jemals eine Nacht miteinander verbracht hätten, nicht eine einzige, nicht einmal teilweise, wo denn auch, bitte sehr? Wahr ist vielmehr, dass ich mir in meinen Tagträumen ausmalte, die Grays würden alle zusammen wegfahren, um irgendwo außerhalb zu übernachten, und Mrs Gray würde sich heimlich zurückschleichen und mich ins Haus lassen und mich nach oben führen, in ihr Schlafgemach, und mich dort in leidenschaftlicher Umarmung gefangen halten, bis dass die Morgendämmerung rosenfingrig unter der Jalousie hervorgekrochen käme, uns zu wecken. Das war eine jener Fantasien, mit denen ich mir die Zeit vertrieb, wenn ich fern von meiner Liebsten war. Natürlich nichts als Fantasie, denn ganz abgesehen davon, dass es Mrs Gray wohl ziemlich schwergefallen wäre, sich von ihrer Familie frei zu machen, war da noch die Frage, was meine Mutter wohl gesagt haben würde, wenn sie mein Bett am nächsten Morgen unberührt vorgefunden hätte, ganz zu schweigen von Mr Gray, und was der wohl getan hätte, wenn er Verdacht geschöpft hätte und nach Hause geeilt wäre, um dort seine Frau mit ihrem minderjährigen Liebhaber im schwungvoll besudelten Ehebett vorzufinden? Oder was, wenn sie alle zusammen zurückgekommen wären, Mr Gray und Billy und Billys Schwester, und uns ertappt hätten? Ich stellte mir vor, wie sie in einem fahlen Lichtkegel, der von der Treppe her hereinfiel, in der Schlafzimmertür standen, in der Mitte Mr Gray, flankiert von Billy an der einen und Kitty an der anderen Seite, und alle drei sich ganz fest bei den Händen hielten und den Mund nicht wieder zukriegten vor Bestürzung ob dieses schuldbeladenen Pärchens, das, in schändlicher Erregung überrascht, Hals über Kopf sich löste aus der wollüstigen Verstrickung dieses Beieinanderseins, das ihr letztes wäre.

Anfangs war der Rücksitz des alten Gray'schen Kombis – er hatte, ich sehe es deutlich vor mir, die Farbe von Elefantenhaut – oder gelegentlich sogar, wenn mein Verlangen keinen Aufschub litt, der Vordersitz kommod genug als Liebeslaube für das Teufelsliebchen und ihren Knaben. Ich will nicht sagen, dass das komfortabel war, doch was bedeutet schon Komfort für einen Jungen, dessen Blut in Wallung ist? Es war an jenem letzten Tag im April, als wir uns das nächste Mal trafen, wobei ich keine Ahnung hatte, dass es ihr Geburtstag war, bis sie es mir erzählte. Wäre ich aufmerksamer gewesen und nicht so ungeduldig darauf erpicht, sogleich zur Sache zu kommen, dann hätte ich vielleicht bemerkt, wie still sie war, wie nachdenklich, wie sanftmütig traurig sogar, im Gegensatz zu ihrer Forschheit und Fröhlichkeit bei jenem anderen, dem ersten Mal, als wir beieinandergelegen hatten. Dann erzählte sie mir, was für ein Tag es war, und sagte, sie spüre ihr Alter, und seufzte ganz, ganz tief. »Fünfunddreißig«, hat sie gesagt, »denk dir bloß mal!«

Der Kombi parkte auf demselben Waldweg, auf dem wir auch an jenem anderen Abend gehalten hatten, sie ließ sich auf den Rücksitz sinken, eine zusammengefaltete Picknickdecke als unbequemes Polster unter Kopf und Schultern, das Kleid bis zu den Achselhöhlen hochgezogen, und ich lag auf ihr, erschöpft für den Moment, und paddelte mit meiner linken Hand in der pitschnassen heißen Höhle zwischen ihren Schenkeln. Die Abendsonne schien matt, aber zugleich regnete es, und große Tropfen platschten in blechern klingenden Synkopen auf das Metalldach über uns. Sie zündete sich eine Zigarette an – Sweet

Afton war ihre Lieblingsmarke, die in der hübschen vanillepuddingfarbenen Packung – und als ich fragte, ob ich auch eine haben kann, riss sie die Augen auf und tat schockiert und sagte, kommt gar nicht infrage, und blies mir lachend den Rauch ins Gesicht.

Sie stammte nicht aus unserer Stadt – hab ich das schon gesagt? –, ihr Mann übrigens auch nicht. Sie waren von irgendwo anders hergekommen, kurz nach ihrer Hochzeit und bevor Billy geboren wurde, und Mr Gray hatte Ecke Haymarket einen Laden gepachtet und dort sein Brillengeschäft eröffnet. Die Umstände ihres anderen, normalen Lebens, ihres Lebens jenseits von uns beiden und von dem, was wir für- und ineinander waren, das war ein Thema, das mich manchmal langweilte, manchmal auch rasend schmerzte, und wenn sie davon sprach, was sie oft tat, seufzte ich nur ungeduldig und bemühte mich, auf – oder besser – in was anderes zu kommen. Wenn ich in ihren Armen lag, dann schaffte ich es, zu vergessen, dass sie die Frau von Mr Gray war oder Billys Mutter – sogar die katzenhafte Kitty konnte ich vergessen, ich wollte nicht daran erinnert werden, dass sie eine festgefügte Familie hatte und dass ich trotz allem ein Eindringling war.

Die Stadt, aus der die Grays gekommen waren – welche es war, hab ich vergessen, falls ich mir überhaupt die Mühe gemacht hatte, sie danach zu fragen –, war viel größer und imposanter als unsere, behauptete sie immer. Es machte ihr Spaß, mich damit aufzuziehen, indem sie mir die breiten Straßen dort beschrieb und die feinen Geschäfte und die wohlhabenden Vororte; auch die Leute, sagte sie, seien dort weltgewandt und kultiviert, nicht so wie hier, wo sie sich wie in einer Falle fühle und unzufrieden sei. In einer Falle? Unzufrieden? Aber sie hatte doch mich! Sie sah meinen Blick und beugte sich vor, nahm mein Gesicht in die Hände, zog mich an sich, küsste mich und blies mir ihr Lachen und den Rauch in den Mund. »Ich hab in meinem ganzen Leben noch nie ein schöneres Geburtstagsgeschenk bekommen«, flüsterte sie heiser. »Mein reizender Junge!«

Ihr reizender Junge. Ich nehme an, sie sah in mir tatsächlich so etwas wie einen lang vermissten Sohn, oder vielleicht wollte sie ihn auch nur in mir sehen, den fröhlich heimgekehrten verlorenen Sohn, der unter Schweinen gelebt hatte und ganz verwildert war und dringend ihrer weiblichen, ja geradezu mütterlichen Aufmerksamkeiten bedurfte, um ihn zu zähmen und zu zivilisieren. Natürlich hat sie mich verwöhnt, verwöhnt in einer Weise, die selbst die wahnwitzigsten Fantasien eines pubertierenden Knaben übersteigt, aber sie hatte auch ein wachsames Auge auf mich. Ich musste ihr versprechen, öfter und gründlicher zu baden und mir regelmäßig die Zähne zu putzen. Ich musste jeden Tag frische Socken anziehen und meine Mutter bitten, und zwar, ohne ihren Argwohn zu wecken, mir vorzeigbare Unterwäsche zu kaufen. Eines Nachmittags in Cotters Haus holte sie ein in der Mitte mit einer ledernen Schnur umwickeltes Wildlederetui hervor, öffnete es und breitete es auf der Matratze aus, und siehe da, es war ein Satz blitzender Friseurwerkzeuge, Scheren, ein Rasiermesser, Schildpattkämme und eine schimmernde Silberschere mit je einer Reihe winziger, äußerst scharfer Zähne an beiden Schenkeln. Das Ding war so was wie der große Bruder jenes Maniküre-Necessaires, das Billy mir zu Weihnachten geschenkt hatte. Sie habe früher mal einen Haarschneidekurs absolviert, erzählte sie mir, und schneide daheim allen die Haare, sogar sich selbst. Ohne weiter auf mein Gejammer – wie sollte ich das meiner Mutter erklären? – zu achten, drückte sie mich auf einen alten Korbstuhl, der in der sonnigen Haustür stand, rückte mit professioneller Flinkheit meinem buschigen Mopp zu Leibe und sang dabei vor sich hin. Als sie fertig war, durfte ich mich in dem kleinen Spiegel in ihrer Puderdose anschauen; ich sah genauso aus wie Billy. Bezüglich meiner Mutter hätte ich mir übrigens keine Sorgen machen müssen, weil die nämlich wieder mal total benebelt war und meine auf unerklärliche Weise geschorenen Haare überhaupt nicht bemerkte – typisch meine Mutter.

Plötzlich fällt mir wieder ein, woher die Sachen kamen, das Maniküre-Necessaire und das Rasierzeug und wahrscheinlich auch diese Puderdose: Natürlich, Mr Gray verkaufte sie in seinem Laden! – Wie konnte ich das nur vergessen? Sie bekam das Zeug also zum Selbstkostenpreis. Der Gedanke, dass meine Geliebte knickerig war, ist ein bisschen enttäuschend, muss ich sagen. Wie hart ich mit ihr ins Gericht gehe, selbst heute noch.

Doch nein, nein, sie war die Großzügigkeit in Person; das sagte ich ja schon und sage es noch mal. Gewiss, sie hat mir ihren Körper freimütig überlassen, jenen opulenten Wonnegarten, an dem ich, taumelnd wie eine Hummel im Hochsommer, schlürfte und lutschte. In anderen Dingen aber gab es durchaus Grenzen, jenseits derer mir zu streunen untersagt war. So durfte ich zum Beispiel über Billy sagen, was ich wollte, mich, wenn es mir gefiel, über ihn lustig machen, seine Geheimnisse ausplaudern – diesen Geschichten über ihren plötzlich entrückten Sohn lauschte sie aufmerksam, ohne mit der Wimper zu zucken, als wäre ich ein Fahrensmann aus alten Zeiten, der Neuigkeiten aus dem sagenumwobenen Catai bringt –, aber abfällige Bemerkungen über ihre verwöhnte Kitty und ganz besonders über ihren mitleiderregend kurzsichtigen Mann waren verboten. Dass es mich juckte, in ihrer Gegenwart Hohn und Spott über gerade diese beiden auszugießen, brauche ich wohl nicht zu sagen. Obwohl, ich tat es nicht. Ich wusste ja, was gut für mich war. Oh ja, ich wusste ganz genau, was für mich gut war.

Wenn ich jetzt zurückschaue, bin ich erstaunt, wie wenig ich von ihr und ihrer Familie erfahren habe. Lag das daran, dass ich ihr nicht richtig zuhörte? Denn schließlich redete sie doch sehr gern. Mitunter hatte ich den Verdacht, die eine oder andere jähe Verstärkung ihrer Leidenschaft – ein Kratzen mit den Fingernägeln auf meinen Schulterblättern, ein mir ins Ohr gekeuchtes heißes Wort – sei nur ein Trick, damit ich schneller fertig würde und sie sich wieder zurücklehnen und fröhlich und entspannt weiterplappern könnte. In ihrem Kopf wimmelte es von lauter undurchsichtigen und kuriosen Informationen, die sie aus der Zeitung hatte, aus Spalten wie *Titbits* und *Ripley's Believe It or Not!* Sie wusste, was für Tänze die Bienen aufführen, wenn sie Honig holen. Sie konnte mir erzählen, woraus die Schreiber früher ihre Tinte machten. Eines Nachmittags in Cotters Haus, die Sonne schien schräg durch ein hoch oben gelegenes, zerbrochenes Fenster zu uns herein, erklärte sie mir das Prinzip des Lichtrechts, das besagt, dass Wohnungsinhaber ein Recht darauf haben, vom unteren Rand der gegenüberliegenden Zimmerwand aus durch das Fenster den Himmel zu sehen –, wenn ich mich nicht irre, hatte sie nämlich mal als Büroangestellte bei einer unabhängigen Immobilienfirma gearbeitet. Sie kannte die Definition von unveräußerlichem Besitz oder »Besitz der Toten Hand« und konnte die Tierkreiszeichen in der richtigen Reihenfolge runterrattern. Woraus bestehen Cocktailkirschen? Aus Seetang! Welches ist das längste Wort, das man auf der obersten Tastenreihe einer Schreibmaschine schreiben kann? Typewriter! »Stimmt's das hast du nicht gewusst, du Schlaumatz?«, rief sie und lachte vor Vergnügen und stieß mich mit dem Ellenbogen in die Rippen. Aber von sich selbst, davon, was die Populärpsychologen ihr Seelenleben nennen würden, was hatte sie mir davon eigentlich erzählt? Weg, alles weg.

Oder nein, nicht alles, nicht ganz. Ich weiß noch, was sie mir sagte, als ich eines Tages selbstgefällig bemerkte, das, was sie und ich so oft zusammen taten, würden sie und Mr Gray ja wohl nicht mehr tun. Zuerst hat sie die Stirn gerunzelt, weil sie anscheinend nicht so ganz verstanden hatte, was ich meinte, dann hat sie mich ganz lieb angelächelt und traurig den Kopf geschüttelt. »Aber ich bin mit ihm verheiratet«, hatte sie erwidert, ganz so, als wäre mit dieser schlichten Feststellung alles gesagt, was ich über ihre Beziehung zu einem Mann wissen musste, den zu hassen und zu verachten ich als meine Pflicht ansah. Mir war, als hätte ich einen beiläufigen und dennoch jähen, harten Schlag in den Solarplexus bekommen. Erst war ich eingeschnappt, dann schluchzte ich. Sie hielt mich wie ein Baby an ihrer Brust, murmelte »ts-ts« an meiner Schläfe und wiegte mich sanft hin und her. Ein Weilchen ließ ich mir diese Umarmung gefallen – welch süß-rachsüchtiges Vergnügen sich doch hinter dem Liebesschmerz verbirgt –, dann riss ich mich wie rasend von ihr los.

Wir waren in Cotters Haus, auf der Matratze in der ehemaligen Küche, beide nackt, sie saß im Schneidersitz da – so zornig war ich nicht, dass mir die tauartigen, glitzernden Perlen entgangen wären, die ich hier und da in dem drahtigen Flor zwischen ihren Beinen zurückgelassen hatte – und ich kniete mit vor wütender Eifersucht verzerrtem, über und über von Tränen und Rotz verschmiertem Gesicht vor ihr und schrie sie an ob ihrer Perfidie. Sie wartete, bis ich mich ordentlich verausgabt hatte, dann legte sie sich hin, zog mich mit hinunter, sodass mir gar nichts weiter übrig blieb, als mich, noch immer schniefend, an sie zu schmiegen, und begann zerstreut mit meinen Haaren zu spielen – was ich damals für Locken hatte, so eine Pracht, mein Gott, trotz der Friseurschere, die sie schwang – und sagte nach einigem Zögern und ein paar Fehlstarts unter viel Geseufze und erregtem Gemurmel, ich müsse doch versuchen zu verstehen, wie kompliziert das alles für sie sei, sie sei ja immerhin verheiratet und Mutter, und ihr Mann sei ein guter, freundlicher Mensch, und sie würde eher sterben, als ihm wehzutun.

Das Einzige, was ich auf dieses Nachgeplapper solch romantischen Gesülzes aus irgendwelchen Frauenzeitschriften zu erwidern hatte, war ein ärgerlich-abweisendes Strampeln. Sie hörte sofort auf und blieb eine ganze Weile still; auch ihre Finger hörten auf, an meinen Haaren herumzuzerren. Draußen ließen die Drosseln den Wald von ihrem manischen Pfeifen widerhallen, und die Frühsommersonne, die durch einen kaputten Fensterflügel schien, brannte mir heiß auf den nackten Rücken. Wir müssen ein bemerkenswertes Bild abgegeben haben, wir zwei, eine profane Pieta, die sorgenvolle Frau, die ein herzschmerzkrankes junges männliches Tier in den Armen hält, das nicht ihr Sohn ist, aber irgendwie auch wieder doch. Als sie weiterredete, klang ihre Stimme wie von sehr weit her und ganz verändert, als hätte sie sich in jemand anders verwandelt, in eine Fremde, so versonnen und gefasst: mit anderen Worten, wie die einer erwachsenen Frau, was alarmierend war. »Weißt du, ich habe früh geheiratet«, sprach sie, »kaum neunzehn – was ist das schon, gerade mal vier Jahre älter als du jetzt? Ich hatte Angst, ich krieg keinen mehr ab.« Sie lachte bitter auf, voll Reue, und ich konnte spüren, dass sie den Kopf schüttelte. »Und jetzt – sieh mich an.« Ich nahm das als Eingeständnis eines tiefen Unglücklichseins mit ihrem Los als Ehefrau und ließ mich erweichen.

Dies ist nun, denke ich, der rechte Punkt, um ein paar Worte über den Ort unserer heimlichen Treffen zu sagen. Wie stolz auf mich und meinen Einfallsreichtum war ich doch gewesen, als ich Mrs Gray zum ersten Mal mit dorthin nahm. Ich traf mich mit ihr an der Straße oberhalb des Haselwäldchens, wie wir es vereinbart hatten, trat unter den Bäumen hervor und fühlte mich auf eine angenehme Weise wie ein Kerl in einem Film, der offensichtlich nichts Gutes im Schilde führt. Sie kam auf diese lässige Art angefahren, bei der es mir jedes Mal, wenn ich sie sah, heiß und kalt den Rücken hinunterlief, die eine Hand locker an dem großen, abgegriffenen, cremefarben lackierten Lenkrad und in der anderen eine Zigarette, der sommersprossige Ellbogen ragte aus dem heruntergekurbelten Fenster, und diese eine hinters Ohr gestrichene Locke wirbelte im Wind.

Ein Stückchen vor mir blieb sie stehen und wartete, bis ein anderer Wagen, der in die Gegenrichtung fuhr, vorüber war. Es war ein verhangener Maimorgen mit so einem metallischen Leuchten in den Wolken. Ich war nicht zur Schule gegangen, sondern hatte mich stattdessen hierher geschlichen und meinen Ranzen im Gebüsch versteckt. Ihr sagte ich, ich hätte heute frei, weil ich nachher zum Zahnarzt müsse. Sie war praktisch meine Geliebte, aber sie war trotz allem auch eine Erwachsene, und oft ertappte ich mich dabei, dass ich ihr etwas vorflunkerte, wie ich es sonst bei meiner Mutter tat. Sie trug das helle Kleid mit dem Blumenmuster und dem weiten Rock, denn mittlerweile wusste sie, wie sehr ich es genoss, ihr dabei zuzusehen, wenn sie es auszog, es über den Kopf und die emporgereckten Arme streifte und ihre Brüste in dem weißen Büstenhalter sich prall aneinanderdrängten – und schwarze Wildlederpumps, die sie zum Schutz vor dem morastigen Waldboden ausziehen und in der Hand tragen musste. Hübsche Füße hatte sie, auf einmal seh ich sie vor mir, blass und unerwartet lang und schlank, sehr schmal am Hacken und anmutig sich verbreiternd zu den Zehen hin, die ganz gerade waren und jeder fast so biegsam wie ein Finger und mit denen sie jetzt beim Gehen wackelte, sie tief ins modrige Laub und in die nasse, lehmige Erde einsinken ließ und dabei vor Vergnügen leise quiekte.

Ich hatte überlegt, ob ich ihr die Augen verbinden sollte, um die Überraschung über das, was ich ihr zeigen wollte, noch zu steigern, hatte aber Angst gehabt, sie könnte stolpern und sich etwas brechen: Ich hatte furchtbare Angst davor, dass sie sich irgendwie verletzen könnte, wenn sie mit mir zusammen war, und ich loslaufen und jemanden zu Hilfe holen müsste, zum Beispiel meine Mutter oder, Gott bewahre, Mr Gray. Sie war aufgeregt wie ein Kind, verging fast vor Neugier, wollte unbedingt wissen, was für eine Überraschung ich wohl für sie hätte, aber ich blieb eisern; je mehr sie in mich drang, desto sturer wurde ich, und als sie überhaupt nicht abließ, wurde ich sogar ein bisschen ärgerlich und ging eilig voraus, sodass sie, holpernd und stolpernd, barfuß, wie sie war, schon beinah rennen musste, um mit mir Schritt zu halten. Düster mäanderte der Pfad unter den sich entblätternden Bäumen dahin – seht doch, auf einmal ist schon wieder Herbst, unglaublich! – und mittlerweile war ich sehr verärgert und voll böser Ahnungen. Im Rückblick staune ich, wie launisch ich doch damals war, wenn wir zusammen waren, wie schnell ich wegen irgendeiner Kleinigkeit oder auch völlig grundlos in Wut geriet. Es war, als würde ich permanent über einer Grube voll hitzig schwelender Rage schweben, von deren Dämpfen mir die Augen brannten und die Luft wegblieb. Was war die Ursache für dieses verdrießliche Gefühl, ausgenutzt und irgendwie missbraucht zu werden, das mich fortwährend quälte? War ich denn nicht glücklich? Doch, schon, aber tief drinnen war ich auch wütend, die ganze Zeit. Vielleicht lag es daran, dass sie mir einfach zu viel war; diese Liebe an sich und alles, was sie mir abverlangte, das war eine zu schwere Last für mich, sodass ich mich, selbst dann, wenn ich mich verzückt in ihren Armen wand, in dem geheimsten Winkel meines Herzens zurücksehnte nach der alten Zufriedenheit, der alten, unbeschwerten Normalität der Dinge, wie sie waren, bevor sie kam und alles umgemodelt hatte. Ich habe den Verdacht, dass ich im Grunde meines Herzens einfach wieder ein Junge sein wollte und nicht das, was mein Verlangen nach ihr aus mir gemacht hatte. Ein einziges Bündel von Widersprüchen war ich damals, ich armer, verwirrter Pinocchio.

Aber oje, als sie dann schließlich sah, wohin ich sie gebracht hatte, ich meine Cotters altes Haus, mitten im Wald, da hat sie doch ganz schön gestutzt. Es dauerte nur einen Augenblick, ihr Stutzen, dann riss sie sich sofort wieder zusammen und setzte ihr breitestes, artigstes Schulsprecherinnenlächeln auf, in diesem einen Augenblick jedoch hätte nicht einmal einem, der so sehr mit sich selbst beschäftigt und so unachtsam war wie ich, der schwer enttäuschte Blick entgehen können, der ihr die Wangen krakelierte und sie den Mund zusammenkneifen ließ und ihr die Augenwinkel abwärtszog, als wäre das, was sie da vor sich sah, jenes einstmals solide und auch stattlich anzusehende, jetzt aber von der Zeit verwüstete Haus mit seinen eingefallenen Mauern und seinen abgeschabten, sämtlich bloßgelegten Balken ein Sinnbild für die ganze Torheit, die sie sich erlaubte, und auch für die Gefahr, in die sie sich begab, indem sie einen Knaben, jung genug, ihr Sohn zu sein, zum Liebhaber genommen hatte.

Um uns beide von ihrer Bestürzung abzulenken, beschäftigte sie sich angelegentlich damit, ihre absurd fragilen Schuhe wieder anzuziehen, saß da, hatte den rechten Fußknöchel aufs linke Knie gestützt, benutzte den Zeigefinger als Schuhlöffel und hielt sich, um nicht umzukippen, mit zitternder Hand an meinem Arm fest, und dieses Zittern kam nicht nur von der Anstrengung, die es sie kostete, das Gleichgewicht zu halten. Von ihrer Enttäuschung angesteckt, sah ich das baufällige alte Haus nun, wie es wirklich war, und hätte mich ohrfeigen können, dass ich sie hierher gebracht hatte. Brüsk befreite ich meinen Arm aus ihrem Griff, ließ sie einfach sitzen und verpasste der schimmligen Haustür einen harten, wütenden Stoß, sodass sie mit wildem Gähnen aufflog und dabei in der einzigen ihr verbliebenen Angel quietschte. An manchen Stellen war von den Wänden kaum mehr übrig als das Putzträgergewebe, an dem hier und da noch Brocken von Gips klebten, und die Tapete, die größtenteils in schmalen, lianenartigen Streifen herunterhing. Es roch nach fauligem Holz, Kalk und altem Ruß. Die Treppe war zusammengekracht, die Decken hatten Löcher, auch die Schlafzimmerdecken im Obergeschoss und das Dach darüber, sodass ich, wenn ich hinaufsah, über zwei Etagen bis in den Speicher gucken konnte, bis hinauf zum Himmel, der hier und da durch die Schieferplatten schien.

Von Cotter wusste ich nichts weiter, als dass er offenbar schon lange tot war, genau wie all die anderen Cotters.

Hinter mir knarrte ein Dielenbrett. Sie räusperte sich taktvoll. Ich, immer noch schmollend, dachte gar nicht daran, mich umzudrehen. Missmutig schweigend, standen wir im staubflirrenden Licht, dessen bleiche Strahlen von oben hereinfielen, ich das Gesicht zum leeren Haus gewandt, sie hinter mir. Beinah wie in der Kirche.

»Das Haus ist ganz prima«, sagte sie kleinlaut in leisem entschuldigendem Ton, »und es war sehr clever von dir, dass du es gefunden hast.«

Wir gingen mit ernsten, nachdenklichen Gesichtern auf und ab, sagten nichts und vermieden es, einander anzusehen, wie ein frisch vermähltes Ehepaar, das skeptisch die Umrisse seines künftigen ersten gemeinsamen Heims abschreitet, indes der gelangweilte Immobilienmakler draußen vor der Haustür rumsteht und eine raucht. Groß geküsst haben wir uns nicht mehr an diesem Tag. Später fand sie dann in einem klammen, müffelnden Schrank unter der Treppe eine verklumpte, fleckige alte Matratze, die irgendwer zusammengeklappt und dort hineingestopft hatte. Gemeinsam zerrten wir sie raus und legten sie vor dem einzigen Fenster, in dem noch Scheiben waren und von dem wir meinten, dass die Sonne dort am stärksten hineinschien, zum Lüften über zwei Küchenstühle.

»Das reicht fürs erste«, sagte Mrs Gray. »Nächstes Mal bringe ich Bettzeug mit.«

In den folgenden Wochen brachte sie tatsächlich alles Mögliche mit: eine Petroleumlampe, die nie angezündet werden sollte, mit einem bauchigen Zylinder aus mundgeblasenem, wundervoll filigran gemustertem Glas, mit dem sich für mich die Vorstellung von altem Moschus verband, eine Teekanne und zwei Teetassen mit nicht dazu passenden Untertassen, die ebenfalls nie benutzt werden sollten, Seife und ein Badetuch und eine Flasche Eau-de-Cologne, dazu allerlei Essbares, unter anderem ein Glas mit eingewecktem Fleisch, Sardinenbüchsen und mehrere Packungen Cracker, »vorsichtshalber«, sagte sie mit verhaltenem Lachen, »falls du mal Hunger kriegst«.

Sie hatte Spaß daran, Hausfrau zu spielen. Dieses Spiel habe sie schon als kleines Mädchen geliebt, sagte sie, und wenn ich sah, wie sie eine spielzeugkleine Leckerei nach der anderen aus ihrem Einkaufskorb zutage förderte und sie auf den durchgebogenen Regalbrettern überall im Zimmer verteilte, dann schien tatsächlich von uns beiden sie die weitaus Jüngere zu sein. Ich tat so, als rümpfte ich die Nase über dieses schlichte Scheinbild häuslichen Glücks, das sie Stück für Stück zusammentrug, doch irgendetwas in mir, eine anhaltende Spur von Kindlichkeit, sorgte dafür, dass ich mich nicht zurückhalten konnte, führte mich gleichsam an der Hand und ließ mich mitmachen bei ihren glückseligen Spielen.

Und was für Spiele! War sie der Notzucht schuldig, zumindest nach dem Buchstaben des Gesetzes? Kann eine Frau Notzucht treiben, rein technisch? Mit einem fünfzehnjährigen Knaben ins Bett gehen, obendrein mit einem, der noch unberührt war, ich vermute mal, dass sie sich da, juristisch gesehen, strafbar machte, und zwar durchaus schwerwiegend. Sie muss das bedacht haben. Vielleicht war ihre Fähigkeit, sich eine drohende Katastrophe vorzustellen, getrübt durch ein konstantes Bewusstsein der Möglichkeit – der Unvermeidbarkeit, gewissermaßen –, dass man ihr eines Tages in ferner Zukunft auf die Schliche kommen würde und sie nicht nur vor ihrer Familie entehrt wäre, sondern in den Augen der gesamten Stadt, wenn nicht sogar der Welt. Manchmal schwieg sie plötzlich, wandte sich von mir ab und schien irgendetwas herannahen zu sehen, etwas, das noch weit entfernt war, und doch nicht weit genug, als dass sie es nicht in seiner ganzen Schrecklichkeit erkennen konnte. Und hab ich ihr dann Trost gespendet, hab ich versucht, sie auf andere Gedanken zu bringen, sie abzulenken von dieser grauenvollen Aussicht? Mitnichten. Ich war eingeschnappt, weil ich vernachlässigt wurde, oder machte eine bissige Bemerkung und sprang von der Matratze hoch, die auf den verfaulten Dielenbrettern lag, und stapfte trotzig in einen anderen Teil des Hauses. Das gekalkte Klosett hinten im Garten mit seinem fleckigen, brillenlosen Thron und einer Anhäufung jahrhundertealter Spinnennetze in den Ecken war einer meiner Lieblingsplätze, wenn ich sie mit einer längeren und, wie ich mir sicher war, besorgniserregenden Abwesenheit für irgendein Vergehen bestrafen wollte. Worüber habe ich gegrübelt, wenn ich in der klassischen Haltung dort saß, die Ellenbogen auf den Knien, das Kinn in die Hände gestützt? Wir brauchen nicht bis zu den Griechen zurückzugehen, unser tragisches Dilemma steht auf Rollen aus Klopapier geschrieben. Ein eigenartiger Geruch, stechend und säuerlich grün, kam durch das viereckige Loch herein, das sich oben in der Wand, hinter dem Spülkasten befand, ein Geruch, den ich manchmal heute noch an gewissen nasskalten Sommertagen in der Nase habe und bei dem etwas in mir um Öffnung ringt, eine verkümmerte Blüte, die heraufdrängt aus der Vergangenheit.

Dass sie mir nie gefolgt ist, wenn ich dergestalt hinausgestürmt war, oder versucht hat, mich zur Rückkehr zu bewegen, gab meinem Groll zusätzlich Nahrung, und wenn ich dann zurückkam und mich bemühte, eine kalte, steinerne Gleichgültigkeit zur Schau zu tragen, spähte ich aus dem Augenwinkel nach irgendeinem Anzeichen von Spott oder Erheiterung – zusammengebissene Lippen, um sich ein Lächeln zu verkneifen, oder auch nur ein allzu rasch abgewandter Blick, ganz egal was, und ich wäre schnurstracks wieder zum Klo zurückmarschiert –, aber ich fand sie jedes Mal mit ruhigem, ernstem Blick und ergeben entschuldigender Miene, obwohl sie sich die Hälfte der Zeit gefragt haben dürfte, wofür sie wohl diesmal Abbitte zu leisten hatte. Wie zärtlich sie mich dann immer in den Armen hielt hielt und wie zuvorkommend sie sich auf der versifften Matratze ausbreitete, um meine ganze angestaute Wut, Bedürftigkeit und Verdutztheit in sich aufzunehmen.

Erstaunlich, dass man uns nicht eher auf die Schliche kam. Wir haben uns natürlich vorgesehen, so gut wir konnten. Am Anfang passten wir auf, dass wir auf getrennten Wegen zu Cotters Haus kamen. Sie parkte den Kombi auf einem Waldweg etwa fünfhundert Meter vom Haus entfernt, und ich versteckte mein Fahrrad unter einem Brombeergestrüpp am Wegrand neben dem Haselwäldchen. Gruselig war es und ein richtiger Nervenkitzel, mich verstohlen zwischen den Bäumen entlang in die Mulde hinunterzuschleichen, in der das Haus stand, alle paar Schritte stehen zu bleiben und angespannt wie Lederstrumpf in die aufgestörte Stille des Waldes hinein zu lauschen.

Ich konnte mich nicht entscheiden, was ich besser fand, als Erster da zu sein und mit schweißnassen Händen und klopfendem Herzen auf sie warten zu müssen – würde sie wohl auch dieses Mal erscheinen, oder war sie zur Vernunft gekommen und hatte beschlossen, die Sache mit mir auf der Stelle zu beenden? – oder sie bereits dort vorzufinden, ängstlich draußen vor der Haustür hockend wie stets, denn sie fürchte sich vor Ratten, sagte sie, und traue sich nicht allein ins Haus. In den ersten paar Minuten stellte sich immer so eine ganz eigene Art von Befangenheit zwischen uns ein, wir sprachen nicht oder, wenn doch, dann nur so steif wie höfliche Fremde und sahen einander kaum an, waren ergriffen davon, was wir füreinander waren, und auch, und wiederum ganz zweifellos, von der Ungeheuerlichkeit dessen, worauf wir uns da miteinander eingelassen hatten. Dann brachte sie es irgendwie zustande, mich wie beiläufig zu berühren, wie zufällig meine Hand mit ihrer zu streifen oder mir mit einer ihrer Haarsträhnen übers Gesicht zu fahren, und gleich – als hätte jemand einen Riegel weggezogen – fielen wir übereinander her, küssten uns und umklammerten einander, wobei sie in seliger Pein lauter gequälte kleine Stöhnlaute ausstieß.

Wir entwickelten eine wahre Meisterschaft darin, unsere Kleider abzuwerfen, jedenfalls die meisten, ohne unsere Umarmung zu lösen, und dann spürte ich den Druck ihrer herrlich kühlen, leicht körnigen Haut überall an der meinen, im Krebsgang näherten wir uns dem provisorischen Bett und kippten langsam, wie in ohnmächtigem Sturz, zusammen hintenüber. Zuerst, auf der Matratze, waren wir nichts als Knie, Hüften und Ellbogen, doch nach ein paar Augenblicken verzweifelten Gerangels schien es, als würden alle unsere Knochen sich entspannen, sich zurechtbiegen und aneinander ausrichten, und dann drückte sie mir ihren Mund an die Schulter und gab einen langen, schaudernden Seufzer von sich, und so fingen wir an.

Doch was, so werden Sie sich fragen, war mit meinem Freund Billy, was tat er oder ließ es bleiben, während seine Mutter und ich uns bei unseren Freiübungen vergnügten? Ich hab mir diese Frage auch schon oft gestellt, mit großer Sorge. Natürlich fiel es mir jetzt zunehmend schwer, ihm zu begegnen, ihm in seine stets entspannt und unbefangen dreinblickenden

Augen zu schauen, denn schließlich musste er doch merken, was für eine bedrückte, schuldbewusste Stimmung ich unter Garantie verbreitete. Die Schwierigkeiten nahmen ab, als das Schuljahr zu Ende ging und die Sommerferien begannen. In den Ferien änderten sich die Verbundenheiten, es kamen neue Interessen auf, aus denen sich unweigerlich neue oder zumindest andere Freundschaften ergaben. Selbstverständlich waren Billy und ich weiterhin beste Freunde, wir sahen uns nur sehr viel seltener als bisher, das war alles. Außerhalb der Schule war selbst den besten Freunden durchaus bewusst, dass zwischen ihnen eine gewisse Reserviertheit bestand, eine Schüchternheit, eine Befangenheit, als fürchteten sie sich davor, einander in dem neuen System endloser und uneingeschränkter Freiheiten aus Versehen in irgendwelchen peinlichen Situationen zu ertappen, in einer albernen Badehose zum Beispiel oder beim Händchenhalten mit einem Mädchen. Und so begannen Billy und ich in jenem Sommer, genau wie alle anderen, einander diskret aus dem Weg zu gehen, er aus den bereits genannten üblichen Gründen und ich – nun ja, ich aus meinen eigenen, keineswegs üblichen Gründen.

Eines Morgens bekamen seine Mutter und ich einen furchtbaren Schreck. Es war ein dunstiger Frühsommersamstag, und die bleiche Sonne, die sich mühsam durch die Bäume kämpfte, verhieß uns einen brüllend heißen Tag. Mrs Gray hatte gesagt, sie gehe einkaufen, was ich für einen Grund angab, weiß ich nicht mehr. Wir saßen nebeneinander auf der Matratze, lehnten mit dem Rücken an der bröseligen Wand, die Ellbogen auf die Knie gestützt, und sie ließ mich an ihrer Zigarette ziehen – ich war zwar mittlerweile schon bei zehn bis fünfzehn Stück am Tag angelangt, was sie auch wusste, aber wir hatten uns trotzdem darauf geeinigt, dass ich nicht rauchte –, als sie auf einmal hochfuhr und ängstlich nach meinem Handgelenk griff.

Ich hatte nichts gehört, nun aber hörte ich es auch. Über uns auf der Anhöhe waren Stimmen. Sofort musste ich daran denken, wie Billy und ich einmal dort oben gewesen waren und er mir zwischen den Baumwipfeln hindurch das bemooste Dach von Cotters Haus gezeigt hatte. Womöglich war er wieder hergekommen, um das Haus jemand anders zu zeigen? Wir lauschten angestrengt, atmeten ganz, ganz flach, quasi nur mit den Lungenspitzen. Mrs Gray guckte mich aus dem Augenwinkel an, ich konnte sehen, wie das Weiße in ihren Augen vor Entsetzen aufblitzte. Die Stimmen, die durch die Bäume zu uns herunterdrangen, klangen hohl und scheppernd, wie wenn Stahlhämmer melodisch auf Holz schlagen – oder eher noch wie das Schicksal, das belustigt mit den Fingern trommelt. Waren das Kinderstimmen oder die Stimmen von Erwachsenen oder beides? Wir konnten es nicht sagen. Mir schossen alle möglichen wirren Fantasien durch den Kopf. Wenn das nicht Billy war, dann waren es Arbeiter, die mit Vorschlaghämmern und Brecheisen ankamen, um niederzureißen, was von dem Haus noch übrig war; es war ein Suchtrupp, der nach einem Vermissten suchte; es war die Polizei, die von Mr Gray hergeschickt worden war, damit sie seine lasterhafte Frau und ihren frühreifen Innamorato festnahm.

Mrs Grays Unterlippe hatte angefangen zu zittern. »Oh, du mein Gott«, stieß sie flüsternd hervor. »Oh, du lieber Jesus.«

Doch nach einer kleinen Weile verhallten die Stimmen, und oben auf der Anhöhe war wieder Ruhe. Aber wir wagten immer noch nicht, uns zu rühren, und Mrs Gray hatte ihre Finger immer noch wie Krallen in mein Handgelenk vergraben. Und dann rappelte sie sich unversehens auf und fing hastig und unbeholfen an, sich wieder anzuziehen. Ich sah ihr zu und war zunehmend alarmiert, aber nicht mehr, weil ich befürchtete, dass wir entdeckt werden könnten, sondern wegen etwas viel

Schlimmerem, nämlich weil ich Angst hatte, dass sie es nach diesem Schock endgültig mit der Angst zu tun bekam und fortlief und nie wieder zu mir zurückkam. Mit brüchiger Stimme fragte ich sie, was in aller Welt sie denn da mache, aber sie antwortete nicht. Ihr Blick verriet, dass sie schon gar nicht mehr ganz hier war, sondern vermutlich vor ihrem Mann auf Knien lag, seine Hosenbeine umklammert hielt und ihn verzweifelt anflehte, ihr zu vergeben. Ich überlegte, ob ich mich des Langen und des Breiten erklären oder ihr in feierlichem Ernst drohen sollte, so nach dem Motto *wenn Sie jetzt hier hinausgehen, denken Sie bloß nicht, dass es dann jemals wieder ...* – aber ich fand nicht die richtigen Worte, und wenn sie mir eingefallen wären, hätte ich mich nicht getraut, sie auszusprechen. Ich starrte in den Abgrund, der schon die ganze Zeit unter mir gegähnt hatte. Wenn ich sie verlöre, wie sollte ich das ertragen? Ich wusste, dass ich jetzt hätte aufspringen müssen und sie in die Arme nehmen, nicht, um sie zu beruhigen – was kümmerte mich ihre Angst? –, sondern um sie mit schierer Gewalt am Fortgehen zu hindern. Stattdessen aber hatte mich eine seltsame Lethargie erfasst, die gleiche panische Lethargie, von der es heißt, dass sie die herumhuschende Maus erfasst, wenn sie furchtsam hochschaut und über sich den Habicht lauern sieht, und ich konnte nichts weiter tun, als einfach nur dazusitzen und zuzugucken, wie sie sich unterm Kleid die Schlüpfer hochzog und sich nach ihren Wildlederschuhen bückte. Sie wandte mir ihr angstverhangenes Gesicht zu. »Wie seh ich aus?«, fragte sie flüsternd. »Seh ich anständig aus?« Und dann rannte sie, ohne die Antwort abzuwarten, zu ihrer Tasche, holte die Puderdose heraus, klappte sie auf und schaute in den kleinen Spiegel, der darin war, und mit ihren zuckenden Nasenflügeln und ihren beiden hervorblitzenden, leicht übereinanderstehenden Schneidezähnen sah sie jetzt selbst ein bisschen wie eine verängstigte Maus aus. »Schau mich doch an«, zischte sie konsterniert. »Das Wrack der Hesperus!«

Zu meiner Verblüffung fing ich an zu weinen. Und zwar richtig, ich heulte einfach los, flennte wie ein hilfloses Kind. Mrs Gray hielt inne, drehte sich um und starrte mich erschrocken an. Sie hatte mich noch nie weinen sehen, außer wenn ich wütend war oder sie dazu bringen wollte, dass sie mir meinen Willen ließ, aber nicht so, kläglich, wehrlos, und ich glaube, dass ihr in diesem Moment erst richtig klar wurde, wie jung ich schließlich noch war und wie sehr ich durch sie den Boden unter den Füßen verloren hatte. Sie kniete sich wieder auf die Matratze und umarmte mich. Ich bibberte richtig in ihren Armen, ich nackt, sie angezogen, und während ich mich noch an sie schmiegte und vor Kummer plärrte, stellte ich verblüfft und durchaus erfreut fest, dass ich wieder in Fahrt kam, ließ mich nach hinten fallen, zog sie mit mir herunter und schaffte es, sosehr sie sich auch wand und protestierte, ihr die Hände unter die Kleider zu schieben, und schon waren wir wieder mitten drin, und mein von kindischer Angst und Seelennot erfülltes Schluchzen verwandelte sich in das vertraute heisere Keuchen, das immer weiter anstieg, um endlich in das ebenso vertraute, von wilder Erleichterung befeuerte Triumphgeheul zu münden.

Ich glaube, das war der Tag, an dem ich sie davon in Kenntnis setzte, dass ich die Absicht hatte, sie zu schwängern. Ich kann mich noch erinnern, dass es ein schläfriger Mittag war, wir lagen ruhig beieinander, ein Durcheinander aus schweißverschmierten Gliedern, im Winkel einer kaputten Fensterscheibe summte eine Wespe, und durch das löchrige Dach fiel schräg ein rauchwirbelnder Sonnenstrahl, der sich gleich einem Degen neben uns in die Diele bohrte. Ich war mal wieder, wie so oft, mit den Gedanken bei der ebenso schmerzlichen wie unumstößlichen Tatsache der Existenz von Mr Gray gewesen, ihrem unauslöschlichen Ehemann, und hatte mich inzwischen schön hineingesteigert in meine unterdrückte Wut, und ehe die Idee, gewissermaßen absolut und ultimativ Rache an ihm zu nehmen, in meinem Kopf noch recht Gestalt gewonnen hatte, hörte ich mich auch schon lauthals damit herausplatzen, gerade so, als ob das Ganze schon beschlossen sei und nur noch ausgeführt zu werden brauchte.

Mrs Gray schien zuerst gar nicht zu verstehen, was ich gesagt hatte, oder konnte es nicht fassen. Wen wundert's? Es war ja auch nicht gerade das, was eine Frau, die in einer überdurchschnittlich gefährlichen Affäre steckt, aus dem Munde ihres minderjährigen Liebhabers zu hören erwartet. Wenn sie überrumpelt war oder etwas gehört hatte, was sie nicht gleich erfassen konnte, reagierte sie auf eine Weise, die mir auch bei anderen Frauen aufgefallen ist, nämlich, indem sie plötzlich sehr still und schweigsam war, als sähe sie sich jäh bedroht und stelle sich gewissermaßen tot, bis die Gefahr vorüber wäre. Sie blieb also ein paar Sekunden reglos liegen, den Rücken und ihr warmes Hinterteil an meinem Bauch, und unter ihrem Gewicht schlief mir der Arm ein. Dann wälzte sie sich umständlich auf die andere Seite, sodass sie mir ins Gesicht sehen konnte. Zuerst starrte sie mich ungläubig an, und dann versetzte sie mir mit beiden Händen einen gewaltigen Stoß gegen die Brust, sodass ich rückwärts über die Matratze flog und mit den Schultern gegen die Wand knallte. »Das ist ja widerlich, was du da sagst, Alex Cleave«, fauchte sie leise und in einem schrecklichen Ton. »Du solltest dich was schämen, solltest du.«

War das der Tag, an dem sie mit mir von dem Kind sprach, das sie verloren hatte? Ein kleines Mädchen, ihr Letztgeborenes, nach Billy und seiner Schwester. Das Baby war kränklich, und nach ein, zwei Tagen verglomm sein flackerndes Lebenslicht. Der Tod aber war dann doch plötzlich gekommen, und es quälte Mrs Gray, dass das arme Spätzchen nicht getauft war und seine Seele darum im Limbus herumschwebte. Mir war nicht wohl dabei, wenn sie von diesem kleinen Wesen redete, das für sie, seine Mutter, so lebhaft präsent war – ein verklärtes und vergöttertes Geschöpf. Wenn Mrs Gray von ihrer Kleinen sprach, verfiel sie immer in so einen Singsang, der mit zärtlichen Seufzern durchsetzt war und mich an das goldene Jesuskind von Prag erinnerte, an dieses kleine Figürchen mit seiner Krone und seinem Umhang, dem Zepter und der Kugel, das in leidenschaftslosem Gepränge bei uns daheim hinter der Fensterscheibe oben in der Haustür regierte, vor dem ich mich gefürchtet hatte, als ich klein war, und das mir immer noch unheimlich war. Mrs Gray war in den Feinheiten der christlichen Eschatologie nicht so bewandert; für sie war der Limbus kein Ort, an dem die Seelen der Ungetauften auf ewig von der Welt geschieden waren, sondern eine Art schmerzloses Fegefeuer, irgendwie ein Zwischending zwischen dem irdischen Leben und den Segnungen und Freuden übersinnlicher Verklärtheit, wo ihr Baby nunmehr weilte und geduldig darauf wartete, eines Tages, vielleicht am letzten aller Tage, vor das Angesicht seines himmlischen Vaters zu treten, und wo sie beide, Mutter und Kind, wieder glücklich vereint sein würden. »Ich hatte mir noch nicht mal einen Namen für sie überlegt«, erzählte Mrs Gray, wobei sie bekümmert aufschluchzte und sich die Nase mit dem Handrücken abwischte. Was Wunder, dass sie meine Drohung, sie zu schwängern, erschreckt und auch erzürnt hat.

Dennoch ist es möglich, dass dies der Tag war, an dem ich ihr vorschlug, wenn sie und ich wirklich unser eigenes Kleines hätten, dass dies hienieden der Ersatz sein könnte für den embryonalen Engel, der an der Pforte des Limbus Schlange stand und ungeduldig wartete, bis er an der Reihe war. Allerdings hatte sich durch das ganze Gerede von toten Babys meine Begeisterung für

101

eine vorzeitige Vaterschaft mittlerweile erheblich abgekühlt, ja, war tatsächlich zu Asche verglüht.

Das Bemerkenswerte an ihrer Antwort auf meinen Vorschlag, eine Familie mit ihr zu gründen, aber war, wie mir erst später auffiel, dass sie gar nicht so besonders überrascht zu sein schien; schockiert, natürlich, empört, ja, aber nicht überrascht. Vielleicht ist ja für Frauen die Aussicht auf eine Schwangerschaft prinzipiell nichts Überraschendes, vielleicht leben sie ja in permanenter Bereitschaft für ebendiese Eventualität; ich könnte Lydia fragen, wie sie das sieht; Lydia, meine Lydia, meine Enzyklopädie. Mrs Gray hat mich an diesem Tag nicht mal gefragt, warum ich denn ein Kind will, ganz so, als sei sie auch der Meinung, dass mein diesbezüglicher Wunsch die natürlichste, selbstverständlichste Sache der Welt sei. Und hätte sie gefragt, so hätte ich nicht recht gewusst, was ich darauf hätte sagen sollen. Ja, klar, es hätte ihrem Mann geschadet, wenn sie von mir schwanger geworden wäre, und das wäre erfreulich gewesen, aber uns beiden, ihr und mir, hätte es auch geschadet, und zwar ganz gewaltig. Wusste ich wirklich, was ich da geredet hatte, und falls ja, hab ich es ernst gemeint? Bestimmt nicht – ich war ja selbst fast noch ein Kind und hatte das sicher bloß gesagt, um sie zu schockieren und ihre gesamte Aufmerksamkeit allein auf mich zu lenken, ein Unterfangen, auf das ich viel Mühe und großen Einfallsreichtum verwandte. Und doch merke ich jetzt, wie ich nicht ohne einen schmerzhaften Anflug echten Bedauerns darüber nachdenke, dass wir beide miteinander einen hübschen, pfiffigen Jungen hätten in die Welt setzen können, mit ihren Augen und meinen Gliedern, oder ein strahlendes Mädchen, eine Miniaturausgabe von ihr, mit wohlgeformten Fesseln und schlanken Zehen und einer ungehorsamen Locke hinterm Ohr. Absurd, absurd. Was für ein Gedanke, ihm oder ihr heute zu begegnen, einem Sohn oder einer Tochter, annähernd in meinem Alter, und wie es uns vor Verlegenheit die Sprache verschlüge angesichts der ebenso grotesken wie komischen Bredouille, in die ein Liebesunfall und die Gehässigkeit eines Knaben uns gebracht hätten und aus der es keinen anderen Ausweg gegeben hätte als meinen Tod, und nicht einmal der hätte diesen lächerlichen Schandfleck aus den Annalen löschen können. Und doch, und doch. Mein Geist windet sich vor Verwirrung, mein Herz krampft sich zusammen und bläht sich wieder auf. Absurd. Schaut euch das an, da tappe ich an der Schwelle zum Greisenalter herum und träume immer noch wehmütig von Fortpflanzung, von einem Sohn, der mich hätte trösten, einer Tochter, die ich hätte lieben und auf die ich mich dereinst mit gebrechlichem Arm hätte stützen können, auf dass sie mich auf meinem letzten Weg begleiten, wenn ich, wie der Psalmist in seiner feierlichen Art es ausdrückt, gehe zu meinem ewigen Haus.

Natürlich hätte ich lieber eine Tochter gehabt. Ja, unbedingt eine Tochter.

Es ist in der Tat ein Wunder, dass Mrs Gray nicht schwanger wurde, so oft und so energisch, wie wir uns der Sache widmeten, durch die sie's hätte werden können. Wie hat sie es vermieden? Gab es doch hierzulande seinerzeit keine legalen Mittel zur Empfängnisverhütung, außer dem Zölibat, und selbst wenn es welche gegeben hätte – um sich auf so was einzulassen, dazu war sie viel zu fromm. Sie glaubte an Gott, aber der Gott, an den sie glaubte, das war wohl kaum der Gott der Liebe, sondern eher der strafende Gott.

Doch halt! Vielleicht war sie ja doch schwanger geworden. Vielleicht war das der Grund, weshalb sie sich so überstürzt davongemacht hatte, nachdem unsere Affäre aufgeflogen war. Vielleicht war sie verschwunden und hatte ein Baby bekommen, ein kleines Mädchen, ohne mir etwas davon zu sagen.

Wenn ja, dann ist das kleine Mädchen jetzt eine große Frau von fünfzig Jahren, hat einen Mann und selbst Kinder, vielleicht – womöglich gibt es irgendwo andere Menschen, Fremde, die meine Gene haben! Du lieber Gott! Was für ein Gedanke. Doch nein, nein. Als ich des Weges kam, frohgemut und selbstsicher wie nur einer, da war sie höchstwahrscheinlich schon längst unfruchtbar.

Wie sich herausstellt, heißt der Scout von Pentagram Pictures nicht Billy wie mein alter Freund, sondern Billie, und auch nicht Striker, sondern Stryker – ja, ich denke mal, das war Marcy Meriwethers Vorstellung von Humor, dass sie mir die Namen nicht buchstabiert hat – und ist, anders als von mir vermutet mitnichten ein Mann, sondern eine Frau. Ich war wie üblich hier oben in meiner Dachkammer, als ich ihren albernen kleinen Wagen jaulend und hustend in die Einfahrt einbiegen hörte, und gleich darauf klingelte es. Ich kümmerte mich nicht darum, dachte, es sei bestimmt für Lydia. Und prompt bat Lydia sie herein, ging mit ihr in die Küche, bot ihr einen Stuhl an und versorgte sie mit Zigaretten, Tee und einem Keks; meine Frau hat eine Schwäche für Unglücksraben und komische Vögel aller Art, besonders, wenn sie weiblichen Geschlechts sind. Worüber mögen sie sich wohl unterhalten haben, die beiden? Ich hab später nicht nachgefragt, aus Zartgefühl irgendwie oder aus Schüchternheit, oder weil mir Böses schwante. Jedenfalls dauerte es gut zwanzig Minuten, bis Lydia heraufkam und an meine Tür klopfte, um mir zu sagen, dass ich Besuch hatte. Daraufhin erhob ich mich von meinem Schreibtisch, bereit, mit ihr zusammen nach unten zu gehen, sie aber, in der schmalen Türöffnung stehend, trat ein wenig zur Seite und winkte mit der Miene eines Magiers, der ein sehr großes Kaninchen aus einem sehr kleinen Hut hervorzaubert, die junge Frau von der schmalen Treppe herauf, katapultierte sie mit einem sanften Schubs ins Zimmer und verschwand.

Nicht nur, dass Billie Stryker eine Frau ist; sie ist auch sonst in keinster Weise das, was ich erwartet hatte. Und was hatte ich erwartet? Wahrscheinlich irgend so einen smarten Typen aus Übersee. Billie hingegen stammt offenkundig aus unseren Breiten – eine kleine, dickliche Person von schätzungsweise Mitte oder Ende dreißig. Ihre Statur ist in der Tat bemerkenswert, wie aus einem Sammelsurium von Pappkartons verschiedener Größe zusammengesetzt, die zuerst eine Weile draußen im Regen stehen gelassen und dann in aufgeweichtem Zustand irgendwie übereinandergestapelt worden sind. Die extrem enge Jeans, die sie anhatte, machte den Gesamteindruck nicht unbedingt vorteilhafter, zumal ihr großer Kopf über dem schwarzen Polohemd aussah wie ein Gummiball, den man auf dieses ganze wacklige Gebilde aus aufgestapelten Kartons oben draufgesetzt hatte. Aus all dem Überfluss an Fleisch schaut ein süßes kleines Gesichtchen, und ihre Handgelenke scheinen da, wo die Hände angesetzt oder vielleicht auch unten in die Arme gesteckt sind, fest mit Bindfaden abgeschnürt zu sein und haben Grübchen wie bei einem Baby. Die in Dunkellila und Gelb changierende Haut unter dem linken Auge war das Überbleibsel eines ordentlichen Veilchens, das sie vor etwa einer Woche abgekriegt haben musste – ich frage mich, wie oder wo sie wohl dazu gekommen war.

Ich wünschte, Lydia hätte sie nicht zu mir heraufgebracht, denn erstens ist das hier mein Schlupfwinkel, und zweitens ist dieser abschüssige Raum klein, und Billie ist es nicht, und als ich mich um sie herumzwängte, kam ich mir vor wie die riesengroß gewordene, im Haus des Weißen Kaninchens gefangene Alice. Ich dirigierte sie zu dem alten grünen Sessel, dem einzigen Möbel, für das hier drinnen Platz ist, neben meinem

Schreibtisch, an dem ich arbeite – jedenfalls nenne ich es arbeiten –, und dem alten Drehstuhl, auf dem ich sitze. Als wir hier eingezogen waren, versuchte Lydia mich zu überreden, mir in einem der leer stehenden Räume im Parterre ein richtiges Arbeitszimmer einzurichten – es ist ein großes Haus, und wir sind ja nur zu zweit –, aber ich fühle mich hier oben wohl, und dass es so beengt ist, stört mich nicht, außer in Situationen wie dieser jetzt, die freilich äußerst selten sind. Billie Stryker saß da mit einer Miene, die entschlossen und zugleich unerklärlich hilflos war, knetete leise keuchend ihre dicken Finger und guckte sonst wohin, nur nicht zu mir. Sie hat so eine ganz spezielle, schlamperte Art, einen Sessel einzunehmen, als würde sie nicht richtig sitzen, sondern im nächsten Moment runterrutschen, hockt vorne auf der äußersten Kante, die dicken Knie auseinander und die in Turnschuhen steckenden Füße einwärts gekehrt, sodass die Außenseiten ihrer Knöchel flach auf dem Boden liegen. Lächelnd und nickend schlängelte ich mich zu meinem Schreibtisch durch, wie ein Löwenbändiger, der sich vorsichtig seinem Stuhl und seiner Pistole nähert, und setzte mich hin.

Sie schien genauso wenig wie ich zu wissen, warum sie hier war. Wenn ich sie recht verstanden habe, ist sie Rechercheurin; nennt man beim Film die Rechercheure Scouts? Ich muss noch so viel lernen. Ich fragte sie, ob sie das Leben von Axel Vander recherchiert habe, und sie sah mich an, als ob ich einen Witz gerissen hätte, allerdings einen, der nicht komisch war, und lachte kurz und höhnisch auf, und dieses Lachen hörte sich so an, als ob sie es bei Marcy Meriwether gelernt hatte. Ja, sagte sie, sie habe sich um Vander gekümmert. Gekümmert, ja? Das klingt ja geradezu besorgniserregend anstrengend. Ihre zugeknöpfte Art verwirrte mich, ich wusste nicht so richtig weiter, und so saßen wir eine ganze Weile in lastendem Schweigen zusammen. Beiläufig streifte mich der Gedanke, ob ich sie nicht auf freischaffender Basis beauftragen sollte, für mich herauszufinden, was aus Mrs Gray geworden war; immerhin war sie ja Rechercheurin und würde wissen, wie man solche Sachen anzupacken hat. Also ehrlich, was einem so alles durch den Kopf geht. Wie dem auch sei, es kann ja eigentlich nicht so schwer sein, meiner verlorenen Liebsten auf die Spur zu kommen. In der Stadt gibt es bestimmt noch Leute, die sich an die Grays erinnern – es ist schließlich erst fünfzig Jahre her, seit sie dort weg sind, und der Grund für ihren plötzlichen Weggang war ja nun wirklich denkwürdig –, und die werden garantiert auch wissen, was aus ihnen geworden ist. Ich hatte das sichere Gefühl, dass Billie Stryker, einmal auf die Fährte gesetzt, ein gnadenloser Bluthund wäre.

Ich stellte ihr ein, zwei Fragen zu dem Filmprojekt, bei dem wir offenbar beide mitmachen sollten, und da warf sie mir wieder diesen schnellen und, wie ich fand, skeptischen Blick zu, der mich allerdings gerade mal in Kniehöhe traf, und starrte dann wieder mürrisch auf den Teppich. Das hier war harte Arbeit, und ich verlor allmählich die Geduld. Gelangweilt ließ ich meine Finger über den Schreibtisch spazieren und schaute summend aus dem Fenster, von dem aus man hinter einer Ecke des Platzes ein Stückchen vom Kanal sehen kann. Dieses ruhig und gesittet sich dahinziehende Flussimitat ist genau das Maß an Wasser, das ich zurzeit ertragen kann; nachdem Cass tot war, konnten wir nicht mehr, wie gewohnt, am Meer leben; der Anblick von Wellen, die auf Felsen krachten, war uns unerträglich. Warum und zu welchem Zweck hatte mir Marcy Meriwether dieses wortkarge, schwerfällige Geschöpf geschickt? – Und was hatte Lydia in der langen Zeit, die die beiden da unten miteinander verbracht hatten, mit ihr ausgeheckt? Es gibt Momente, da habe ich das Gefühl, einer eindeutigen, konzertierten und dabei doch scheinbar ziellosen Verschwörung von Frauen ausgesetzt zu sein. »Nicht alles hat was zu bedeuten«, sagt Lydia gerne kryptisch, und dabei sieht sie immer so ein klein wenig aufgeblasen aus, als wäre sie eisern entschlossen, sich, wenn auch mit Mühe, das Lachen zu verkneifen.

Ich fragte Billie Stryker, ob ich ihr irgendwas holen sollte, eine Erfrischung vielleicht, und da erzählte sie mir dann von dem Tee und den Plätzchen, die Lydia ihr aufgedrängt hatte, da unten in der Küche. Zu dieser Küche muss ich etwas sagen. Sie ist Lydias Reich, so wie diese Dachkammer hier das meine ist. Lydia verbringt heutzutage einen großen Teil ihrer Zeit dort unten – ich wage mich nur selten über die Schwelle. Es ist ein hohes, höhlenartiges Gelass mit nackten rohen Steinwänden. Über dem Abwaschbecken gibt es ein großes Fenster, allerdings mit einem dichten Dornengestrüpp unmittelbar davor, das vor unerdenklichen Zeiten einmal ein Rosenstock war, sodass kaum Tageslicht hereindringt und der Raum stets bedrückend düster ist. Nirgendwo sind Lydias abtrünnige Vorfahren deutlicher präsent, jedenfalls für mich, als wenn sie mit ihren Zeitungen und ihren Zigaretten, ihrem violetten Kaschmirschal um die Schultern und lauter dünnen, klirrenden Reifen, teils aus Silber, teils aus Gold, um die dunklen Unterarme an dem hohen viereckigen Tisch aus gescheuerten Kiefernbrettern präsidiert. Ich sollte das eigentlich nicht sagen, aber ich denke oft, in einem anderen Zeitalter hätte man Lydia für eine Hexe halten können. Worüber die da unten wohl geredet haben, sie und Billie Stryker?

Nun müsse sie aber weiter, sagte Billie – wohin denn wohl? fragte ich mich –, machte aber keinerlei Anstalten, sich zum Aufbruch zu rüsten. Ich sagte, ich könne zwar nicht verhehlen, dass ich verblüfft sei, habe mich aber über ihren Besuch gefreut, und es sei mir ein Vergnügen, sie kennengelernt zu haben. Wieder folgte Schweigen und wieder starrten wir beide uninspiriert vor uns hin. Und plötzlich, ehe ich noch wusste, was ich tat, fing ich an, von meiner Tochter zu sprechen. Das war sonderbar und sah mir überhaupt nicht ähnlich. Ich kann mich nicht erinnern, wann ich zuletzt mit irgendwem über Cass geredet habe, nicht mal mit Lydia. Geradezu eifersüchtig hüte ich meine Erinnerungen an die verlorene Tochter, sicher verwahrt und geheim gehalten, wie einen Foliant mit zarten Aquarellen, die vor dem grellen Tageslicht geschützt werden müssen. Und jetzt auf einmal saß ich da und plapperte einfach drauflos und erzählte dieser maulfaulen, argwöhnischen Fremden, wer Cass gewesen war und was sie alles gemacht hatte. Natürlich sehe ich in jeder jungen Frau, die mir begegnet, Cass, nicht die Cass, die sie war, als sie ihrem Leben ein Ende setzte, sondern die, die sie heute sein könnte, nach diesen zehn Jahren. Wie es der Zufall will, wäre sie jetzt ungefähr genauso alt wie Billie Stryker, obwohl das mit Sicherheit das Einzige ist, was sie gemeinsam haben.

Und doch, an Cass erinnert zu werden, zumal in einem derart losen Zusammenhang, war etwas ganz anderes, als über sie zu reden, und dann auch noch so überstürzt, ja, sogar wirr. Wenn ich an Cass denke – und wann denke ich nicht an Cass? –, kommt es mir vor, als spürte ich überall um mich herum ein großes Rauschen und Dröhnen, als stünde ich direkt unter einem Wasserfall, der mich durchnässt und dennoch irgendwie trocken lässt, knochentrocken. Genau das ist die Trauer für mich geworden: eine anhaltende Flut, die mich ausdörrt. Ich finde überdies, dass dem Hinterbliebensein auch eine gewisse Schmach anhaftet. Eine gewisse Peinlichkeit, sozusagen, ein gewisses Schuldbewusstsein. Selbst in den allerersten Tagen nach Cass' Tod empfand ich es als unerlässlich, in der Öffentlichkeit nicht allzu viel herauszuposaunen, sondern um jeden Preis Haltung zu bewahren oder mir zumindest den

Anschein zu geben; wenn wir weinten, weinten wir privat, Lydia und ich, zogen lächelnd die Haustür hinter unseren scheidenden Trostspendern ins Schloss, um einander augenblicklich um den Hals zu fallen und einfach loszuheulen. Doch als ich nun mit Billie Stryker redete, hatte ich tatsächlich das Gefühl zu weinen, irgendwie. Ich kann das nicht erklären. Natürlich gab es keine Tränen, nur Worte, die unaufhaltsam aus mir herausgeflossen kamen, und doch hatte ich dieses fast wollüstige Empfinden, hilflos, Hals über Kopf, zu fallen, wie man es hat, wenn man sich endlich einmal gehen lässt und so richtig schön flennt. Und natürlich tat mir das alles furchtbar leid, als mir dann schließlich die Worte ausgingen, und ich schämte mich in Grund und Boden, als hätte ich mich aus Leichtsinn verbrannt. Wie hat mich Billie Stryker, scheinbar völlig mühelos, dazu gebracht, so viel zu sagen? Sie musste etwas an sich haben, das man mit bloßem Auge nicht erkennen konnte. Das will ich zumindest hoffen, denn das, was man mit bloßem Auge sieht, ist alles andere als anziehend.

Was habe ich zu ihr gesagt, was hab ich ihr erzählt? Ich weiß es nicht mehr. Ich erinnere mich nur noch an das Geplapper selbst, nicht daran, was ich geplappert habe. Hab ich gesagt, dass meine Tochter Wissenschaftlerin war und dass sie an einer seltenen Geistesstörung litt? Habe ich ihr beschrieben, wie wir beide, ihre Mutter und ich, als Cass noch klein war und wir noch nicht die Diagnose hatten, fortwährend wie benommen zwischen banger Hoffnung und aschfahler Enttäuschung hin- und hergetaumelt sind, wenn die Symptome nachzulassen schienen, um bald darauf von Neuem aufzutreten – stärker und unbeherrschbarer denn je? Wie wir uns damals, in jenen Jahren, nach einem einzigen normalen Tag gesehnt haben, einem Tag, an dem wir morgens aufstehen und unbekümmert frühstücken könnten, uns gegenseitig etwas aus der Zeitung vorlesen, gemeinsam besprechen, was zu tun sei, danach einen kleinen Spaziergang machen und mit unschuldigem Blick die Landschaft betrachten, später ein Glas Wein miteinander trinken und noch später zusammen ins Bett gehen und in einen ungestörten Schlaf sinken. Doch nein: Unser Leben mit Cass war ein ständiges Auf-der-Hut-Sein, und als sie sich am Ende uns entzogen hat und spurlos verschwunden war – als sie sich aus der Welt geschafft hat, wie man so treffend sagt –, da haben wir selbst noch in unserer tiefsten Trauer einsehen müssen, dass dieses Ende, das sie unserer Wachsamkeit gesetzt hat, unausweichlich war. Wir haben uns auch die Frage gestellt und konnten es selbst kaum fassen, dass wir uns gefragt haben, ob unsere Wachsamkeit vielleicht sogar irgendwie dazu beigetragen hat, das Ende zu beschleunigen. Die Wahrheit ist, dass sie sich uns von Anfang an ständig entzogen hat. Zum Zeitpunkt ihres Todes dachten wir, sie sei in den Niederlanden und stecke tief in ihrer obskuren Forschungsarbeit, und als die Nachricht aus Portovenere kam, weit weg, tief im Süden, die fürchterliche Nachricht, von der wir doch im Grunde unseres Herzens immer gewusst hatten, dass sie eines Tages kommen würde, da fühlten wir uns nicht nur verlassen, sondern gewissermaßen ausmanövriert, grausam und, jawohl, auf unverzeihliche Weise übertölpelt.

Doch warten Sie, Moment mal – mir ist da gerade etwas eingefallen. Billie Stryker war doch meinetwegen heut hierher gekommen, um zu recherchieren. Darum dieses ganze ausweichende, zögerliche Gehabe ihrerseits, dieses ermüdende Schweigen: alles bloß Hinhaltetaktik, sie hat geduldig abgewartet, dass ich anfinge zu reden, was ich unweigerlich tat, mitten hinein in das von ihr mit Sorgfalt vorbereitete Vakuum. Wie subtil von ihr, um nicht zu sagen, schlau, um nicht zu sagen, hinterhältig, in der Tat. Doch was hat sie über mich in Erfahrung gebracht, außer dass ich früher eine Tochter hatte, die aber gestorben ist? Als ich sie um Entschuldigung bat, weil ich ihr die ganze Zeit was von Cass vorgelabert hatte, hat sie die Achseln gezuckt und gelächelt – ihr Lächeln ist übrigens richtig rührend, traurig und so süß verletzlich – und gesagt, das sei schon in Ordnung, das sei kein Problem für sie, es sei schließlich ihr Job zuzuhören. »So bin ich halt«, hat sie gesagt, »ein Quarkwickel in Menschengestalt.«

Ich glaub, ich werd sie wirklich bitten, Mrs Gray für mich zu finden. Warum nicht? Wir gingen nach unten, und ich brachte sie zur Tür. Jetzt ließ sich Lydia nicht mehr blicken. Billies Auto ist ein uralter, arg verrosteter Deux Chevaux. Als sie sich hinters Lenkrad gezwängt hatte, lehnte sie sich noch mal aus dem Fenster, um mir etwas mitzuteilen, was ihr anscheinend grad erst eingefallen war, dass nämlich eine Leseprobe für das Drehbuch angesetzt sei, in London, Anfang nächster Woche. Das ganze Ensemble werde dort sein, außerdem natürlich der Regisseur und der Drehbuchautor. Letzterer heiße Jaybee oder so ähnlich – ich bin ein bisschen harthörig geworden, und es geht mir auf die Nerven, dass ich die Leute ständig bitten muss, alles noch einmal zu sagen.

In einem Wirbel dunkelbrauner Abgasschwaden fuhr Billie davon. Ich stand da und sah ihr nach, bis sie die Auffahrt hinter sich gelassen hatte. Ich war verwirrt und wusste nicht recht weiter, und ich empfand ein leichtes, aber nicht von der Hand zu weisendes Unbehagen. Hatte sie irgendeinen Zaubertrick angewandt, um mich dazu zu bringen, dass ich ihr von Cass erzählte, oder hatte ich bloß auf eine entsprechende Gelegenheit gewartet? Und wenn das die Sorte Mensch ist, mit der ich in den kommenden Monaten zu tun haben werde, worauf habe ich mich da bloß eingelassen?

Ich hab den Nachmittag damit verbracht, das Buch zum Film *Erfindung der Vergangenheit,* also die große Axel-Vander-Biografie, gründlich durchzugehen – so nennt man das, glaube ich. Als Erstes und am stärksten hat mich der Prosastil getroffen, ja, geradezu umgehauen hat er mich. Ist das vorgetäuscht, oder ist es eine bewusst eingenommene Perspektive? Ist es eine allgemeine, anhaltend behauptete Ironie? Rhetorisch bis zum Äußersten, dramatisch höchst elaboriert, ganz und gar unnatürlich, künstlich und verklumpt, ein Stil, wie abgefeilt – le mot juste! – von einem kleinen höfischen Beamten aus Byzanz, einem ehemaligen Sklaven, sagen wir mal, dem von seinem Herrn gnädig gestattet worden war, sich freizügig in dessen ebenso umfangreicher wie bunt zusammengewürfelter Bibliothek zu bedienen, eine Freiheit, von der der arme Kerl allzu eifrig Gebrauch gemacht hat. Unser Autor – der Ton ist ansteckend –, unser Autor ist durchaus belesen, wenn auch ohne System, und benutzt die zahlreichen Schmankerln, die er aus all diesen Büchern aufgeschnappt hat, zur Vertuschung seines Mangels an echter Bildung – wenig Latein, noch weniger Griechisch, ha ha –, womit er allerdings genau das Gegenteil erreicht, gibt er sich doch mit jedem großspurigen Bild, jeder verwickelten Metapher, jedem Fall von angelerntem Wissen und vorgetäuschter Gelehrsamkeit unmissverständlich als der passionierte Autodidakt zu erkennen, der er zweifelsohne ist. Hinter dem ganzen Glanz, der beflissenen Eleganz, der dandyhaften Großspurigkeit verbirgt sich ein von Ängsten, Befürchtungen, säuerlichen Ressentiments getriebener Mensch, der aber gleichwohl hier und da über beißenden Witz verfügt und einen Blick für das besitzt, was man den Unterleib der Schönheit nennen könnte. Kein Wunder, dass ihn Axel Vander als Stoff gereizt hat.

Dieser Vander, kann ich Ihnen sagen, war ein außerordentlich komischer Vogel. Erst mal war er scheinbar gar nicht Axel Vander. Der echte Vander, der aus Antwerpen stammt, ist irgendwann in den ersten Kriegsjahren auf mysteriöse Weise verstorben – es gab Gerüchte, weitverbreitet, aber nicht sehr glaubwürdig, wonach er ungeachtet seiner haarsträubend reaktionären politischen Einstellung in der Resistance gewesen sein soll – und dieser andere, der unechte, dessen Geschichte nirgendwo schriftlich belegt ist, hat einfach dessen Namen angenommen und ist geschickt in seine Rolle geschlüpft. Der falsche Vander hat die Laufbahn des richtigen als Journalist und Kritiker fortgesetzt, ist aus Europa geflüchtet und nach Amerika gegangen, hat geheiratet und sich in Kalifornien niedergelassen, in einer Stadt mit dem wohlklingenden Namen Arcady, und hat dort viele Jahre lang an der Universität gelehrt; die Frau starb – anscheinend ein Fall von vorzeitigem Altersschwachsinn, kann sogar sein, dass er sie umgebracht hat – und kurz danach gab Vander seine Arbeit auf und ging nach Turin, wo auch er ein, zwei Jahre später sterben sollte. Das sind die Fakten, welche einer hilfreichen Chronologie entstammen, die unser Autor nach dem Vorwort ausbreitet, und er wäre gewiss empört, wenn er sähe, wie schmucklos und unfrisiert ich meinerseits das alles hier wiedergebe. Mit den Büchern, die Vander während seiner Zeit in Amerika schrieb, besonders mit seinem Band *Das Alias als hervorstechender Fakt: Der Nominativ bei der Suche nach einer Identität,* einer Sammlung hermetischer Aufsätze, erlangte er einen weitreichenden, wenn auch keineswegs unumstrittenen Ruf als Bilderstürmer und skeptischer Intellektueller. »Durch das gesamte Werk«, schreibt sein ernüchterter Biograf mit spürbar verächtlich geschürzter Lippe »zieht sich eine Spur von Perfidie«, »und sein Ton ist allzu oft der einer griesgrämigen, giftigen alten Jungfer, die kleinen Jungs den Fußball wegnimmt, wenn er aus Versehen in ihrem Garten gelandet ist, und ihre Abende damit verbringt, auf parfümiertem Papier böse Briefe an ihre Nachbarn im Dorf zu schreiben.« Sie verstehen schon, wie ich das meine, das mit dem Stil.

Und dieser Vander ist die Figur, die ich spielen soll. Oje.

Und doch, auf eine Art versteh ich schon, warum jemand auf den Gedanken kommt, dass das ein Filmstoff ist. Vanders Geschichte macht durchaus einen gewissen mephitischen Eindruck. Vielleicht bin ich übertrieben beeinflussbar, aber als ich in dem alten grünen Sessel saß und las, in dem letztens Billie Stryker gehockt und vor sich hin gekeucht hatte, da überkam mich das Gefühl, dass mich einer heimlich packt und geschickt festhält. In dem Mansardenfenster über mir trieben kupferfarbene Wolken am Oktoberhimmel, und das Licht im Zimmer war ein fahles, dichtes Gas, und auch die Stille war so dicht, als wären meine Ohren verstopft, wie im Flugzeug, und mir war, als sähe ich den Schemen des ersten und echten Axel Vander, wie er schwankt und lautlos umfällt und sein Usurpator nahtlos seinen Platz einnimmt und einfach weitergeht, hinein in die Zukunft, und wie er auch mich übernimmt und ich sogleich meinerseits irgendwie er werde, ein weiteres körperloses Glied in der Kette von Verkörperung und Verrat.

Ich werde hinausgehen und einen Spaziergang machen; vielleicht komme ich dann wieder zu mir.

Ich geh gerne spazieren. Besser gesagt, ich geh spazieren, belassen wir's dabei. Das ist eine alte Angewohnheit, die ich mir nach Cass' Tod zugelegt habe, in den ersten Monaten der Trauer. Der Rhythmus und die Ziellosigkeit solcher Spaziergänge draußen an der frischen Luft, irgendwie finde ich das beruhigend. Mein Beruf, den ich an den Nagel gehängt zu haben meinte, bis mich Marcy Meriwether ins Rampenlicht zurückbeordert hat oder ins Scheinwerferlicht oder wie immer man es nennen mag, mein Beruf ließ mir stets die Freiheit, die Stunden untertags für mich zu haben. Man kann schon eine gewisse verhaltene Befriedigung darin finden, sich nach Belieben draußen aufhalten zu können, während alle anderen in ihre Arbeitsstätten eingepfercht sind. Am Vormittag oder am frühen Nachmittag vermitteln die Straßen den Eindruck einer zwar eindeutig klaren, aber unerfüllten Zweckhaftigkeit, als hätte etwas Wichtiges vergessen, sich auf ihnen zu ereignen. Bei Tag kommen die Hinkenden und Lahmen heraus, um sich zu lüften, die Alten ebenfalls und die, die keine Anstellung mehr haben und sich die leeren Stunden vertreiben und sicher um Verlorenes klagen, so wie ich. Sie verhalten sich wachsam und ein wenig schuldbewusst, vielleicht fürchten sie, man könnte ihnen ihren Müßiggang zum Vorwurf machen. Es muss schwer sein, sich daran zu gewöhnen, dass es nichts Dringendes zu tun gibt, so wie ich herausbekommen muss, wann diese Scheinwerfer zum letzten Mal erlöschen und der Set abgebaut wird. Ich könnte mir vorstellen, dass deren Welt der Antrieb fehlt. Ich sehe, wie sie andere um ihre Geschäftigkeit beneiden, wie sie voller Groll den glücklichen Briefträger auf seiner Runde beäugen, die Hausfrauen mit ihren Einkaufskörben, die weiß bekittelten Männer in Kleintransportern, die notwendige Dinge ausliefern. Sie sind die unbeabsichtigten Müßiggänger, die Streuner, die nichts mit sich anzufangen wissen.

Ich beobachte auch gerne Landstreicher, das ist auch so ein Zeitvertreib von mir. Auch die sind nicht mehr so wie ehedem. Der Landstreicher, der wahre Landstreicher, hat über die Jahre hinweg permanent nachgelassen, qualitativ wie quantitativ. Ich bin mir nicht mal sicher, ob man überhaupt noch von Landstreichern im alten, klassischen Sinne reden kann. Heutzutage zieht doch niemand mehr durch die Straßen oder trägt ein Bündel am Stock mit sich herum oder hat ein buntes Tuch um den Hals oder umwickelt sich die Hosenbeine vom Knie abwärts mit Bindfaden oder sammelt Zigarettenkippen aus dem Straßengraben auf und tut sie in eine Blechbüchse. Die heutigen

Tippelbrüder sind allesamt Trinker oder nehmen Drogen, das traditionelle Gesetz der Straße interessiert keinen mehr. Speziell die Drogensüchtigen sind ganz was anderes, immer in Eile, immer irgendwie im Einsatz, traben sie unbeirrbar die überfüllten Gehwege entlang oder schlängeln sich achtlos durch den Verkehr, dürr wie Präriehunde, mit knochigen Hintern und Plattfüßen, die jungen Männer mit toten Augen und hellen, kratzigen Stimmen, und ihre Frauen stolpern hinter ihnen her, haben Tragetücher mit waidwund dreinblickenden Babys vorm Bauch und kreischen wirr herum.

Einen dieser Vagabunden beobachte ich schon seit geraumer Weile; ich nenne ihn Trevor vom Trinity. Er ist ein ganz erhabener Bursche, ein Aristokrat seiner Zunft. Als ich ihn das erste Mal sah, das muss jetzt so fünf, sechs Jahre her sein, war er bestens in Schuss, nüchtern und voller Schwung. Das war an einem gleißend hellen Sommermorgen, er überquerte eine der Brücken über den Fluss, ging federnden Schrittes und schwenkte die Arme; einen dunkelblauen Kolani hatte er an und nagelneue knöchelhohe Schnürschuhe aus gelbem Wildleder mit dicken Kreppsohlen. Dazu trug er eine besonders fesche Schirmmütze aus Cord und um den Hals trotz der sommerlichen Hitze einen Trinity-College-Schal – daher auch der Spitzname, den ich ihm gegeben habe. Sein grau melierter Spitzbart war ordentlich gestutzt, die Augen klar, die Wangen rot und unter der Haut nur ein hauchzartes Netz aus geplatzten Äderchen. Ich weiß nicht recht, wodurch ich auf ihn aufmerksam wurde. Es lag wohl daran, dass er aussah wie jemand, der von einem schlimmen Ort zurückgekehrt war, der es geschafft hatte, gesund zu werden und wieder zu Kräften zu kommen, denn ich bin mir sicher, dass er auf Entzug gewesen war – entweder im St Vincent oder im St John of the Cross; so ungefähr muss Lazarus ausgesehen haben, nachdem Martha und Maria ihn vom Friedhof geholt und aus den Überresten seines Totengewands ausgewickelt, ihm auf die Beine geholfen und ihn insgesamt wieder auf Zack gebracht hatten. Ein paarmal sah ich ihn noch auf der Straße, immer frisch und munter, und eines Morgens, als ich hinter ihm am Zeitungskiosk stand, wo er sich eine *Times* kaufte, vernahm ich auch seine markige, sonore Stimme.

Dann kam die Katastrophe. Es war an einem dunstigen Herbstmorgen, früh um acht oder halb neun, ich überquerte gerade die nämliche Brücke, auf der ich ihn zum ersten Mal erblickt hatte, da sah ich ihn mit seinem Schal, der feschen Mütze, den gelben Knöchelschuhen und allem Drum und Dran, einsam und verlassen, schief und krumm zwischen all den eilig zur Arbeit strömenden Büroangestellten stehen, mit geschlossenen Augen, als ob er schlief, gewaltig schwankend, mit rötlicher, hängender Unterlippe und in der Linken eine braune Papiertüte mit einer großen Flasche darin.

Das war aber nicht sein Ende, dieser achtkantige Sündenfall, beileibe nicht. Er ist viele Male wieder auf den Wagen raufgekraxelt, und obwohl er ein ums andere Mal wieder hinuntergeplumpst ist und obwohl der Tribut, den jeder dieser Abstürze von ihm forderte, von Mal zu Mal höher wurde, freue ich mich über diese wiederholten Auferstehungen, darüber, dass er's immer wieder schafft, sich hochzuziehen, und ich ertappe mich dabei, dass ich ihn mit einem Lächeln grüße, wenn er nach der nächsten ominösen Abwesenheitsphase geschäftig auf der Straße auf mich zukommt, mit klarem Blick, ordentlich gebürsteten Wildlederschuhen, den College-Schal nicht vollgesabbert, sondern frisch gewaschen. Er schenkt mir übrigens absolut keine Beachtung, und ich bin mir sicher, dass er den Druck meiner ihn aufmerksam verfolgenden Blicke noch nie gespürt hat.

Wenn er trinkt, dann bettelt er. Seine Nummer ist bis ins kleinste Detail ausgefeilt und bemerkenswert stimmig; er schlurft zu den geeigneten Plätzen, streckt die hohle Hand vor sich aus und jammert ganz erbärmlich, wie ein müdes Kleinkind, das Durst hat, das Gesicht komplett nach einer Seite hin verzogen, und die blutunterlaufenen Augen schwimmen in unvergossenen Tränen. Aber das ist alles bloß Theater. Als ich einmal einen besonders edelmütigen Tag hatte, gab ich ihm einen Zehner – es war nach dem Mittagessen, und ich hatte selbst etwas getrunken – und vor lauter Verblüffung über die unerwartete Großzügigkeit ist er prompt aus der Rolle gefallen, hat mich angestrahlt und sich mit warmen Worten bedankt, und dieser Akzent – original Bertie Wooster! Ich glaube, wenn ich ihn gelassen hätte, dann hätte er mit beiden Händen meine Hand ergriffen und sie voll kameradschaftlicher Dankbarkeit und Zuneigung gedrückt. Kaum hatte ich ihn aber verlassen, war er augenblicklich wieder in seiner Rolle, schnitt Fratzen und hielt unter lautem Gejaule die Hand auf.

An guten Tagen nimmt er bestimmt gar nicht so wenig ein. Einmal habe ich ihn ausgerechnet in einer Bank entdeckt, wie er an einem Kassenschalter all seine Münzen ausgekippt hat, um sie in Papiergeld umzutauschen. Die uniformierte junge Frau, die ihn bediente, war von einer Engelsgeduld, so was von nachsichtig und gutmütig; sein atemberaubender Gestank machte ihr anscheinend überhaupt nichts aus. Und er sah seelenruhig zu, wie sie die Münzen zählte, nahm huldvoll das spärliche Bündel Scheine entgegen, das sie ihm dafür gab, und verstaute es in einer Innentasche seines mittlerweile arg abgetragenen, von oben bis unten mit Flecken übersäten Kolanis. »Danke, meine Liebe, sehr freundlich von Ihnen«, murmelte er – ja, ich hatte mich hinter seinem Rücken so nah herangeschlichen, dass ich hören konnte, was er sagte – und berührte als Ausdruck seiner

120

Dankbarkeit ganz sachte, nur eben mit der schmutzigen Fingerspitze, den Handrücken der jungen Frau.

Er kommt ganz schön herum auf seinen Touren; überall in der Stadt hab ich ihn gesehen, sogar in den Außenbezirken. Einmal, an einem eisigen Frühlingsmorgen – ich wollte einen zeitigen Flug erwischen –, bemerkte ich ihn auf der Straße zum Flughafen. Er war auf seiner festen Route in die Stadt, atmete weiße Nebelwolken aus, und an seiner armen alten, arg lädierten Nase hing ein Tropfen, der wie ein frisch geschliffener Diamant im rosa getönten, frostigen Sonnenlicht glitzerte. Was tat er dort? Wo kam er her? Sollte er etwa im Ausland gewesen und gerade eben mit dem allerersten Flug des Tages zurückgekommen sein? Woher weiß ich denn, ob er nicht ein Gelehrter von Weltrang ist, sagen wir mal, ein Spezialist für Sanskrit, oder die unangefochtene Autorität auf dem Gebiet des Nō-Theaters? Der große Pragmatiker Charles Sanders Peirce musste auch um Brot betteln und hat sogar eine Zeit lang auf der Straße gelebt. Möglich ist alles.

Sein Gang. Er scheint was mit den Füßen zu haben – schlechte Durchblutung, würde ich mal tippen –, denn er bewegt sich irgendwie halb rutschend und halb schlurfend vorwärts, in so einem langsamen, immer wieder gebremsten Trab, könnte man sagen, obwohl er trotz allem ein erstaunliches Tempo vorlegt. Schlimme Hände hat er auch – ebenfalls die Durchblutung –, und mir fällt auf, dass er seit Neuestem fingerlose Handschuhe aus schmuddeliger weißer Wolle trägt, die ihm offenbar jemand gestrickt hat. Im Gehen hat er die Arme oben und die Ellbogen angewinkelt und hält dabei die Pfoten mitsamt den Handschuhen vor der Brust, wie ein Boxer, der sturzbetrunken ist und sich im Zeitlupentempo warm macht.

Was für ein erschreckender Gedanke, dass er wahrscheinlich gut zwanzig Jahre jünger ist als ich.

Heute Nachmittag auf meinem Spaziergang habe ich ihn, wie erhofft, getroffen, denn mittlerweile ist er so was wie mein Talisman. Ich war unten an der Hunderennbahn, wo immer noch das Skelett des alten Gasometers steht. Diese heruntergekommene, glanzlose Gegend ist mir zum Spazierengehen am liebsten; ich bin ein Arme-Leute-Flaneur, mich zieht es nicht zu den eleganten Alleen oder in die weitläufigen städtischen Grünanlagen. Jedenfalls sah ich meinen Trevor vom Trinity quietschvergnügt auf einem eingefallenen Mäuerchen gegenüber dem Busbahnhof sitzen. Auf dem Schoß hatte er eine durchsichtige Plastikbox, aus der er irgendwas aß, das er sich wohl an der Tankstelle ein Stückchen die Straße runter geholt hatte. Vielleicht irgendeine Pastete, dachte ich, oder eins von diesen knubbeligen Brötchen, die aussehen wie schon mal gegessen, aber als ich bei ihm war, sah ich zu meiner Überraschung, dass es ein Croissant war. Der gute alte Trev – ewiger Bewahrer der kleinen Annehmlichkeiten des Lebens! Außerdem hatte er einen Pappbecher mit Kaffee – nein, nicht mit Tee, ich roch doch den köstlich-braunen aromatischen Duft der Bohnen. Allerdings war er betrunken, ganz schön benebelt sogar, und murmelte beim Essen vor sich hin, derweil ihm der Blätterteig die Jacke vollkrümelte. Ich hätte stehen bleiben und mich neben ihn setzen können; ich verlangsamte sogar meinen Schritt, hielt einen Moment inne und dachte darüber nach, doch dann verließ mich der Mut, und ich ging mit leisem Bedauern weiter. Wie üblich hatte er mich gar nicht wahrgenommen, war viel zu dun, um den grau gewordenen alten Theaterstar vergangener Zeiten zu bemerken, der da im feinen Tweedmantel und mit Glacéhandschuhen wie der Würger an ihm vorüberschlich.

Ich würde zu gern wissen, wer er ist oder was. Ich würde gerne wissen, wo er wohnt. Irgendeinen Unterschlupf muss er haben, da bin ich mir ganz sicher. Irgendjemand muss sich um ihn kümmern, nach ihm schauen, ihm neue Stiefel kaufen, wenn die alten kaputt sind, seinen Schal waschen, ihn in die Klinik einliefern, damit er trocken wird. Bestimmt eine Tochter. Ja, eine aufopferungsvolle Tochter, ganz bestimmt.

Ich und die Silberleinwand, na, ich weiß doch, dass Sie alles darüber wissen wollen. Heute ist sie natürlich nicht mehr silbern, sondern knallig bunt, was eine einzige Enttäuschung ist, meiner Meinung nach. Marcy Meriwether hat mir versichert, ich sei der Erste gewesen, dem die Rolle des Axel Vander angeboten wurde, aber später habe ich erfahren, dass sie noch mindestens drei anderen Schauspielern meines Baujahrs angeboten wurde, die alle abgelehnt haben, und das war dann der Punkt, an dem Marcy M. in ihrer Verzweiflung mich anrief und mir vorschlug, den alten Bösewicht zu spielen. Warum hab ich das akzeptiert? Ich war mein ganzes Arbeitsleben lang Bühnendarsteller und fand den Zeitpunkt reichlich spät für so einen Karrieredreh. Wahrscheinlich fühlte ich mich geschmeichelt – na schön, ich war geschmeichelt, keine Frage, wieder mal die Eitelkeit, meine unausrottbare Sünde –, ich konnte einfach nicht anders, als Ja sagen. Wie sich herausstellt, ist die Filmschauspielerei erstaunlich leicht – man steht bloß rum, die meiste Zeit jedenfalls, muss sich immerzu neu schminken oder die Schminke nachbessern lassen –, verglichen mit der Schinderei jeden Abend auf der Bühne. Leicht verdientes Geld. Oder sollte ich besser sagen, aus Scheiße Gold ...?

Die Leseprobe für das Drehbuch fand in einem großen weißen, gespenstisch leeren Haus an der Themse statt, das speziell dafür angemietet worden war, nicht weit weg von der Stelle, wo das neue Globe Theatre steht. Ich muss zugeben, ich war ner-

vös vor meinem ersten Schritt in diese neue, ein wenig beängstigende Welt. Ein paar von den Schauspielern kannte ich von
Theaterinszenierungen, in denen wir gemeinsam gespielt hatten, und andere waren mir aus allerlei Filmen, in denen ich sie
gesehen hatte, dermaßen vertraut, dass ich das Gefühl hatte,
sie ebenfalls zu kennen. So kam es, dass die ganze Atmosphäre
mich ein bisschen an den ersten Schultag nach den langen Sommerferien erinnerte – neue Klasse, neue Lehrer, mit denen man
klarkommen muss, viele neue Gesichter, und die, an die man
sich vom letzten Jahr erinnert, sehen alle etwas anders aus, etwas größer, gröber, bedrohlicher. Billie Stryker war auch da und
sah in ihren ausgebeulten Jeans und ihrem Schildkrötenkragen-
pullover noch mehr als sonst nach nasser Pappe aus. Sie winkte
mir vorsichtig zu und schenkte mir ihr unsicheres, müd-me-
lancholisches Lächeln, was sie nur selten tat. Ihr Anblick beru-
higte mich, woran man wohl erkennen kann, wie sehr ich einen
Rückhalt brauchte.

Das gemietete Haus war höhlenartig und knochenweiß, wie
ein riesengroßer ausgehöhlter und gebleichter Schädel, mit lauter Gängen und Kabuffs und Wendeltreppen, in denen unsere
Stimmen widerhallten, miteinander verschmolzen und in einem Kopfweh machenden Geschrei zusammenprallten. Das
Wetter war komisch – es war einer jener hektischen Tage, die es
im Oktober manchmal gibt, wo man meinen möchte, dass das
Jahr aus schierer Boshaftigkeit zeitweilig kehrtgemacht hat und
es wieder Frühling ist. Das lohgelbe Sonnenlicht war hart und
ohne Wärme, und über den Fluss wälzte sich eine steife Brise
heran, ein echtes Muskelpaket von einer Brise, und knetete das
Wasser zu schlammbraunen Wellen.

Dawn Devonport kam als Letzte, selbstredend, schließlich
war sie ja von uns allen noch am ehesten ein Star. Schwer in der
verstärkten Federung schwingend, fuhr ihre Limousine, so eine

schwarz glänzende Edelkarosse, speziallackiert, wahrscheinlich gepanzert, mit dunkel getönten, nicht einsehbaren Fenstern und bedrohlich blitzendem Kühlergrill, am Eingang vor. Der Chauffeur, ein geschniegelter Bursche in Taubengrau, auf dem Kopf eine Mütze mit blitzendem Schild, kam auf diese bäurische und zugleich tänzerische Art, die solchen Leuten eigen ist, herausgehüpft und riss den Schlag auf, sodass sich die Lady mit wohlgeübter Gewandtheit aus ihrem tiefen Rücksitz schälen konnte, wobei sie einen ganz, ganz kurzen Blick auf die Unterseite eines langen honigfarbenen Beins gewährte. Draußen auf der Straße hatten ein paar Dutzend Fans dicht gedrängt im schneidenden Wind gewartet, um sie zu begrüßen – wieso haben die eigentlich gewusst, wo sie hinmussten, oder bin ich da gerade naiv? –, und jetzt klatschten sie Beifall, doch der Wind zerfetzte ihr Klatschen, das in meinen Ohren eher höhnisch als bewundernd klang. Als sie sich ihren Weg durch die Menge bahnte, schien sie nicht zu gehen, sondern schwebte gleichsam in der Blase ihrer unantastbaren Schönheit dahin.

Ihr richtiger Name ist Stubbs oder Scrubbs, irgend so was Ungeschliffenes, das einfach nicht passt, kein Wunder also, dass sie es eilig gehabt hatte, ihn zu ändern – doch warum, ach, warum gerade Devonport? In der Branche heißt sie natürlich nur, wie könnte es auch anders sein, Ms Casting Couch, obwohl ich staune, dass die Jungen heute überhaupt noch wissen, was das ist; müsste der Begriff nicht eigentlich mit den Metros, den Goldwyns und den Mayers untergegangen sein? Sie ist wahrhaftig ein bezauberndes Geschöpf. Der einzige Makel, den ich an ihrer Schönheit entdecken kann, ist so ein leichter, ganz leichter Grauschleier überall auf der Haut; im Auge der Kamera gleicht sie einer zitternden Pfirsichblüte, im wirklichen Leben aber sieht sie schmuddlig wie ein Gassenjunge aus. Ich beeile mich zu sagen, dass ich diesen Anflug von Slum auf eine mir selbst nicht so recht erklärliche Weise aufregend finde, und wenn ich jünger wäre – also, wenn ich jünger wäre, ich glaube, da wär ich zu sonst was fähig und würde mich wahrscheinlich ganz gewaltig zum Narren machen. Wir standen in dem großen zugigen Hausflur des Gebäudes und warteten, und plötzlich trat sie zwischen uns, begleitet von einem Chor sich räuspernder Männerstimmen – wir müssen uns angehört haben wie eine Kolonie von Ochsenfröschen auf dem dampfenden Gipfel der Paarungszeit –, und glitt sogleich mit der sachte nach vorn geneigten Haltung eines Seepferdchens geradewegs auf Toby Taggart, unseren Regisseur, zu, legte ihm zwei Finger aufs Handgelenk, verzog die Lippen zu ihrem berühmten, nur angedeuteten Lächeln, schaute mit ihrem Schlafzimmerblick haarscharf an ihm vorbei und sprach rasch ein, zwei Worte, die allein für seine Ohren bestimmt waren.

Es wird Sie überraschen, wenn ich Ihnen sage, dass sie ein ganz zartes Persönchen ist, auf jeden Fall viel zarter, als sie auf der Leinwand erscheint, wo sie gewaltig strahlend in aller Pracht und Herrlichkeit Dianas, der Göttin der Scheidewege, aufragt. Sie ist unglaublich dünn, was sie ja heutzutage alle sein müssen – »Oh, aber ich esse nichts«, erklärte sie mit glockenhellem Lachen, als wir in die Mittagspause gingen und ich anbot, ihr ein Sandwich zu holen –, besonders innen an den Oberarmen, fällt mir auf, die eindeutig konkav sind, wobei die Sehnen unschön unter der bleichen Haut hervortreten, was mich, ich sage es ungern, an ein gerupftes Huhn erinnert. Schwer zu sagen, wie sie außerdem noch ist, ich meine, im wirklichen Leben, denn es gibt natürlich wenig an ihr, was nicht schon längst den Blicken der Öffentlichkeit enthüllt worden wäre, besonders hinsichtlich ihrer frühesten Rollen, als sie noch emsig bemüht war, den übersättigten Mammuts, die ihre Welt beherrschten, zu zeigen, was sie draufhatte, aber die große Leinwand nimmt allem Fleisch den Biss und lässt es glatt erscheinen, biegsam und strapazierfähig, wie Plastik. Sie hat etwas von einem Bubikopfmädchen an sich, ein Eindruck, den sie bestimmt mit Absicht erweckt. Sie trägt mit Vorliebe spitze Knöpfstiefelchen und solche altmodischen Nahtstrümpfe und durchsichtige, tunikaartige Kleider, in denen ihr geschmeidiger, scheinbar schwereloser Körper sich zu seinem eigenen, sehnig-nervösen Rhythmus bewegt, als gäbe es keinerlei Einschränkungen. Ist Ihnen schon mal aufgefallen, dass man bei Nahaufnahmen niemals ihre Hände sieht? Das ist ein weiterer Makel, obwohl, mir persönlich gefallen auch die. Sie sind groß, eindeutig zu groß für ihre zarten Gelenke, von dicken Adern durchzogen und mit langen, starkknochigen, spatelförmigen Fingern.

Bei aller mit Fleiß erarbeiteten Fragilität des Bildes, das sie ihrem Publikum von sich präsentiert, hat sie eine gewisse Männlichkeit an sich, die ebenfalls nach meinem Geschmack ist. Sie raucht – ja, wussten Sie das nicht? – mit robuster Hingabe, reckt ihr Gesicht nach vorn und zur Seite, zieht mit vorgeschobenen Lippen an der Zigarette und sieht dabei genauso plebejisch aus wie irgendein Beleuchter oder Kulissenschieber. Wenn sie sitzt, stemmt sie die Ellbogen auf die Knie und hält Dinge wie eine Teetasse oder ein zusammengerolltes Skript mit beiden Händen fest umklammert, wobei die Haut sich über den groben Fingerknöcheln spannt und glänzt und die Knöchelpartie beinah wie ein Schlagring aussieht. Auch ihre Stimme ist in einigen Registern eindeutig heiserer, als sie sein sollte. Ich frage mich, ob das Leben beim Film irgendetwas an sich hat, das Schauspielerinnen heiser macht und ihre Empfindsamkeiten abhärtet, wie zu viel Sport zu übertriebener Entwicklung ihrer Muskeln führt. Vielleicht ist es auch das, was für die männliche Hälfte des Publikums – und wahrscheinlich auch für die weibliche – ihren verstörenden Reiz ausmacht: dieser Eindruck, einem dritten Geschlecht anzugehören, das ebenso überwältigend wie undurchdringlich ist.

Aber das Gesicht, ach, dieses Gesicht. Ich kann es nicht beschreiben, will sagen, ich weigere mich, es zu beschreiben. Doch wer kennt es denn nicht sowieso – jede seiner Partien, jeden Schatten, jede Pore? Aus welchen jungen Mannes Fieberträumen hat es nicht heraus- oder auch in sie hineingeschaut, ernst, grauäugig, voll süßer Traurigkeit und allverschlingender Erotik? Beiderseits des Nasenrückens sind ein paar zarte Sommersprossen verstreut; sie sind rostbraun, altgolden, dunkelschokoladen; für die Leinwand versteckt sie sie unter einer extradicken Puderschicht, was sie besser nicht täte, denn sie sind wahnsinnig rührend, wie wir Schauspieler sagen, weil sie diesen Eindruck von Zerbrechlichkeit unterstreichen. Sie ruht in sich und ist, wie nicht anders zu erwarten, absolut beherrscht; ganz tief drinnen, im tiefsten Grunde ihres Seins, kann ich indes einen Anflug von einer Urangst ausmachen, ein leises Beben entlang der Nervenbahnen, ganz rasch und schwach, kaum wahrnehmbar – die Vibration jener Angst, für die alle innerhalb wie auch, wenn ich nicht irre, außerhalb unserer Zunft anfällig sind – der schlichten, blanken, durch nichts zu rechtfertigenden Angst davor, dass sie einem irgendwann draufkommen.

Ich mochte sie vom ersten Augenblick an, als der watschelnde Toby Taggart sie beim Ellbogen nahm – was für ein Gegensatz! – und sie dorthin lenkte, wo ich, geflissentlich meine Fingernägel betrachtend, herumlungerte, und sie mir, ihrem überalterten männlichen Hauptdarsteller, vorstellte. Während sie näher kam, entging mir weder das leichte, halb bestürzte, halb erschrocken belustigte Runzeln, das die makellos bleiche Hautpartie zwischen ihren Augenbrauen bei meinem Anblick durchlief, noch das winzige Straffen der Schultern, das sie sich nicht verkneifen konnte. Ich war nicht gekränkt. Das Drehbuch verlangt ein paar energische Kabbeleien zwischen uns beiden, was für eine so liebreizende, so zarte und so unverschämt junge Dame nicht gerade eine appetitliche Aussicht sein kann. Ich weiß nicht mehr, was ich gesagt oder gestottert habe, als Toby uns miteinander bekannt machte; sie hat sich, glaube ich, über die Kälte beklagt. Toby, der sie offensichtlich missverstanden hatte, ließ ein lautes, langsames, scheinbar verzweifeltes Lachen vernehmen, ein Geräusch wie von einem schweren Möbelstück, das über einen nackten Holzboden geschleift wird. Wir waren mittlerweile alle leicht hysterisiert.

Beim Händeschütteln läuft mir jedes Mal ein Schauer den Rücken hinunter – diese ungerechtfertigte, schweißfeuchte Intimität und dieses gruselige Gefühl, dass einem da etwas abgepumpt wird, und obendrein, dass man unmöglich wissen kann, wann der Augenblick da ist, um loszulassen und seine arme, verschrumpelte Pfote wieder einzuziehen; Dawn Devonport muss allerdings Unterricht darin gehabt haben, und ihre stark geäderte Hand hatte die meine kaum berührt, da wurde sie auch schon forsch wieder zurückgezogen – nein, nicht forsch, sondern mit einer rasch gleitenden, beinahe zärtlichen Bewegung, die im Moment des Loslassens für die Dauer einer Viertelsekunde langsamer wurde, wie wenn zwei Akrobaten am Trapez sich mitten in der Luft trennen und der eine die Fingerspitzen des anderen auf so eine sehnsuchtsvoll-melancholische, scheinbar versonnene Weise loslässt. Sie schenkte mir das gleiche seitwärts blickende Lächeln, das sie Toby geschenkt hatte, und trat zurück, und im nächsten Moment marschierten wir alle zusammen in den hohen, vielfenstrigen Raum im Erdgeschoss, stolperten hinter dem Star her, dem Star der Stars, wobei wir einander gegenseitig in die Hacken traten, wie Kettensträflinge mit unsichtbaren Hand- und Beinschellen.

Der Raum war ganz und gar weiß, bis hin zu den offenbar mit Pfeifenton geweißten Dielenbrettern, und vollkommen leer, bis auf ein paar Dutzend billig aussehender hölzerner Windsorstühle, die an den vier Wänden aufgestellt waren, wodurch in der Mitte viel freier Platz blieb, was beängstigend nach Bestrafung aussah und für die Tölpel unter uns gedacht schien, diejenigen, die ihren Text nicht konnten oder über die Kulissen stolperten und die dort würden stehen müssen, von uns in unserer Konfusion und unserer Scham verstoßen. Drei hohe, ratternde Schiebefenster gingen auf den Fluss hinaus. Toby Taggart schien zu überlegen, was er tun konnte, damit wir uns wohlfühlten; er winkte mit seiner breiten, eckigen Hand und sagte, wir könnten uns hinsetzen, wo wir wollten, und sofort rannten sich alle gegenseitig um, weil jeder in die am unscheinbarsten aussehende Ecke wollte, und auf einmal war etwas verschwunden, das vorher, als wir in den Flur hinausgeströmt waren, noch da gewesen war, eine Ahnung von magischen Möglichkeiten, die wir alle einen Moment lang empfunden hatten, und nun war plötzlich das niederschmetternde Gefühl da, nicht am Anfang, sondern bereits am Ende dieses fantastischen Traum-Wagnisses zu sein. Wie fragil es doch ist, dieses absurde Gewerbe, in dem ich mein ganzes Leben damit zugebracht habe, so zu tun, als wäre ich ein anderer, vor allem aber so zu tun, als wäre ich nicht ich.

Für den Anfang, sagte Toby, wolle er den Verfasser des Drehbuchs bitten, uns den Hintergrund unserer Erzählung, wie er es nannte, auseinanderzusetzen. Unsere Erzählung, typisch Toby, nobel geht die Welt zugrunde. Sie wissen natürlich, dass seine Mutter Lady Sowieso von Soundso war? Der Namen ist mir entfallen, es war jedenfalls irgendwas sehr, sehr Vornehmes. Was für ein Gegensatz zu seinem Vater, dem weithin bekannten, überlebensgroßen, besten und schlechtesten Schauspieler seiner Generation, dem die Boulevardpresse das Etikett Taggart das

131

Trampeltier angepappt hatte. Sie sehen schon, ich habe meine Hausaufgaben gemacht und so viele Fakten wie nur möglich über die Hauptakteure gesammelt, mit denen ich in den kommenden Wochen und Monaten im selben Treibhaus arbeiten werde.

Als Toby den Autor erwähnte, reckten alle die Hälse, schraubten sie regelrecht in die Höhe, denn die meisten von uns hatten gar nicht mitgekriegt, dass er in unserer Mitte war. Rasch hatten wir ihn ausgemacht, den mysteriösen Mr Jaybee, der ganz allein in einer Ecke hockte und nun, nachdem wir alle unseren Blick auf ihn geheftet hielten, genauso erschrocken dreinsah wie die kleine Miss Muffet auf ihrem Tuffet, als sie die Spinne herankriechen sieht. Ich stellte fest, dass ich mich tatsächlich schon wieder verhört hatte und der Mann nicht Jaybee heißt, sondern JB; unter diesem Namen kennen ihn diejenigen, die von sich behaupten dürfen, auf etwas vertrauterem Fuß mit dem Verfasser der Axel-Vander-Biografie zu stehen. Ja, der Mann, der unser Drehbuch verbrochen hat, und der Autor der Lebensgeschichte sind ein und derselbe, was mir bis dahin nicht bewusst gewesen war. Er ist ein etwas unstet und zurückhaltend wirkender Typ, ungefähr mein Jahrgang; ich hatte den Eindruck, dass es ihm nicht so recht behagte, hier anwesend sein zu müssen – er hält die reine Drehbucharbeit wahrscheinlich für weit unter seiner Würde. Das also ist der Bursche, der im Delirium arbeitet wie Walter Pater! Er summte und brummte ein bisschen vor sich hin, derweil Toby mit gequält wohlwollendem Lächeln um ihn herumscharwenzelte, bis der Erzähler unserer Geschichte endlich irgendwie in die Gänge kam. Er hatte uns sehr wenig mitzuteilen, was nicht bereits im Skript stand, schwafelte aber lang und breit darüber, wie er in Antwerpen, dem Geburtsort des echten, des Ur-Vander, wie Sie sich erinnern werden, wenn Sie mir aufmerksam gefolgt sind, zufällig jenem Wissenschaftler begegnet war, der den alten Schwindler, also den falschen Vander, entlarvt hatte, und er daraufhin daranging, seine Axel-Vander-Biografie zu schreiben. Dieser Teil ergibt für sich genommen schon eine ganz schöne Erzählung. Der Wissenschaftler, ein emeritierter Professor für Post-Punk-Forschung an der Universität von Nebraska namens Fargo DeWinter – »Nein, Sir, Sie haben recht, die schöne Stadt Fargo liegt nicht in Nebraska, wie so viele anzunehmen scheinen« –, hatte mit Fleiß und Eifer eine Reihe antisemitischer Artikel ausfindig gemacht und ans Tageslicht gezogen, die Vander während des Krieges für eine Kollaborationszeitung namens *Vlaamsche Gazet* verfasst hatte. DeWinter gab zu, dass ihn die Untaten, mit denen Vander angeblich ungestraft davongekommen war, eher amüsiert als schockiert hätten, nämlich nicht nur irgendwelche widerwärtigen Schriften in einer längst vergessenen Zeitung, sondern, wenn wir der Sache Glauben schenken wollen, auch ein Mord an oder, wie der Schurke selbst es zweifellos genannt hätte, aktive Sterbehilfe bei einer siechen, unliebsam gewordenen Ehefrau. Das letztgenannte Bubenstück war verborgen geblieben, bis JB Billie Stryker auf Vanders übel riechende Fährte gesetzt hatte und die ganze Wahrheit herausgekommen war – nicht etwa, dass die Wahrheit jemals ganz sei, bemerkte JB mit einem matten Lächeln, und falls doch, so werde sie wohl kaum herauskommen. Diese Enthüllungen kamen zu spät, als dass sie dem abscheulichen Vander noch hätten schaden können, um seinen Nachruhm aber war es dadurch allemal geschehen.

Wir arbeiteten bis zum Mittag. Mir war schwindlig, und mir brummte der Schädel. Diese weißen Flächen überall und der Sturm draußen, der die Fenster in ihren Rahmen rattern ließ, und der wogende Fluss und das kalte Sonnenlicht, das auf dem wallenden Wasser glitzerte, das alles gab mir das Gefühl, an einer Seemannsposse teilzuhaben, einem Laienspiel, sagen wir mal, mit einem Segelschiff als Schauplatz und der Crew als Ensemble, die Teerjacken herausgeputzt zum Landgang und der Schiffsjunge in Rüschenklamotten. In einem Raum im oberen Stockwerk standen Sandwiches und Wasserflaschen bereit. Ich verzog mich mit meinem Pappteller samt Pappbecher in den Erker, an eines der großen Fenster, und badete meine surrenden Nerven im hellen Außenlicht. Von hier oben, aus größerer Höhe, sah man den Fluss in einem breiteren, steileren Winkel, und obwohl mir schwindlig war, hielt ich den Blick auf diesen jäh abfallenden Abschnitt des Flusses geheftet, ohne mich um die anderen zu kümmern, die hinter mir den Tapeziertisch umkreisten, auf dem der provisorische Lunch angerichtet war. Es mag Ihnen absurd vorkommen, aber inmitten einer Ansammlung von Schauspielern fühle ich mich immer schüchtern, besonders am Beginn einer Produktion, schüchtern und in irgendeiner Form bedroht, ich weiß selbst nicht, wie oder wodurch. In gewisser Weise sind die an einer Produktion beteiligten Schauspieler ungebärdiger als jede andere Gruppe von Menschen, alle warten ungeduldig auf etwas, einen Befehl, eine Anweisung, die ihnen etwas Sinnvolles zu tun gibt, ihnen zeigt, wo sie zu stehen haben, und sie beruhigt. Wahrscheinlich liegt es an meiner Neigung, mich abseits zu halten, dass ich als Egoist gelte – als Egoist, unter Schauspielern! – und dass es in meinen erfolgreichen Jahren so viele Ressentiments gegen mich gab. Dabei war ich stets genauso unsicher wie alle anderen, ging im Kopf wieder und wieder meinen Text durch und bibberte vor Lampenfieber. Ich frage mich, ob die Leute das nicht gesehen haben, wenn schon nicht das Publikum, so doch zumindest die Kollegen, die Sensibleren unter ihnen.

Immer wieder tauchte die Frage auf: Warum war ich hier? Wieso hatte ich plötzlich diese Wahnsinnsrolle, ohne mich dafür beworben zu haben, ohne ein einziges Vorsprechen? Hatte ich da eben eine höhnische Bemerkung gehört, die ein paar jüngere Kollegen halb verärgert, halb spöttisch in meine Richtung machten? Ein Grund mehr, der ganzen Blase den Rücken zu kehren. Aber, Gott, ich spürte die Last meiner Jahre. Hinter der Bühne war mein Lampenfieber schon immer größer gewesen als auf der Bühne.

Ich spürte, dass sie da war, noch ehe ich nach rechts schaute und sie neben mir entdeckte – auch sie den Blick nach draußen gerichtet, genau wie ich, auch sie mit einem Pappbecher, den sie mit beiden Händen umklammert hielt. Für mich hat jede Frau eine Aura, aber diese Dawn Devonports, so rar gesät, wie sie nun einmal sind, die lodern förmlich. In der Filmfassung von *Erfindung der Vergangenheit* kommen ein Dutzend Figuren vor, aber eigentlich gibt es nur zwei, über die sich zu reden lohnt, ich als Vander und sie als seine Cora, und schon – wie es nun mal so geht, ist sie wahrscheinlich gegen den Neid der anderen genauso wenig immun wie ich – hatte sich zwischen uns beiden so etwas wie eine Verbindung angebahnt, und wir fühlten uns ganz wohl dort zusammen oder jedenfalls so wohl, wie sich zwei Schauspieler überhaupt nur fühlen können, die einander im Licht stehen.

Ich habe viele Hauptdarstellerinnen erlebt, aber noch nie zuvor war ich einem echten Filmstar so nah gewesen, und ich hatte das komische Gefühl, als wäre Dawn Devonport eine verkleinerte Version ihrer öffentlichen Person, fachmännisch ausgeführt und perfekt animiert, der jedoch trotz allem irgendwie ein entscheidender Funke fehlte – matter, eine kleine Idee weniger glanzvoll oder einfach menschlich, nehme ich an, einfach ein normaler Mensch –, und ich war mir nicht sicher, ob ich enttäuscht sein sollte, ich meine, entzaubert. Worüber wir bei dieser zweiten Begegnung sprachen, weiß ich nicht mehr, auch nicht, was wir unten in der Halle gesagt hatten, als wir einander vorgestellt wurden. Irgendetwas an ihr, vielleicht ihre Zerbrechlichkeit in Verbindung mit diesem leicht männlichen Zug, erinnerte mich stark an meine Tochter. Ich glaube, ich habe nicht einen einzigen Film gesehen, in dem Dawn Devonport die Hauptrolle spielt, aber das ist egal: Ihr Gesicht, diese spöttisch geschürzten Lippen, diese unermesslich tiefen Augen, grau wie das Morgengrauen, all das war mir genauso vertraut wie das Gesicht des Mondes – und genauso fern. Wie also hätte ich mich, als wir dort an jenem hohen, von Licht erfüllten Fenster standen, nicht an mein verlorenes Mädchen erinnert fühlen sollen?

Jede Frau, die eine Aura hatte und die ich in meinem Leben geliebt habe, und ich verwende das Wort geliebt hier im weitesten Sinne, hat mir ihren Stempel aufgedrückt, so wie die alten Schöpfergötter, sagt man, ihren Daumenabdruck auf den Schläfen der Menschen hinterließen, die sie aus Lehm geformt und dann in uns verwandelt haben. So habe auch ich mir einen ganz besonderen Eindruck von jeder meiner Frauen bewahrt – denn in meinen Gedanken sind sie alle noch immer mein –, dem Grund meines Gedächtnisses untilgbar eingeprägt. Ich muss nur auf der Straße einen Kopf mit weizenblonden Haaren sehen, der in der eiligen Menge entschwindet, oder eine erhobene schmale Hand, die auf eine bestimmte Art zum Abschied winkt, ich muss nur ein melodisches Lachen hören, das vom anderen Ende einer Hotelhalle zu mir herüberweht, oder einfach bloß ein mit wohlbekannter, warmer Modulation gesprochenes Wort, sogleich ist diese oder jene Sie da, lebendig, flüchtig, und wie ein müder alter Hund rappelt mein Herz sich auf und gibt ein wehmütiges »Wuff« von sich. Dabei ist es nicht etwa so, dass mir sämtliche Attribute all der Frauen entfallen wären – bis auf eines; nur ist das eine, das am stärksten haften bleibt, eben das Charakteristischste, ist also, scheint's, das Wesentliche. Doch Mrs Gray ist mir trotz all der Jahre, die verflossen sind, seit ich sie zuletzt sah, in ihrer Ganzheit in Erinnerung geblieben, jedenfalls in dem Maße, wie ein Geschöpf, das nicht man selbst ist, eine Ganzheit sein kann. Irgendwie habe ich all die verstreuten Einzelteile von ihr aufgehoben, so wie wir's, sagt man uns, mit unseren eigenen Überresten machen sollen, wenn dermaleinst die Posaunen des Jüngsten Gerichts erschallen, und habe sie zu einem Konstrukt zusammengesetzt, das für die Zwecke der Erinnerung komplett und lebensnah genug ist. Das ist der Grund, weshalb ich sie nicht auf der Straße sehe, sie nicht herbeigerufen finde, dreht eine Fremde ihren Kopf herum, und nicht inmitten einer gleichgültigen Menge ihre Stimme höre: So über alle Maßen präsent, wie sie mir ist, hat sie es gar nicht nötig, bruchstückartige Signale auszusenden. Oder vielleicht funktioniert mein Gedächtnis in ihrem Fall auf eine ganz spezielle Weise. Vielleicht ist es ja gar nicht das Gedächtnis, das meint, sie in mir festzuhalten, sondern eine ganz andere Fähigkeit.

Sogar in jenen Tagen damals war sie nicht immer meine Sie. Wenn ich bei ihnen zu Hause war und die Familie da war, dann war sie die Ehefrau von Mr Gray oder die Mutter von Billy oder, schlimmer noch, von Kitty. Wollte ich zu Billy und musste reinkommen und mich an den Küchentisch setzen, um auf ihn zu warten – er war weiß Gott eine säumige Seele –, ließ Mrs Gray ihren nicht ganz scharf gestellten Blick über mich gleiten, lächelte abwesend und machte sich an irgendeine häusliche Pflicht, als hätte sie mein Anblick an ihre Aufgaben erinnert. In solchen Situationen bewegte sie sich langsamer als sonst und mit einer verräterischen Verträumtheit, die die anderen, wären es denn wirklich andere gewesen und nicht ihre eigene Familie, gewiss mit Argwohn registriert hätten. Sie nahm etwas in die Hand, irgendwas, eine Teetasse, ein Geschirrtuch, ein mit Butter beschmiertes Messer, und betrachtete es, als hätte es sich ihr aus freiem Entschluss gezeigt und fordere nun ihre Aufmerksamkeit. Doch gleich darauf legte sie den Gegenstand mit noch zerstreuter wirkender Miene wieder hin. Ich sehe sie noch dort am Küchentisch, das Ding hatte sie wieder dorthin zurückgelegt, wo es zuvor gewesen war, es aber nicht ganz losgelassen, ihre Hand ruhte noch leicht darauf, wie um sich das genaue Gefühl davon einzuprägen, die genaue Beschaffenheit seiner Oberfläche, während sie mit den Fingern der anderen Hand fortwährend diese widerspenstige Haarsträhne drehte, die einfach nicht hinterm Ohr bleiben wollte.

Und ich, was tat ich bei diesen Gelegenheiten, wie habe ich mich verhalten? Ich weiß, Sie werden es bizarr finden oder einfach für rein tendenziös halten, wenn ich Ihnen sage, ich glaube, dass ich in diesen Phasen angespannten Wartens in der Gray'-schen Küche unbewusst meine ersten tastenden Schritte hinaus auf die Bretter, die die Welt bedeuten, tat; nichts, was besser dazu taugen könnte, einem die Grundbegriffe des Schauspieler-berufs beizubringen, als eine frühe heimliche Liebe. Ich wusste, was von mir erwartet wurde, kannte die Rolle, die ich zu spielen hatte. Vor allem hatte ich eine Naivität an den Tag zu legen, die fast schon an Idiotie grenzte. Und so legte ich mir gewitzt den schützenden Habitus jugendlicher Tölpelhaftigkeit zu und trieb die natürliche Ungeschicklichkeit des Fünfzehnjährigen noch weiter auf die Spitze, haspelte und brabbelte herum, tat so, als wüsste ich nicht, wo ich hingucken und was ich mit meinen Händen anfangen sollte, platzte mit unpassenden Bemerkungen heraus und warf den Salzstreuer um oder verschüttete die Milch im Milchkrug. Ich brachte es sogar fertig, wenn mich jemand direkt ansprach, einen roten Kopf zu kriegen, aber natürlich nicht aus Schuldbewusstsein, sondern gewissermaßen in einem Anfall von Schüchternheit. Wie stolz ich war auf meine ausgefeilte Darbietung! Und obwohl ich damals bestimmt gnadenlos überzogen habe, ist weder Billy noch seinem Vater aufgefallen, dass das alles bloß gespielt war. Die Einzige, die mir Sorgen machte, war, wie üblich, Kitty, denn ich ertappte sie immer wieder dabei, wie sie sich meine kleinen Kabinettstückchen mit einem wissenden, hämischen Glitzern in den Augen ansah; zumindest kam es mir so vor.

Ich bin mir sicher, dass Mrs Gray trotz ihrer vage abwesenden »Ich-bin-beschäftigt-Attitüde« ständig auf glühenden Kohlen saß und Angst hatte, dass ich garantiert früher oder später zu weit gehen und eine Bauchlandung hinlegen würde, und dass wir dann beide auf der Nase landen würden, mitten in den Trümmern unseres Treuebruchs, zu Füßen ihrer verwunderten Lieben. Und ich, das muss ich zu meiner Schande gestehen, habe sie herzlos zum Narren gehalten. Es bereitete mir Vergnügen, hin und wieder die Maske fallen zu lassen, nur für eine Sekunde. Wenn ich der Meinung war, die anderen schauten nicht zu uns, zwinkerte ich ihr vielsagend zu oder stieß sie im Vorbeigehen sacht wie zufällig irgendwo an. Erotisch reizvoll fand ich ihre Art, wie sie, wenn ich unter dem Frühstückstisch, sagen wir mal, ihr Bein berührte, versuchte, ihr Erschrecken zu überspielen, was mich daran erinnerte, wie sie in der allerersten Zeit unserer Liebe aufgescheucht und hilflos versucht hatte, ihre Sittsamkeit zu wahren, wenn ich sie auf die Rückbank des Kombis drängte und ihr die Kleider vom Leibe riss, weil ich es nicht erwarten konnte, in diese oder jene Höhlung ihres nackten Fleisches zu gelangen, das vor mir zurückwich und mich gleichzeitig zum Weitermachen lockte. Unter was für einem Druck muss sie in diesen Situationen gestanden haben, in ihrer eigenen Küche, was für eine panische Angst muss sie gehabt haben. Und wie gefühllos war ich, wie unbekümmert, sie solchen Prüfungen zu unterziehen. Und doch hatte sie auch noch eine andere Seite, eine wollüstige Seite, die bei aller Angst gar nicht umhinkonnte, wie elektrisiert die Stöße zu empfangen, die ich dem langweiligen Alltagstrott ihres Hausfrauenlebens so ritterlich versetzte.

Ich denke da an diese eine Party von Kitty. Wie war ich dort hingekommen? Wer hatte mich eingeladen? Nicht Kitty selbst und auch nicht Billy, so viel ist sicher, und ganz gewiss nicht Mrs Gray. Merkwürdig, diese Lücken, die sich auftun, wenn man das mottenzerfressene Gewebe der Vergangenheit allzu heftig strapaziert. Wie dem auch sei, jedenfalls war ich dort. Das kleine Monster feierte Geburtstag, ich weiß nicht mehr, den wievielten – für mich war sie stets alterslos. Es ging ganz schön wild zu. Die Gäste waren durchweg Mädchen, um die zwanzig Gören im Kleinformat, die als ungebändigte Horde durchs Haus tobten, sich gegenseitig wegstießen, an den Kleidern zerrten und herumkreischten. Eine davon, fett, käseweiß und ohne Hals, zeigte sich erschreckend aufdringlich an mir interessiert und wich mir mit ihrem überfließend einschmeichelnden Lächeln die ganze Zeit nicht von der Seite; Kitty musste ihr wohl von mir erzählt haben. Es gab Gesellschaftsspiele, die allesamt in wüsten Balgereien endeten; Haare wurden ausgerissen, und es setzte Hiebe. Mrs Gray hatte sich in die Küche geflüchtet, aber vorher hatte sie Billy und mich noch beauftragt, für Ordnung zu sorgen, und so hatten wir uns schreiend und Backpfeifen verteilend ins Getümmel gestürzt, wie ein Bootsmann und sein Maat bei dem verzweifelten Versuch, eine Meute betrunkener Matrosen auf Landgang zur Räson zu bringen, die an einem Samstagabend nach Schankschluss eine Hafenkneipe auseinandernehmen.

In einer besonders stürmischen Phase dieser Festivitäten verzog auch ich mich total verstrubbelt und genervt in die Küche. Kittys fette Freundin, Marge hieß sie wohl, wenn ich mich recht entsinne – vermutlich wuchs sie später zur Sylphide heran und brach mit einer Hebung ihrer Augenbraue Männerherzen –, versuchte mir zu folgen, ich aber bannte sie mit einem funkelnden Gorgonenblick, sodass sie bedripst zurückblieb und ich ihr die Küchentür vor der Nase zuwarf. Ich war nicht auf der Suche nach Mrs Gray, doch sie war da, in ihrer Schürze, mit aufgekrempelten Ärmeln und bemehlten Armen, nach vorn gebeugt, um ein Blech mit Muffins aus dem Ofen zu holen. Muffins! Ich schlich mich von hinten an sie heran, um ihr die Arme um die Hüften zu schlingen, als sie, immer noch in gebeugter Haltung, den Kopf herumdrehte und mich sah. Ich wollte gerade etwas sagen, da blickte sie an mir vorbei zur Tür, durch die ich eben eingetreten war, und ihr Gesicht hatte plötzlich einen alarmierten, warnenden Ausdruck. Billy war lautlos hinter mir hereingekommen. Sofort richtete ich mich auf und ließ die Arme sinken, war mir aber nicht sicher, ob ich schnell genug gewesen war und ob er mich nicht doch gesehen hatte, wie ich geduckt, mit Affenarmen und Krallenfingern auf das prall dargebotene Hinterteil seiner Mutter zugekrochen war. Aber Billy war zum Glück kein guter Beobachter, sondern warf uns beiden nur einen gleichgültigen Blick zu und ging zum Tisch, nahm sich ein Stück Pflaumenkuchen und stopfte es sich schleunigst in den Mund. Gleichwohl, mein Herz machte vor wohligem Erschrecken einen Hüpfer – gerade noch mal davongekommen!

Mrs Gray tat so, als wäre ich Luft, kam an den Tisch und stellte das Blech mit den Muffins hin, trat zurück, schob die Unterlippe vor und blies ein bisschen Luft nach oben, um eine Haarsträhne wegzupusten, die ihr in die Stirn gefallen war. Billy mampfte seinen Kuchen und beschwerte sich kauend über seine Schwester und ihre rebellischen Freundinnen. Seine Mutter ermahnte ihn zerstreut, nicht mit vollem Mund zu sprechen – sie bewunderte immer noch die kleinen Küchlein, ein jedes in seinem plissierten Förmchen, fein säuberlich in seiner eigenen

Vertiefung im Blech, warm und nach Vanille duftend –, doch er hörte gar nicht hin. Dann hob sie die Hand und legte sie ihm auf die Schulter. Auch diese Geste war zerstreut, und gerade darum erschreckte sie mich umso mehr. Ich war außer mir, außer mir, die beiden dort zusammen zu sehen, sie mit ihrer Hand, die so leicht auf seiner Schulter ruhte, inmitten all der häuslichen Gemütlichkeit, dieser familiären Welt, die sie miteinander teilten, während ich wie vergessen herumstand. Was für Freiheiten mir Mrs Gray auch zugestehen mochte, ich würde ihr doch nie so nah sein, wie Billy es in diesem Augenblick war, es immer gewesen war und immer bleiben würde, in jedem Augenblick. Ich konnte nur von außen in sie hineingelangen, er aber, er war aus einem Samen aufgegangen und in ihr gewachsen, und selbst nachdem er sich brutal aus ihr hinausgedrängelt hatte, war er noch immer Fleisch von ihrem Fleische, Blut von ihrem Blute. Oh, ich will ja nicht behaupten, dass ich das alles ganz genauso gedacht habe, im Wesentlichen aber schon, und plötzlich tat es mir unheimlich weh, in diesem Augenblick. Es gab nichts, was mich nicht eifersüchtig machte, nichts und niemanden; die Eifersucht kauerte in mir wie eine kratzbürstige, grünäugige Katze, bereit zum Sprung bei jeder noch so kleinen echten oder, öfter noch, eingebildeten Provokation.

Sie gab Billy den Teller mit dem restlichen Pflaumenkuchen und eine große Flasche Limonade und verließ hinter ihm die Küche, in den Händen ein Holztablett, auf dem Bananenbrote dachziegelartig aufgeschichtet waren. Gab es da eine Schwingtür? Jawohl: sie blieb stehen und hielt sie mit dem Knie auf, wobei sie sich umsah und mir einen grimmigen, vorwurfsvollen und zugleich Entschuldigung heischenden Blick zuwarf und mir wortlos bedeutete, ihr zu folgen. Ich blickte sie finster an, drehte mich zur Seite und hörte die Feder ihr komisches, schnipsgummiartiges Geräusch machen – *boing-g-g!* –, und dann ließ sie sie los, die Tür schlug zu, gab noch ein letztes Quietschen von sich und seufzte dann zum Schluss noch einmal schwer.

Allein gelassen, blieb ich missmutig am Tisch stehen und starrte wütend auf das Blech mit den auskühlenden Muffins. Alles war still. Selbst die Gören waren ruhig geworden, vorläufig zum Schweigen gebracht, wie es schien, mit Bananenbrot und Brause. Wintersonnenlicht – nein, nein, es war Sommer, Herrgott noch mal, nicht den Anschluss verlieren! – Sommersonnenlicht, ruhig und schwer wie Honig, schien ins Fenster neben dem Kühlschrank, der ebenfalls schwieg. Mrs Gray hatte einen Wasserkessel auf dem Herd, der auf niedriger Flamme vor sich hingrummelte. Es war so ein kegelförmiger Pfeifkessel, wie sie damals beliebt waren und wie man sie heute kaum noch sieht, weil heute jeder einen elektrischen Wasserkocher hat. Allerdings war die Pfeife nicht drauf, und aus der stummelartigen Tülle stieg langsam eine dicke Dampfsäule hoch, die von Sonnenlicht erfüllt war und sich träge aufwärtsschlängelte und sich, auf ihrem Gipfel angelangt, zu einem eleganten Schnörkel bog. Als ich auf den Herd zutrat, schien meine Aura mir vorauszugehen und die Kobra zu beschwören, die daraufhin grazil zurückwich, fast ein wenig ängstlich; ich hielt inne, und da richtete sie sich wieder auf, und als ich mich erneut bewegte, bewegte sie sich gleichfalls, wie vorher. So standen wir unschlüssig dort, dieses freundliche Gespenst und ich, in bebender Balance gehalten durch die schwere Luft des Sommers, und völlig unerwartet und ohne irgendeinen Grund, den ich mir hätte denken können, umgab mich da ein langsam aufbrechendes Glücksgefühl, ein Glücksgefühl, genauso schwerelos, genauso ziellos wie das schlichte Sonnenlicht im Fenster.

Als ich jedoch zu den anderen zurückkehrte, wurde dieses helle, freudige Leuchten durch die unerwartete Ankunft von Mr Gray sofort wieder verdunkelt. Er hatte das Geschäft der Obhut einer Verkäuferin überlassen – einer gewissen Miss Flushing; auf sie komme ich gleich noch mal zurück, wenn ich es übers Herz bringe – und war nach Hause gekommen, um Kitty ihr Geburtstagsgeschenk zu geben. Lang, dünn und eckig stand er in der Küche, mitten in einer Traube kleiner Mädchen, wie einer dieser Pfähle, die schief und krumm aus der Lagune von Venedig ragen. Sein Kopf war auffallend klein und unproportioniert, wodurch man immer die Illusion hatte, weiter von ihm entfernt zu sein, als man es wirklich war. Er hatte ein fleckiges blassbraunes Leinenjackett an, dazu braune Manchesterhosen und Wildlederschuhe, die an den Spitzen abgestoßen waren. Die Fliegen, die er mit Vorliebe trug, wirkten selbst damals, in der alten Zeit, affektiert und waren der einzige Farbtupfer oder das einzige Charakteristikum, das ich an der ansonsten eher verwaschenen Erscheinung, die er der Außenwelt darbot, entdecken konnte. Die zahllosen Gestelle jeder Form und Machart, die er doch gewiss in seinem Laden haben musste, missachtend, zog er es vor, eine billige Nickelbrille zu tragen, die er langsam abzusetzen und grazil, wie einen Kneifer, an einem Scharnier zwischen Daumen und zwei Fingern zu halten pflegte, um sich sodann mit Daumen, Zeige- und Mittelfinger der anderen Hand die knorrige Nasenwurzel zu massieren und dabei ein Weilchen vor sich hin zu seufzen. Die leisen Seufzer von Mr Gray hörten sich wie Verwünschungen an, und gleichzeitig klangen sie resigniert wie die Gebete eines Geistlichen, der schon vor langer Zeit seinen Glaubenszweifeln nachgegeben hat. Er hatte so eine Art verstörter Hilflosigkeit an sich und schien außerstande, mit den praktischen Dingen des Alltags zurechtzukommen. Diese unbestimmte Bedrücktheit führte dazu, dass stets alle möglichen Hilfswilligen um ihn herumwuselten. Man hatte ständig das Gefühl, dass sich die Leute geradezu darum rissen, ihm zu Diensten zu sein, ihm den Weg zu ebnen, alle Hindernisse beiseitezuräumen, ihm die unsichtbare Last von den hängenden Schultern zu nehmen. Selbst Kitty und ihre Freundinnen, die sich nun um ihn scharten, waren auf einmal leise und schienen ihm helfen zu wollen. Auch Mrs Gray war eifrig um ihn bemüht und reichte ihm über die Köpfe der Kinder hinweg ein Kristallglas mit seinem kleinen Feierabendwhiskey, vielleicht dasselbe Glas, aus dem Billy und ich damals oben im Wohnzimmer getrunken hatten und von dem ich hinterher mit schlechtem Gewissen und einem Taschentuch, das alles andere als sauber war, meine Fingerabdrücke abgewischt hatte. Wie müde das dankbare Lächeln war, mit dem er sie ansah, wie erschöpft die Hand, mit der er den Whiskey hinter sich auf den Tisch stellte, ohne davon getrunken zu haben.

Und vielleicht war er ja wirklich krank. War nicht, nachdem die Grays uns fluchtartig verlassen hatten, hinter vorgehaltener Hand von Ärzten und Krankenhäusern die Rede gewesen? Damals habe ich in meinem bitteren Schmerz gedacht, die Stadt habe sich bestimmt mal wieder, wie üblich, irgendein Märchen aus den Fingern gesogen, um zwecks Erhalt der Wohlanständigkeit einen Skandal zu vertuschen, an dem sich so viele ergötzt hatten, als die allerersten Einzelheiten ans Licht gekommen waren. Aber vielleicht habe ich mich geirrt, vielleicht litt er an einer chronischen Erkrankung, die sich durch die Entdeckung dessen, was seine Frau und ich zusammen angestellt hatten, dramatisch verschlimmert hatte. Das ist ein unbehaglicher Gedanke oder sollte es zumindest sein.

Kittys Geburtstagsgeschenk war ein Mikroskop – angeblich interessierte sie sich für naturwissenschaftliche Sachen –, noch so ein Artikel, unterstellte ich ihm boshaft, den er zum Selbstkostenpreis für sein Optikergeschäft besorgt hatte. Aber es machte schon was her, das Ding, mattschwarz und solide stand es da auf seinem halbrunden Fuß, der Zylinder fasste sich kühl und seidig an, die winzige Stellschraube ließ sich ganz leicht drehen, die Linse war so klein und gab die Welt doch so enorm vergrößert wieder. Natürlich war ich neidisch. Ganz besonders hatte es mir der Kasten angetan, in dem es ruhte, wenn es nicht benutzt wurde. Er war aus hellem polierten Holz, kaum schwerer als Balsa, an den Kanten verzinkt – wie winzig das Sägeblatt für eine derart feine Arbeit gewesen sein musste! –, und hatte einen Deckel mit einer wie ein Daumennagel geformten Aussparung, durch die er sich in den gewachsten Rillen, die er an beiden Seiten hatte, herausziehen ließ. Innen waren wunderbar zierliche kleine, aus waffeldünnem Sperrholz gefertigte Auflagen eingebaut, auf denen das Instrument, fein säuberlich eingepasst, auf dem Rücken lag wie ein zärtlich geliebtes schwarzes Baby, das in seiner maßgefertigten Wiege schlief. Kitty war entzückt, ihre Augen glänzten vor Besitzerstolz, als sie sich damit in eine Ecke verzog, um sich an seinem Anblick zu weiden, indes ihre plötzlich vergessenen Freundinnen wie verunsicherte Häschen herumstanden.

Nun war ich hin- und hergerissen zwischen meinem Neid auf Kitty und meiner Eifersucht, mit der ich Mrs Gray beobachtete, die ihren blass und erschöpft von seinem Tagewerk zurückgekehrten Mann umsorgte. Durch seine Ankunft hatte sich die Atmosphäre ganz und gar verändert, die wilde Feierlaune war aus der Luft entwichen, und die Gäste, jetzt gleichsam ausgenüchtert und gebändigt und von der kleinen Gastgeberin nicht mehr beachtet, machten sich, schmuddlig, wie sie waren, bereit, um nach Hause zu gehen. Mr Gray faltete seine langen Glieder wie ein fragiles geometrisches Gerät, einen Tastzirkel oder einen großen hölzernen Kompass zusammen und setzte sich in den alten Sessel neben dem Herd. Dieser Sessel, *sein* Sessel, war mit einem abgewetzten Noppenstoff bezogen, der an Mäusefell erinnerte und einem noch erschöpfter vorkam als sein Besitzer, der schlimm darin versackt war und wie betrunken nach der Seite überkippte, weil an der einen Ecke eine Rolle fehlte. Mrs Gray brachte das Whiskeyglas vom Tisch und drängte ihren Mann erneut und diesmal zärtlicher, dass er es nahm, und er bedankte sich erneut mit seinem gequälten Invalidenlächeln. Dann trat sie zurück, faltete die Hände unter der Brust und betrachtete ihn ratlos und besorgt. So schien es immer zwischen ihnen zu sein, er am Ende irgendeiner lebenswichtigen Reserve, die wieder aufzufüllen es äußerster Anstrengung bedurfte, und sie eifrig bemüht, ihm dabei zu helfen, ohne zu wissen, wie.

Wo ist Billy? Ich habe Billy aus dem Blick verloren. Wieso – ich frage noch einmal – wieso hat er denn nicht gesehen, was zwischen mir und seiner Mutter vor sich ging? Wieso haben nicht alle es gesehen? Doch die Antwort ist einfach. Sie haben das gesehen, was zu sehen sie erwarteten, und was sie nicht erwarteten, das haben sie auch nicht gesehen. Sei's drum, weshalb nun dieser Aufschrei meinerseits? Ich war doch sicher auch nicht scharfsinniger als alle anderen. Diese Form der Kurzsichtigkeit ist weit verbreitet.

Die Haltung, die Mr Gray mir gegenüber an den Tag legte, war komisch – will sagen, sie war sonderbar, denn in der Tat zeigte er nicht das mindeste Interesse an mir. Wie ein geöltes Kugellager fiel sein Blick auf mich, vielmehr: rollte über mich hinweg, ohne irgendwas zu registrieren, glaubte ich jedenfalls. Er schien mich gar nicht wirklich zu erkennen. Vielleicht hielt er mit seinen schlechten Augen mich, wenn er mich in seinem Hause sah, jedes Mal für einen anderen von Billys Freunden, die, warum auch immer, irgendwie alle gleich aussahen. Oder vielleicht hatte er Angst, ich sei jemand, den er sehr gut kannte, ein Familienmitglied, ein Vetter seiner Kinder zum Beispiel, der oft zu Besuch kam und den zu fragen, wer genau er sei, ihm jetzt, nach all den vielen Jahren, peinlich war. Was weiß denn ich, vielleicht dachte er auch, ich sei ein zweiter Sohn, Billys Bruder, den er unerklärlicherweise vergessen hatte und nun kommentarlos akzeptieren musste. Ich glaube nicht, dass sein Mangel an Interesse speziell etwas mit meiner Person zu tun hatte. Soweit ich sehen konnte, schaute er generell mit diesem immer gleichen, leicht verwunderten, leicht besorgten, irgendwie verhangenen Blick in die Welt, derweil ihm die Fliege verrutscht war und seine langen knochigen, an Zweige erinnernden Finger sich kraftlos und vergeblich fragend über die Oberfläche der Dinge bewegten.

Wir beide, Mrs Gray und ich, hatten an jenem Abend, dem Abend nach Kittys Geburtstagsparty, ein Stelldichein. Stelldichein: Das ist ein Wort, das mir gefällt, lässt es einen doch an Samtumhang und Dreispitz denken und an den flatternden Fächer, den wogenden Busen unter straff gerafftem Atlas; unsere klammheimlichen Ausflüge hatten wohl auch so ein bisschen was Tolldreistes an sich. Wie ist es ihr gelungen, sich davonzustehlen, wo es doch nach der Party so viel zu tun gab? – Dazumal waren es die Frauen, die aufräumten und Geschirr abwuschen, und dabei erwarteten sie weder Hilfe noch wären sie auf die Idee gekommen, sich zu beschweren. Ja wirklich, es ärgert mich, dass ich nicht weiß, wie sie das mit unserem ausweglosen Verhältnis hingekriegt hat oder wie es ihr gelungen ist, dass wir so lange unentdeckt geblieben sind. Es ist jedenfalls bemerkenswert, wie lange unser Glück gehalten hat, wenn man bedenkt, was wir dafür in Kauf genommen haben. Ich war ja nicht der Einzige, der dem Liebesgott in die Nase gezwickt hat. Auch Mrs Gray ist manch verwegenes Risiko eingegangen. Zufälligerweise hatten wir uns für genau diesen Abend vorgenommen, zusammen auf den Planken spazieren zu gehen. Es war ihre Idee gewesen. Ich hatte erwartet, ja, glühend vorausgeahnt, dass wir bei dieser Gelegenheit das Gleiche tun würden, was wir immer taten, wenn es uns gelang, miteinander allein zu sein, doch als sie an unserem üblichen Treffpunkt an der Straße über dem Haselwald eintraf, ließ sie mich in den Kombi einsteigen und fuhr sofort los, und als ich sie fragte, wohin wir denn führen, blieb sie die Antwort schuldig. Ich fragte nochmals, wehleidiger diesmal, jammeriger, und als ich immer noch keine Antwort bekam, verzog ich mich in den Schmollwinkel. Ich sollte wohl gestehen, dass Schmollen meine entscheidende Waffe gegen sie war, ich ungezogener kleiner Köter, und dass ich diese Waffe mit einem Geschick und einer Urteilsschärfe einsetzte, deren nur ein so herzloser Knabe wie ich fähig sein konnte. Wenn ich schweigend vor mich hin zürnte, die Arme fest um den Oberkörper geschlungen, das Kinn aufs Brustbein gerammt, die Unterlippe gut zwei Zentimeter vorgeschoben, trotzte sie mir jedes Mal so lange, wie sie konnte, aber zum Schluss hat sie stets nachgegeben. Dieses Mal hielt sie durch, bis wir, neben dem Fluss entlang tuckernd, den Eingang zum Tennisclub erreicht hatten. Dann platzte sie heraus: »Du bist so was von egoistisch«, aber dabei lachte sie, als wäre das ein unverdientes Kompliment. »Herr im Himmel, du hast wirklich keine Ahnung!«

Das machte mich natürlich gleich noch wütender. Wie konnte sie so etwas sagen! Riskierte ich nicht ihretwegen, den Zorn der Kirche, des Staates und meiner Mutter auf mich zu ziehen? Behandelte ich sie nicht wie die Herrscherin über mein Herz, ertrug ich nicht jede ihrer Launen? Ja. Ich war so empört, dass Wut und Selbstgerechtigkeit sich in meinem Hals zu einem heißen Knoten ballten und ich einfach nichts mehr sagen konnte, nicht einmal, wenn ich gewollt hätte.

Es war Juni, Mittsommer, die Zeit der endlosen Abende und weißen Nächte. Wer vermag sich vorzustellen, wie es ist, ein Knabe und geliebt zu sein bei solchem Wetter auf der Welt. Was ich, jung, wie ich war, weder erkennen noch anerkennen konnte, war, dass das Jahr selbst jetzt, auf seinem glanzvollen Gipfel, schon im Untergang begriffen war. Hätte ich der Zeit und den Verzehrungen der Zeit ihren Tribut gezollt, so wäre dies womöglich die Erklärung gewesen für jenen Stachel eines unendlichen Kummers, den ich im Herzen trug. Doch ich war jung, und es war kein Ende in Sicht, und die Traurigkeit des Sommers war nicht mehr als ein matter rosiger Schimmer, der Schatten eines zarten Spinnwebs, auf der Wange des reifen, glänzenden Apfels der Liebe.

»Komm, wir gehen ein bisschen spazieren«, sagte Mrs Gray.

Na schön, warum nicht? Die einfachste, unschuldigste Sache der Welt, möchte man meinen. Aber überlegen Sie mal. Unsere kleine Stadt war ein Panoptikum, worin Wächter von nimmer nachlassender Wachsamkeit patrouillierten. Stimmt, eigentlich sollte der Anblick einer ehrbaren verheirateten Frau, die im hellen Licht eines Sommerabends mit einem Jungen spazieren geht, der der beste Freund ihres Sohnes ist, nicht besonders auffällig sein – jedenfalls nicht für einen normalerweise arglosen, keinerlei Verdacht hegenden Beobachter, doch diese Stadt und ihre Bewohner hatten alle miteinander eine unverbesserlich schmutzige Fantasie, die permanent am Rechnen war, und wenn man eins und eins zusammenzählte, kamen dabei allemal zwei heraus, zwei nämlich, die sich unerlaubterweise keuchend und einander fest umklammernd in den schuldbewussten Armen lagen.

Dieser, von außen betrachtet, unschuldige Bummel an den Planken – so hieß jene Konstruktion bei den Einheimischen – stellte, glaube ich, das kühnste und verwegenste Wagnis dar, das wir je eingegangen sind, abgesehen von dem letzten Wagnis, hätten wir es doch nur als solches erkannt, das schließlich zu unserem jähen Untergang führen sollte. Wir waren am Hafen angekommen, Mrs Gray parkte den Kombi auf dem Klinkerweg neben der Eisenbahnlinie – die Eisenbahn ging zwischen den Planken hindurch, einspurig, eine Sache, für die unsere Stadt berühmt war und es, soweit ich weiß, bis heute ist –, und wir stiegen aus, ich noch immer schmollend, während Mrs Gray vor sich hinsummte und so tat, als würde sie meine missmutig funkelnden Blicke gar nicht bemerken. Mit einer Hand griff sie rasch hinter sich, um sich ihr Kleid auf eine Art zurechtzuzupfen, die mich jedes Mal innerlich japsen ließ vor qualvollem Verlangen. Die Luft über der See war still, und auf dem hohen, unbewegten Wasser lag ein dünner Ölfilm, der von den dort vertäuten Kohlekähnen kam und durch den die Wasseroberfläche wie ein rot glühendes, plötzlich abgekühltes Stahlblech aussah, durchsetzt mit schillernden Farbwirbeln in verschiedenen Schattierungen von Silber-Rosa und Smaragd bis hin zu einem wunderschönen transparenten harten Blau, das glänzte und changierte wie die Oberfläche einer Pfauenfeder. Wir waren keineswegs die einzigen Spaziergänger. Es waren eine ganze Menge Paare draußen, verträumt und Arm in Arm dahinschlendernd im Schein der späten, sanften, ururalten Abendsonne. Vielleicht hat uns ja auch gar niemand groß bemerkt oder auch nur im Mindesten beachtet. Ein schuldbeladenes Herz sieht überall glotzende Augen und wissend grinsende Gesichter.

Nun gut, ich bin mir sicher, das ist zu absurd, als dass es wahr sein konnte, aber ich erinnere mich, dass Mrs Gray bei dieser Gelegenheit zu ihrem kurzärmligen Sommerkleid sehr hübsche Handschuhe trug – aus rötlich blauem, netzartig durchbrochenem Stoff – ich sehe sie noch vor mir – durchsichtig und spröde, mit Rüschen um die Handgelenke in einem dunkleren, violetten Ton, und, noch absurder, einen Hut, der dazu passte – klein, rund und flach wie eine Untertasse, und der ihr leicht schief auf dem Kopf saß. Woher nehme ich solche Fantasien? Das Einzige, was ihr in dieser eigenartig halb mondänen Vision noch fehlte, waren ein Sonnenschirm zum Herumwirbeln und eine Lorgnette mit Perlmuttgriff zum Hindurchblinzeln. Und warum nicht gleich noch eine Turnüre, wenn wir schon mal dabei sind? Sei's drum, da waren wir nun also, der junge Marcel in der unschicklichen Gesellschaft der ärmellosen Odette, Seite an Seite über die Planken schreitend, hohl knallten unsere Absätze auf dem Holz, und ich erinnerte mich schweigend, mit schelmischem Mitleid für ein früheres, noch ungeformtes Selbst, daran, wie ich noch vor gar nicht langer Zeit hier unten nach der Tide mit den anderen Gassenjungen, meinen Freunden, durch die Lücken zwischen den Schwellen geblinzelt hatte in der Hoffnung, den Mädchen, die über uns gingen, unter den Rock gucken zu können. Obwohl mir nie und nimmer eingefallen wäre, Mrs Gray hier, an diesem öffentlichen Ort, anzufassen, spürte ich doch über den Abstand zwischen uns hinweg das erregende Knistern ihrer Bestürzung ob der eigenen Tollkühnheit; Bestürzung, aber dennoch auch Entschlossenheit, sich nicht im Mindesten zu schämen. Sie schaute keinen an, dem wir begegneten, sondern ging kerzengerade, sah geflissentlich durch die Leute hindurch, die Brust herausgereckt und hoch erhobenen Hauptes, wie eine Galionsfigur an einem Schiff. Ich hatte keine Ahnung, was sie im Schilde führte, weshalb sie hier so paradierte – vor der ganzen Stadt, aber sie hatte eben immer noch etwas von einer ausgelassenen Range an sich, und das würde auch für alle Zeit so bleiben.

Heute frage ich mich, ob auch sie sich etwa heimlich, ohne sich dessen wirklich bewusst zu sein, danach gesehnt hat, entdeckt zu werden, ob das der Grund für diesen provokanten öffentlichen Auftritt war. Vielleicht war unser Verhältnis ja für sie ebenso zu viel wie oftmals für mich, und sie wünschte sich, dass sie gezwungen wäre, Schluss zu machen. Ich brauche wohl nicht zu sagen, dass mir solch eine Möglichkeit seinerzeit nicht in den Sinn gekommen wäre. Wenn es um Mädchen ging, war ich genauso unsicher und voller Selbstzweifel wie jeder normale Junge, aber dass Mrs Gray mich liebte, hielt ich für eine absolute Selbstverständlichkeit, als wäre es einfach Teil der natürlichen Ordnung der Dinge. Mütter waren dazu auf der Welt, Söhne zu lieben, und obwohl ich nicht ihr Sohn war, war Mrs Gray doch eine Mutter, wie also konnte sie mir etwas vorenthalten, und wären es auch die innersten Geheimnisse ihres Fleisches? So dachte ich, und der Gedanke bestimmte alle meine Taten und auch mein Nichttun. Sie war einfach da und keine Sekunde lang infrage zu stellen.

Wir blieben am Heck eines der Kohlenschiffe stehen und schauten hinüber zu der sogenannten Ufersperre, einem formlosen Betonklotz mitten im Hafenbecken, dessen ursprüngliche Funktion längst niemand mehr kannte, vermutlich nicht einmal er selbst. Unter der Oberfläche, unterhalb der Schräge des schmutzigen Schiffsrumpfes, glitten große graue Fische unruhig hin und her, und noch weiter unten, im seichten braunen Wasser, konnte ich Krabben erkennen, die verstohlen im Seitwärtsgang zwischen den Steinen und untergegangenen Bierflaschen, den Blechdosen und unbereiften Kinderwagenrädern umherkrochen. Mrs Gray drehte sich zu mir um. »Los, komm, wir gehen lieber wieder«, sagte sie; sie hörte sich mit einem Mal erschöpft an und schien plötzlich schlechte Laune zu haben. Was war passiert, was hatte diesen jähen Stimmungswechsel ausgelöst? In all der Zeit, die wir zusammen waren, habe ich nie gewusst, was in ihrem Kopf vorging, weder real noch gefühlsmäßig, und hab mich auch nicht groß bemüht dahinterzukommen. Sie hat natürlich über bestimmte Sachen geredet, über alle möglichen Sachen, andauernd, aber meistens kam es mir so vor, als ob sie Selbstgespräche führte, als ob sie vor sich hin faselte und einfach nur ihre wirre Geschichte erzählte. Das hat mich nicht gestört. Für mich waren ihre Abschweifungen und ihre Grübeleien und auch das atemlose Staunen, in das sie dann und wann verfiel, nichts weiter als das Vorspiel, durch das ich durchmusste, bevor ich sie auf den Rücksitz des dickfelligen alten Kombis kriegte oder auf die klumpige Matratze auf dem vollgemüllten Fußboden von Cotters Haus.

Als wir wieder im Wagen saßen, startete sie den Motor nicht sofort, sondern blieb zunächst sitzen und beobachtete durch die Windschutzscheibe die immer noch in der sinkenden Abenddämmerung herumschlendernden Pärchen. Die Tüllhandschuhe sehe ich jetzt nicht mehr, auch nicht den albernen Hut. Bestimmt habe ich das erfunden, aus irgendeinem frivolen Impuls heraus; Madame Erinnerung hat eben auch ihre verspielten Augenblicke. Mrs Gray saß kerzengerade da, den Rücken fest in die Lehne gedrückt, die Arme ausgestreckt, und umklammerte mit beiden Händen den oberen Teil des Lenkrads. Habe ich schon von ihren Armen gesprochen? Sie waren fleischig, aber dennoch zierlich geformt, hatten kleine Grübchen unter den Ellbogen und führten in hübsch geschwungenem Bogen hinunter zu den Handgelenken, was bei mir schöne Erinnerungen weckte an diese Keulen, mit denen wir jeden Samstagmorgen auf dem Schulhof unsere Übungen machten. Auf den Oberseiten hatten sie helle Sommersprossen, und die Unterseiten waren fischschuppenblau und wunderbar kühl und fassten sich ganz seidig an, durchzogen von zart-violetten Adern, an denen ich gern mit meiner Zungenspitze entlangglitt und ihrem Weg in voller Länge folgte, bis sie auf einmal in der feuchten Höhle ihres Ellbogens dem Blick entschwanden – eine der unzähligen Methoden, die ich hatte, um sie dazu zu bringen, dass sie zitterte und zuckte und stöhnend um Gnade bat, denn sie war so entzückend kitzlig.

Ich legte ihr drängend die Hand auf den Schenkel, hatte es eilig, endlich loszufahren, sie aber reagierte gar nicht. »Ist das nicht eigenartig«, sagte sie verträumt und gleichzeitig erstaunt, während sie weiter durch die Windschutzscheibe schaute, »wie dauerhaft einem die Leute vorkommen? Als ob sie immer hier sein werden, dieselben Leute, immerfort hier auf und ab gehen.«

Aus irgendeinem Grund musste ich an die schwankende Dampfsäule des Wasserkessels in der Küche denken und an Mr Gray, wie er sein unberührtes Whiskeyglas auf diese unendlich erschöpfte Weise auf dem Tisch abgestellt hatte. Dann fragte ich mich, ob wohl noch Zeit genug wäre und ob es noch hell genug wäre, damit Mrs Gray mit mir zu Cotters Haus führe und ich mich auf sie legen dürfte, um eine kleine Weile lang mein ach so glühendes, zartes und hartnäckiges Verlangen nach ihr und ihrem unerschöpflich begehrenswerten Fleisch zu stillen.

Wie ich erfahren habe, hat Dawn Devonport gleichfalls einen Verlust erlitten, und der ihre liegt viel kürzer zurück als der meine. Vor etwas über einem Monat ist ihr Vater gestorben, völlig überraschend, an einem Herzinfarkt, mit etwas über fünfzig. Das erzählte sie mir gestern Abend, als wir nach einem langen Drehtag draußen hinter dem Studio, in dem wir diese Woche arbeiten, ein bisschen frische Luft geschnappt haben. Sie war nach draußen gekommen, um die fünfte der sechs Zigaretten zu rauchen, aus denen, sagt sie, ihre tägliche Ration besteht – ich frage mich, wieso gerade sechs. Sie sagt, sie will nicht, dass die anderen Schauspieler und der Drehstab sie beim Rauchen sehen, obwohl ich da offenbar eine Ausnahme bin und den Verdacht habe, dass ich bereits der Ersatz bin für den Vater, der erst so kürzlich aus ihrem Leben verschwunden ist. Wir sind beide etwas mitgenommen nach einer Szene von brutaler Leidenschaft, die wir den ganzen Nachmittag lang wieder und wieder gedreht haben – neun lange Einstellungen, bis Toby Taggart endlich so nett war, sich zufriedenzugeben; habe ich gesagt, die Filmschauspielerei sei leicht? –, und die kühle spätherbstliche Luft, die nach Rauch roch und hinter den fernen Bäumen bronzen schimmerte, war Balsam für unsere hämmernden Schläfen. Dass man gezwungen war, vor der Kamera einen vorgetäuschten Liebesakt hinzulegen, war anstrengend genug gewesen, aber dann musste dem Akt auch noch ein gespielter Faustschlag zwischen ihre entblößten kleinen, schockierend wehrlosen Brüste folgen – dieser Axel Vander, zumindest der, den JB beschreibt, ist wahrhaftig kein netter Mensch, und da war mir der Mund trocken geworden, und ich hatte richtig gezittert. Während wir auf dem wenig überzeugenden Grasstreifen unter der hohen, fensterlosen, metallgrauen Rückwand des Studios hin und her liefen, erzählte sie mir in kurzen, raschen Eruptionen, immer wieder heftig an ihrer Zigarette ziehend und Rauchwolken auspustend wie Sprechblasen in einem Comic, in die die besorgten, wütenden und ungläubigen Ausrufe noch eingetragen werden mussten, von ihrem Vater. Daddy war Taxifahrer, ein lustiger Bursche offenbar, sein ganzes Leben lang nicht einen Tag krank gewesen, aber die Arterien – total verstopft, vierzig Jahre vierzig Stück am Tag – sie blickte auf die Zigarette in ihrer Hand und lachte bitter – und eines Morgens im Oktober hatte er einfach den Hahn zugedreht, hatte die Maschine husten lassen und war gestorben.

Wie sich herausstellt, war es der Daddy, der liebe alte Daddy, auch gewesen, der ihr den Namen Dawn Devonport angehängt hatte. Er hat ihn sich für sie erträumt, als sie, eine kleine Hupfdohle von zehn Jahren, im Westend in einem Weihnachtsmärchen die Erste Fee spielen durfte. Keine Ahnung, warum sie dann dabeigeblieben war. Übertriebene Tochterliebe vielleicht. Dass der alte Droschkenkutscher einfach so abgezischt war und sie verzweifelt winkend am Straßenrand stehen ließ, das hatte sie ratlos und wütend gemacht, ganz so, als sei sein Tod vor allem anderen eine Pflichtverletzung. Genau wie bei Lydia und mir, scheint auch bei ihr das Gefühl, dass sich ein geliebter Mensch einfach aus dem Staube gemacht hat, stärker zu sein als das Gefühl, einen Verlust erlitten zu haben. Ich sah, dass sie noch nicht gelernt hatte zu trauern – doch kann man diese harte Lektion jemals lernen? –, und als wir den Set verließen und nach draußen gingen und sie in der plötzlichen Dunkelheit jenseits der

Scheinwerfer über eines dieser gemeinen, fetten schwarzen Kabel stolperte, die aus dem Studioboden die reinste Schlangengrube machen, und sie nach meinem Handgelenk griff, um sich festzuhalten, da spürte ich entlang der Knochen ihrer starken, maskulinen Hände das Zittern ihrer Seelennot.

Apropos Seelennot, ich war versucht, ihr zu erzählen, was Billie Stryker mir als Einziges verraten hatte, nämlich dass Axel Vander, ebenjener, in Italien gewesen war, und nicht nur in Italien, sondern in Ligurien, und nicht nur in Ligurien, sondern in unmittelbarer Nähe von Portovenere, und zwar am oder um den, wie ein Polizist im Zeugenstand es sagen würde, am oder um den Todestag meiner Tochter. Ich weiß nicht, was ich davon halten soll. Wirklich, am liebsten würde ich gar nicht darüber nachdenken.

Etwas eigenartig geht's beim Film schon zu, eigenartiger, als ich erwartet hatte, und doch auf eine sonderbare Art auch irgendwie vertraut. Andere hatten mich vor der notwendigerweise unzusammenhängenden, bruchstückhaften Natur des Ganzen gewarnt; was mich jedoch erstaunt, das ist die Wirkung, die das alles auf meine Selbstwahrnehmung hat. Ich habe das Gefühl, dass nicht nur mein Schauspieler-Ich, sondern mein Ich-Ich zu etwas Bruchstückhaftem, Unzusammenhängendem gemacht wird, nicht nur in den kurzen Intervallen, wenn ich vor der Kamera stehe, sondern sogar dann noch, wenn ich aus meiner Rolle – aus meiner *Figur* – herausgetreten bin und wieder meine richtige, vermutlich richtige Identität angenommen habe. Nicht, dass ich mich jemals als ein Produkt oder als den Bewahrer der Einheiten betrachtet hätte: Ich bin lange genug auf der Welt und habe genug nachgedacht, um die Inkohärenz und die Mannigfaltigkeit dessen anzuerkennen, was früher als das individuelle Ich galt. Wann immer ich mein Haus verlasse und auf die Straße gehe, verwandelt sich die schiere Luft in einen Wald aus spitzig scharfen Klingen, die mich unmerklich in zahllose Versionen jener Singularität zerschneiden, als welche ich mir selbst im Inneren des Hauses vorgekommen bin und wofür ich wahrhaftig auch gehalten wurde. Diese Erfahrung vor der Kamera indes, dieses Gefühl, nicht einer, sondern viele zu sein – *mein Name ist Legion!* –, hat noch eine weitere Dimension, denn die vielen sind nicht jeweils eine eigene Einheit, sondern sie sind vielmehr Segmente. In einem Film zu sein, ist also merkwürdig und gleichzeitig ganz und gar nicht merkwürdig; es ist eine Intensivierung, eine Diversifizierung des Bekannten, eine Konzentration auf das sich verästelnde Ich; und alles das ist interessant und verwirrend und aufregend und verstörend.

Gestern Abend habe ich versucht, über das alles mit Dawn Devonport zu sprechen, doch sie hat bloß gelacht. Sie gab mir recht, dass man dabei am Anfang schon die Orientierung verlieren kann – »Man kommt einfach total aus dem Tritt« –, versicherte mir aber, dass ich mich mit der Zeit daran gewöhnen werde. Ich glaub, sie hat nicht ganz kapiert, wie ich das meinte. Wie schon gesagt, ich habe das Gefühl, das Anderswo bereits zu kennen, in dem ich mich hier jetzt befinde, und der einzige Unterschied besteht in der Intensität der Erfahrung, in ihrer Besonderheit. Dawn Devonport ließ ihre halb gerauchte Zigarette ins Gras fallen und trat sie mit dem Hacken ihres schwarzen Ledersportschuhs aus – sie war als Cora kostümiert, als nonnenhafte junge Frau, die sich Axel Vander hingibt, wie eine christliche Märtyrerin sich einem alten, aber raubgierigen Löwen hingeben würde – und sah mich von der Seite an und sprach mit einem ganz, ganz leichten Lächeln, das freundlich und zugleich verstohlen spöttisch war: »Wir müssen leben, wissen Sie, das ist kein Leben – mein Daddy hätte Ihnen das erklären können.« Was kann sie damit gemeint haben? Dawn Devonport hat etwas Sibyllinisches an sich. Doch gleicht für mein verzücktes Auge nicht jede Frau auf irgendeine Art der Seherin?

Wir gingen auf und ab, aber plötzlich blieb sie stehen, drehte sich zu mir herum und fragte, ob ich Billie Stryker von meiner Tochter erzählt hatte. Ich bejahte; ja, in der Tat, ich war selbst überrascht gewesen, dass ich gleich, als Billie mich das erste Mal besuchte und so verschwiegen oben unterm Dach bei mir in meinem Krähennest saß, alles herausposaunt hatte. Sie lächelte und schüttelte auf die ihr eigene Weise missbilligend den Kopf. »Dieser Toby«, sagte sie. Ich fragte sie, wie sie das meine. Wir gingen weiter. Ihr Kostüm war dünn, und sie hatte sich nur eine leichte Strickjacke um die Schultern geworfen, sodass ich mir Sorgen machte, sie könnte sich erkälten, und ihr mein Jackett anbot, was sie aber ablehnte. Es sei ja bekannt, sagte sie, dass es Tobys Taktik sei, wenn er mit einem Schauspieler arbeiten wolle, den er noch nicht kannte, Billie Stryker loszuschicken, um schon mal vorab die Lage zu peilen und ihm ein paar ausgewählte Informationen aus dem Privatleben der betreffenden Person zu liefern, speziell besonders peinliche oder besonders tragische Sachen, die dann gründlich gesichtet und gespeichert und im Bedarfsfall wieder hervorgeholt würden, wie ein Röntgenbild. Billie habe die Gabe, sagte sie, Leute dazu zu bringen, dass sie ihr sonst was beichteten, ohne es recht zu merken; Toby Taggart schätze diese Gabe außerordentlich und mache oft davon Gebrauch. Ich erinnerte mich, wie Marcy Meriwether mir Billie Stryker als Scout angekündigt hatte, und an ihr heiseres Lachen im sonnigen Carver City, das ich durchs Telefon bis zu mir hier oben hören konnte, und ich kam mir schwer von Begriff und töricht vor, nicht zum ersten Mal und höchstwahrscheinlich auch nicht zum letzten Mal in diesem bunt gemischten, grell erleuchteten Traum, den Dawn Devonport und wir übrigens gemeinsam schlafwandelnd durchschritten. So, so, dann ist Billie Stryker im Grunde also gar kein Scout, sondern schlicht und einfach eine Schnüfflerin. Überraschenderweise – zumindest für mich – scheint es mir gar nichts auszumachen, dass man mich übertölpelt hat.

Apropos Träume, vergangene Nacht hatte ich mal wieder einen, und zwar einen von der ziemlich wirren Sorte; grad im Moment ist er mir wieder eingefallen. Irgendwie verlangt er regelrecht danach, erzählt zu werden – mit all seinen fragwürdigen Einzelheiten; manche Träume haben diese Eigenschaft. Um diesem hier gerecht zu werden, müsste man eigentlich einen Rhapsoden haben. Ich werde mein Bestes tun. Ich war in einem Haus an einem Flussufer. Es war ein altes Haus, hoch und altersschwach, mit einem unglaublich steilen Spitzdach und krummen Schornsteinen – so eine Art Pfefferkuchenhaus, wie im Märchen idyllisch und dennoch unheimlich oder unheimlich, weil idyllisch, wie das im Märchen halt so ist. Ich hatte dort gewohnt, hatte so was Ähnliches wie einen Arbeitsurlaub, glaube ich, zusammen mit einer Gruppe anderer Leute, Familie oder Freunde oder beides, obwohl keiner davon sich blicken ließ, und jetzt reisten wir wieder ab. Ich war im oberen Stockwerk und packte in einem kleinen Zimmer mit einem großen, weit geöffneten Fenster, von dem aus man den Fluss dort unten sah. Draußen das Sonnenlicht war eigenartig, ein dünnes, durchdringendes, zitroniges Element, wie eine sehr feine Flüssigkeit, und es war unmöglich, daraus auf die Tageszeit zu schließen, ob es Morgen war oder Mittag oder Abend. Ich wusste, dass wir spät dran waren – ein Zug oder irgendwas würde bald abfahren –, und ich war ängstlich darauf bedacht, und ungeschickt in meiner Hast, alle meine Sachen, und das waren unglaublich viele, in den zwei oder drei hoffnungslos kleinen Koffern unterzubringen, die offen auf dem schmalen Bett standen. Es muss eine chronische Dürre geherrscht haben in dieser Region, denn der Fluss, der, wie ich sehen konnte, selbst zur Zeit der Flut nicht breit und auch nicht tief sein konnte, war eine seichte, mit hellgrauem Schlamm gefüllte Rinne. Sosehr ich einerseits mit Packen beschäftigt war, so hielt ich doch gleichzeitig Ausschau nach etwas, obwohl ich nicht wusste, wonach, und legte mich, während ich weiter packte, immer wieder weit zurück, um aus dem Fenster zu schauen und zu gucken, was dort unten los war. Und während ich jetzt einen Blick nach draußen warf, erkannte ich, dass dieses Ding, das ich für einen quer im Flussbett liegenden, über und über mit glitzerndem Schlamm bedeckten toten Baumstamm gehalten hatte, in Wirklichkeit ein Lebewesen war, so was Ähnliches wie ein Krokodil, aber nicht ganz, oder doch, tatsächlich ein Krokodil; ich sah, wie die großen Kiefer sich bewegten und wie die uralten Augenlider auf und zu gingen, und das mit großer Mühe, wie es schien. Wahrscheinlich war es mit einer der Dürre vorangegangenen Flutwelle angeschwemmt worden und hilflos hier im Morast stecken geblieben und lag nun im Sterben. War das das Ding, nach dem ich Ausschau gehalten hatte? Ich empfand Mitleid und im gleichen Maße Ärger, Mitleid mit dieser gequälten Kreatur und Ärger darüber, dass ich mich irgendwie mit ihr würde befassen müssen, helfen, sie zu retten, oder die Anweisung geben, sie aus ihrer Zwangslage zu befreien. Doch das Ding sah weder gequält noch besonders verzweifelt aus; ja, wirklich, es war ganz ruhig und resigniert – beinah gleichgültig. Vielleicht war es gar nicht hier angeschwemmt worden, vielleicht war es irgendein Wesen, das im Schlamm lebte und das das aufgewühlte Wasser der kürzlichen Flut gleichsam im Vorbeigehen bloßgelegt und den Blicken preisgegeben hatte, und das, wenn das Wasser zurückkam, wieder untertauchen würde in seine alte, lichtlose, versunkene Welt. Ich ging hinunter – meine Füße, die sich anfühlten, als steckten sie in bleibeschwerten Tiefseetaucherstiefeln, polterten ungeschickt die schmale Treppe hinunter – und trat hinaus in dieses sonderbare, wässrige Sonnenlicht. Am Flussufer stellte ich fest, dass sich das Ding von selbst aus dem Schlamm herausgezogen und in eine junge Frau von dunklem Liebreiz verwandelt hatte – eine Verwandlung, die mir sogar im Traum abgeschmackt und allzu simpel vorkam, was meinen Groll und meine ängstliche Ungeduld noch steigerte: Die Koffer waren immer noch nicht voll, und ich ließ mich hier durch so einen als Zauber verkleideten Unfug von meiner Aufgabe ablenken. Und doch, da war sie, dieses Mädchen aus der Tiefe, saß an einer mit frühlingsgrünem Gras bewachsenen Böschung auf einem wirklichen Baumstamm, trug eine hochmütige, ungebärdige Miene zur Schau, die gefalteten Hände ruhten auf ihren Knien, das lange, dunkle, glänzende Haar fiel ihr über die Schultern und den sehr geraden Rücken. Mir war, als müsste ich sie kennen oder zumindest wissen, wer sie ist. Sie war mit großer Sorgfalt im Stil einer Zigeunerin oder einer Häuptlingsfrau aus alten Zeiten zurechtgemacht, mit Armreifen, Perlen und Bahnen schweren, schimmernden Tuchs in dramatischen Farben – Smaragd, Hafermehlgold, üppiges Burgunderrot. Sie wartete ungeduldig und einigermaßen verärgert darauf, dass ich irgendetwas für sie tat, irgendeinen Dienst verrichtete, dessen Notwendigkeit ihr missfiel. Wie das in Träumen so geschieht, wusste ich und wusste zugleich auch nicht, welcher Art diese Aufgabe war, und die Aussicht, sie, worin auch immer sie bestehen mochte, erledigen zu müsssen, behagte mir ganz und gar nicht. Sagte ich schon, dass ich in dem Traum noch sehr jung war, kaum dem Jünglingsalter entwachsen, doch bereits mehr, als es meinen Jahren anstand, mit Sorgen und Verantwortung beladen, dem Kofferpacken beispielsweise, das noch immer nicht vollbracht war dort in dem hohen Zimmer, an dessen quadratischem Fenster ich nun hinaufschauen konnte und durch das das ebenso zeit- wie farblose Sonnenlicht hereinströmte? Die offenen, beiderseits ans Mauerwerk geklappten Fensterläden bestanden aus etwas, das wie Binsenmatten aussah, ein Detail, das mir besonders auffiel und das von unerklärlicher Bedeutung war. Mir war klar, dass ich in Gefahr war, mich auf der Stelle, augenblicklich, in dieses Mädchen zu verlieben, diese gebieterische Prinzessin, doch ich wusste auch, dass ich, täte ich es, vernichtet wäre oder zumindest große Schmerzen würde erleiden müssen, und außerdem hatte ich ja so viel zu tun, viel zu viel, um einer derart frivolen Kapitulation erliegen zu dürfen. Nun fing der Traum an zu zerfließen und wurde unscharf, oder wenigstens tut er dies in meiner Erinnerung. Plötzlich war der Ort ins Innere des Hauses verlegt, in einen vollgestopften Raum, in dem es lauter winzige quadratische Fenster mit tiefen, schattigen Laibungen gab. Ein zweites Mädchen war auf einmal da, die Freundin oder Gefährtin der Prinzessin, älter als wir beide, barsch und spröde und irgendwie drängelnd, deren Drängen die Prinzessin aber widerstand, ich ebenfalls, und die am Ende die Geduld mit uns verlor, die Fäuste in den sehr tiefen Taschen ihres sehr langen Mantels vergrub und äußerst aufgebracht davonging. Mit der dunkelhaarigen Schönheit allein gelassen, versuchte ich, sie auf eine mechanische Art zu küssen – ich machte mir immer noch Sorgen um diese halb vollgestopften Koffer da oben, die offen klafften wie Schnäbel in einem Vogelnest und unordentlich überquollen –, sie aber wies mich auf eine gleichermaßen lässige Weise zurück. Wer könnte sie gewesen sein, wen stellte sie dar? Dawn Devonport ist die naheliegende Kandidatin, aber das glaube ich nicht. Billie Stryker, traumspezifisch verschlankt und verschönt? Wohl kaum. Meine Lydia, die antike Wüstentochter? Hmm. Aber Moment mal – ich weiß. Es war Cora, Axel Vanders Mädchen, natürlich; nicht so, wie Dawn Devonport sie spielt, für meinen Geschmack übrigens bis jetzt, ehrlich gesagt, recht oberflächlich, sondern so, wie ich sie in meiner Vorstellung sehe, fremd und entfremdet, schwierig, stolz und verlassen. Das Ende des Traumes, wie ich ihn in Erinnerung habe, war ein Schwanken, ein Verschwimmen, als das bezaubernde Mädchen – ich habe sie als Prinzessin bezeichnet, aber nur aus Bequemlichkeit, denn sie war mit Sicherheit eine ganz gewöhnliche Bürgerliche, wenn auch von eher ungewöhnlicher Art – mich an dem kahlen Flussufer verließ, nicht schreitend, sondern wie von der Luft getragen, sich lautlos entfernte und doch irgendwie gleichzeitig wieder zu mir zurückkehrte. Diese Erscheinung dauerte eine Zeit lang an, dieses unmögliche gleichzeitige Fortgehen und Wiederkehren, bis mein schlafender Geist das Ganze nicht mehr aushielt und alles schlaff wurde und langsam in ein nichts mehr erfassendes Dunkel versank.

Warum, fragte ich Dawn Devonport – wir gehen immer noch auf diesem beleidigten Grasstreifen hinter dem Studio auf und ab – warum stellt Toby Taggart Billie Stryker an, damit sie die heimlichen Schwächen und Sorgen seiner Schauspieler aufspürt? Natürlich weiß ich die Antwort, warum also habe ich gefragt? »Damit er Macht über uns hat, glaubt er jedenfalls«, sagte sie lachend. »Er hält sich für Svengali – tun sie das nicht alle?«

Es kommt Ihnen vielleicht seltsam vor, aber ich habe Toby das nicht übel genommen, ebenso wenig wie Billie Stryker. Er ist Profi, genau wie ich; mit anderen Worten, wir sind Kannibalen, wir zwei, für eine Szene würden wir die eigenen Jungen fressen. Ich kann mir nicht helfen, aber ich mag ihn. Er ist massig und irgendwie nicht richtig zusammengebaut, hat was von einem Büffel, mit seinen absurd winzigen Füßen und den dürren Beinen, der breiten Brust, den noch breiteren Schultern und den struppigen mahagonifarbenen Locken, unter denen diese glänzenden, traurigen braunen Augen hervorschauen, die um Liebe bitten und um Nachsicht. Er heißt Tobias – ja, ich habe ihn gefragt –, das ist so Tradition bei ihm, in der Familie seiner Mutter, von ihrem Vater, dem Herzog, her, schon seit Jahrhunderten, seit einem ursprünglichen Tobias dem Schrecklichen, der in Hastings gekämpft und angeblich den tödlich verwundeten König Harold im eisenbeschlagenen Arm gehalten hat. Letzteres ist die Art von staubigem Erbe, die Toby liebt und stolz aus dem Gewölbe der Vergangenheit seiner Familie hervorkramt, damit wir ihn bewundern. Er ist ein sentimentaler Hund und ein Patriot alter Schule und hat keinerlei Verständnis für mein Desinteresse an den Taten seiner tapferen Vorfahren. Ich habe ihm erklärt, dass ich keine nennenswerten Vorfahren habe, nur eine kunterbunte Reihe kleiner Kaufleute und Beinah-Bauern, die nie in einer Schlacht die Axt geschwungen oder einen König mit einem Pfeil ins Auge getröstet haben. Wenn ich nicht der Meinung wäre, dass das auf alle in diesem Geschäft zutrifft – schauen Sie doch bloß mich selbst an, Herrgott noch mal –, dann würde ich sagen, Toby ist ein Anachronismus in der Welt des Films. Wie er sich abmüht am Set. Ob wir auch alle glücklich sind mit unseren Rollen? Ob er dem Geist von JBs wundervollem Skript gewachsen ist? Ob das Produktionsgeld gut verwendet wird? Ob die Zuschauer verstehen werden, worauf wir hinauswollen? Da steht er, immer auf der rechten Seite und etwas hinter dem Kameramann, mitten in einem Durcheinander aus Kabeln und diesen ominösen schwarzen Kästen mit den metallverstärkten Ecken, die überall auf dem Boden herumstehen, in seinem großen braunen Pullover und ausgefransten Jeans, knabbert an den Nägeln wie ein Eichhörnchen an einer Nuss, als versuchte er, an das flüchtige Wesen seiner selbst zu gelangen, und sorgt sich, sorgt sich. Der ganze Stab betet ihn an und steht wie ein Mann hinter ihm, alle lassen den Bizeps spielen und schauen jeden finster an, der auch nur den geringsten Anflug von Geringschätzung erkennen lässt. Er hat was von einem Heiligen. Nein, nicht von einem Heiligen, nicht ganz. Ich weiß, ich weiß, woran er mich erinnert: an einen dieser Prälaten, die die Ecclesia militans einst hervorgebracht hat, muskulös, aber sanft, mit großem Herzen, wohlvertraut mit dem Sündenpfuhl der Welt und dennoch allemal unverzagt, keinen Moment daran zweifelnd, dass dieses chaotische Trugbild, in das er sich tagtäglich versenken muss, am Ende errettet und in eine paradiesische Vision von Licht und Gnade und prächtig herumhüpfenden Seelen verwandelt werden wird.

Ich kann es fast nicht glauben – wir sind schon in der letzten Woche mit unseren Dreharbeiten. Ja, sie bewegen sich wahrhaftig schnell, diese bewegten Bilder.

Wie würde Mrs Gray sich freuen und wie stolz wäre sie, könnte sie mich sehen, hier am Set, ihren Jungen, der sich gemacht und es zu was gebracht hat. Sie war ja so was wie ein Afficionado – oder sagt man Afficionada? –, eine echte Cineastin, obwohl sie selbst sich eher als Filmfreundin bezeichnete. Fast jeden Freitagabend machte die Familie Gray sich fein und marschierte, vorneweg die Eltern und zwei Schritte dahinter die Kinder, ins Alhambra, eine scheunenartig umgebaute ehemalige Konzerthalle an einer stumpfen Ecke auf halber Höhe der Main Street. Dort saßen sie dann alle vier nebeneinander auf den besten Plätzen des Hauses, das Stück zu einem Shilling und sechs Pence, und schauten sich das Neuste von Parametro, Warner-Goldwyn-Fox, Gauling oder den Eamont Studios an. Was sollen wir sagen über die vergessenen Filmpaläste unserer Jugend? Für mich war das Alhambra trotz der Spuckeflatschen auf dem Boden und des Zigarettenqualms, der in der schmutzigen Luft hing, ein durch und durch erotischer Ort. Ganz besonders bewunderte ich den herrlichen scharlachroten Vorhang mit seinem sanft geschwungenen Faltenwurf und den zarten goldenen Rüschen, der mich unweigerlich an die Kayser-Bondor-Lady erinnerte, an ihren gefältelten Morgenmantel und den spitzenbesetzten Unterrock. Er ging nicht hoch, dieser Vorhang, wie er es seinerzeit im Varietétheater fraglos getan hätte, sondern teilte sich in der Mitte und wurde mit leisem, seidigem Rauschen nach beiden Seiten gezogen, während sich das Saallicht nach und nach verdunkelte und die Rüpel auf den billigen Plätzen wie die Kakadus zu pfeifen anfingen und mit ihren eisenbeschlagenen Absätzen auf den Dielenbrettern die Urwaldtrommeln ertönen ließen.

An einigen aufeinanderfolgenden Freitagabenden in jenem Frühjahr leierte ich meiner Mutter einen Florin aus dem Kreuz – was, wie ich erst zu spät entdeckte, nicht nur unklug war, sondern sich auch als äußerst qualvoll erweisen sollte – und ging selbst ins Alhambra, nicht, um den Film zu sehen, sondern um den Grays nachzuspionieren. Dies nun verlangte gutes Timing und eine sorgfältige Platzwahl. Wenn ich zum Beispiel vermeiden wollte, dass man mich bemerkte, war es zwingend nötig, dass ich dort ankam, bevor das Licht ausging und die Vorstellung begann, und mich zum Schluss sofort wieder hinausschlich, denn während der Nationalhymne kam man nicht mehr weg. Ich stellte mir den ebenso erschrockenen wie wütenden Blick von Mrs Gray vor oder Billys überraschtes, dümmliches Grinsen, sah Kitty förmlich von ihrem Sitz aufspringen und mit boshaftem Entzücken auf mich zeigen, derweil ihr Vater unterm Sessel nach seinem Schirm grabbelte. Und was war mit der Zeit zwischen Reklame und Hauptfilm, wenn es wieder hell wurde und wir im Lichtkreis eines Spotlights die magische Erscheinung der Eisverkäuferin erblickten, die mit ihrem kleinen, unter dem gestärkten Busen klemmenden Tablett vor dem Vorhang posierte? Wie tief konnte man sich in einen Kinosessel rutschen lassen? Das erste Mal kam ich zu spät, sodass der Saal so gut wie voll war und ich nur noch einen Platz sechs Reihen hinter den Grays fand, von wo aus ich, was mich schier wahnsinnig machte, nur ab und zu einen Blick auf Mrs Grays Hinterkopf erhaschen konnte, oder jedenfalls dachte ich, es sei ihr Hinterkopf, musste dann aber erkennen, dass es unerklärlicherweise die Glatze von einem alten Dickwanst war, der eine große glänzende Beule im Nacken hatte. Das nächste Mal war es besser; das heißt, ich konnte zwar besser sehen, doch die Enttäuschung und die Pein, die ich erlitt, waren noch größer. Und viel besser sehen konnte ich auch nicht. Ich fand einen Platz zwei Reihen vor den Grays, allerdings ganz außen am Gang, sodass ich Mrs Gray nur sehen konnte, wenn ich den Kopf seitwärts nach hinten verdrehte, als ob mein Hemdkragen zu eng wäre, oder als würde ich an irgendeiner Zwangsstörung leiden, wegen der ich alle dreißig Sekunden zusammenzucken und mich umdrehen musste.

Wie schrecklich, Mrs Gray in einer derart unschuldigen Vergnügung gefangen sehen zu müssen – wobei für mich die Unschuld schrecklicher als das Vergnügen war. Sie saß da, leicht zurückgelehnt, das Gesicht in verträumter Ekstase der Leinwand entgegengehoben, die Lippen geöffnet zu einem Lächeln, das sie immer wieder unter Kontrolle zu bringen versuchte, was sie aber nie ganz schaffte, weil sie in seliger Versunkenheit sich selbst und alles um sich herum und, was am schmerzlichsten war, auch mich vergessen hatte. Im flackernden Licht, das von der Leinwand über ihr Gesicht glitt, sah sie aus, als würde sie jemand wieder und wieder lasziv mit einem grauen Seidenhandschuh ohrfeigen. Wie ich alle naselang rasch den Kopf zur Seite drehen musste, um sie zu sehen, und dabei gleichsam eine Folge bewegter Bilder aufschnappte, das war eine unbeholfene Nachahmung dessen, was sich im Inneren des ratternden Vorführapparates in dem kleinen Raum da oben hinter uns vollzog. Ob sie mich trotz meiner heimlichen Manöver entdeckt hatte, als ich hereingekommen war? Ob sie wusste, dass ich da war, und beschlossen hatte, mich zu ignorieren und sich von mir nicht den Spaß verderben zu lassen? Wenn ja, ließ sie sich nichts davon anmerken, und hinterher war's mir peinlich, sie zu fragen, denn wie hätte ich mich zu einem so verabscheuungswürdigen Spannertum bekennen können? Ihr Mann, der neben ihr saß, Billy, seine Schwester, sie alle interessierten mich überhaupt nicht – sollten die mich doch ruhig sehen, das war mir jetzt vollkommen gleichgültig –, mir ging es nur um sie, um sie, sie ganz allein, bis mein Nachbar zwei Sitze weiter, ein stämmiger Bursche in einem engen Anzug, der eine glänzende Tolle hatte und stark nach Haaröl roch, sich über seine Freundin hinweg zu mir herüberbeugte und mir in vertraulichem Ton versicherte, wenn ich nicht sofort aufhörte mit diesem Rumgezappel, würde er mir, verdammt noch mal, eins in die Fresse hauen.

In Sachen Film hatte meine Liebste einen breit gefächerten Geschmack, obwohl es auch Ausnahmen gab. Musicals mochte sie nicht, weil sie kein Ohr für Melodien hatte, wie sie selbst zugab. Auch für die damals noch so beliebten Liebesschnulzen mit jeder Menge Dekolleté, in denen die Frauen aus nichts als Schulterpolstern und Lippenstift bestanden und die Männer entweder feige oder untreu oder beides waren, hatte sie nichts übrig – »Gefühlsduselei« nannte sie das verächtlich, wobei sie höhnisch die Lippen schürzte und wie Betty Hutton den Mund verzog. Hingegen hatte sie ein Faible für Action. Sie liebte Kriegsfilme mit reichlich Explosionen, wo deutsche Soldaten mit ihren kantigen Stahlhelmen inmitten von Garben aufspritzenden Mauerwerks wie Mörsergranaten in die Luft gejagt wurden. Am liebsten aber sah sie Western oder Cowboy-und-Indianerfilme, wie sie es nannte. Sie glaubte an das alles, an den edelmütigen Revolverhelden und den Cowboy mit seinen ledernen Beinschützern, die Schulmeisterin mit ihrer Ginganschürze, die aufgetakelte kleine Saloon-Schönheit, die genauso schlimm ist, wie sie aussieht, aber einem Kerl eins mit 'ner Whiskeyflasche überziehen und dabei ein sentimentales Liedchen singen kann. Auch genügte es ihr nicht, einfach nur einen Film anzuschauen: Hinterher musste sie alles wieder und wieder nachspielen. Ich war dann ihr idealer Zuschauer, wobei die Handlung in ihrer Version immer unglaublich wirr und verwickelt war, mit zig Seitensträngen und Kehrtwenden, einem wüsten Durcheinander von Namen, an die sie sich nur noch halbwegs erinnerte, und Motiven, die sie komplett vergessen hatte. Ich hörte ihr glückselig zu oder tat zumindest so, vorausgesetzt, sie hatte nichts dagegen, auf den Rücksitzen des Kombis oder auf der Matratze in Cotters Haus in meinen Armen zu liegen und mich verspielt in ihren vielen für sie zeitweilig uninteressanten warmen Stellen herumstochern zu lassen, derweil sie mit dem Nacherzählen der Geschichten fortfuhr und zu klären versuchte, wer da wen kaltgemacht hatte oder wo genau die Jerries bei der Ardennenoffensive nicht durchgekommen waren. Dabei hatte sie ein ganz eigenes Filmlexikon. Bei Western war der Held immer der »Junge« und die Heldin das »Mädchen«, egal, wie alt die Schauspieler waren. War ihr der Name einer Figur entfallen, ersetzte sie ihn mit einem Attribut – »und da schnappt der mit dem Bart sich die Wumme und pustet den mit den Schielaugen einfach weg« –, was mitunter seltsam poetisch oder pittoresk rüberkam, besonders bei *Lonesome Kid* oder *Barroom Belle* oder bei meinem Lieblingsfilm *The Dirty Doc*.

Heute sage ich mir, dieses ganze detailreiche Wiederaufwärmen war wohl zumindest teilweise ein Trick, mit dem sie sich eine Atempause verschaffen wollte, weil ich sie unentwegt bedrängte, sich hinzulegen und mir zu erlauben, mit ihr zu tun, wovon ich nie genug bekam. Sie war Scheherazade und Penelope in einem, webte endlos ihre Geschichten aus den Filmen und räufelte sie immer wieder auf. Ich hatte irgendwo gelesen, oder jemand in der Schule hatte mir erzählt – es gab da einen Jungen, ich glaube, er hieß Hynes, der die erstaunlichsten Dinge wusste –, der Mann müsse nach dem Koitus seine Säfte regenerieren und sei erst nach fünfzehn Minuten wieder zu einer vollen Erektion imstande. Das war eine Behauptung, die ich unbedingt ausprobieren wollte. Ich kann mich nicht mehr erinnern, ob es mir gelang, ich weiß nur, dass ich mit Feuereifer ans Werk ging. Und dennoch hatte ich im Hinterkopf ständig den Argwohn, dass all mein Bemühen und verdoppeltes Bemühen Mrs Gray nicht so willkommen war, wie es hätte sein können oder wie sie es mir wiederholt versicherte. Ich denke immer, jeder Mann macht sich Sorgen, dass die Frau die körperlichen Manifestationen der Liebe nicht wirklich schätzt und sie nur über sich ergehen lässt, um uns, ihren ausgewachsenen, bedürftigen, unersättlichen Kindern, unseren Willen zu lassen. Daher wohl hält uns auch der Mythos der Nymphomanin so fest im Griff, jenes Fabelwesens, das noch schwerer zu fassen ist als das Einhorn oder die Dame mit dem Einhorn, die, einmal gefunden, unsere tiefsten Ängste lindern würden. Es gab Momente, da blickte ich, an ihre Brust geheftet oder in ihrem Schoße Wurzeln schlagend, beiläufig auf und ertappte sie dabei, wie sie mit zärtlicher Milde, die man nur als mütterlich bezeichnen konnte, zu mir hinuntersah. Manchmal war sie auch ungeduldig mit mir, wie jede Mutter mit ihrem endlos drängelnden Kind – *»Jetzt geh doch mal von mir runter!«,* brummte sie dann und warf mich ab, um sich grollend, mit finsterer Miene, aufzurichten und nach ihren Kleidern zu suchen. Doch es gelang mir jedes Mal, sie dazu zu bringen, dass sie sich wieder hinlegte, einfach, indem ich mit der Zungenspitze über das schokoladenbraune Muttermal fuhr, das sie zwischen den Schulterblättern hatte, oder mit zwei Fingern an der fischbauchweißen, weichen Innenseite ihres Arms hinaufspazierte. Dann schauderte sie und drehte sich mit einem Laut, der mehr als ein Seufzen, aber noch kein Stöhnen war, zu mir herum, ihre Augen schlossen sich, die Lider fingen an zu flattern, und hilflos bot sie mir den heißen, schlaffen Mund zum Kuss. Nie fand ich sie begehrenswerter als in solchen Momenten widerstrebenden Sich-Ergebens.

173

Besonders liebte ich diese Lider, gemeißelte Muscheln aus geädertem, durchscheinendem Marmor, stets kühl, stets köstlich feucht, wenn ich sie mit den Lippen berührte. Zärtlich zugetan war ich auch ihren milchigen Kniekehlen. Und selbst die perlmuttglänzenden Dehnungsstreifen an ihrem Bauch waren mir lieb und teuer.

Habe ich diese Dinge damals eigentlich schon ebenso geschätzt wie heute, oder ist das nur ein Schwelgen in Erinnerungen? Kann denn der Fünfzehnjährige bereits den aus Erfahrung scharfen, gierigen Blick des alten Lebemanns besessen haben? Mrs Gray hat mir viele Dinge beigebracht, das Wichtigste und Kostbarste von allen aber war, dem anderen Menschen zu verzeihen, dass er menschlich ist. Ich war ein Junge und hatte darum vor meinem geistigen Auge das platonisch vollkommene Mädchen, ein Wesen, kühl wie eine Schaufensterpuppe, das weder schwitzte noch auf die Toilette ging, das fügsam war, voller Bewunderung und fabelhaft willfährig. Mrs Gray war das perfekte Gegenteil von diesem Traumbild. Allein ihr Lachen, dieses hohe Wiehern mit der tiefen Zwerchfellnote unten in den Kurven, zerrupfte diese leblose Puppe, dass die Fetzen flogen, und verjagte sie aus meinem Kopf. Das war kein glatter Austausch: Weg mit dem vorgestellten Ideal, her mit der echten Frau! Am Anfang fand ich Mrs Grays Fleischlichkeit ganz schön befremdlich, in bestimmten Augenblicken, in bestimmten Haltungen. Sie müssen bedenken, dass meine Kenntnis weiblicher Formen bis dahin auf die Beine der Kayser-Bondor-Lady und die knospengleichen Brüste beschränkt gewesen waren, die Hettie Hickey mich vor Jahren im rauchigen Dunkel des Alhambra hatte streicheln lassen. Mrs Gray war von der Statur her gar nicht so viel imposanter als Hettie, mitunter aber kam sie mir, zumindest in unserer ersten Zeit, wie eine Riesin vor, die mich überragte, eine Gestalt von unbezwingbarer erotischer Gewalt.

Und doch war sie durch und durch, unausweichlich und zu Zeiten auch erschreckend menschlich, mit allen Fehlern und Schwächen behaftet, die Menschen eben einmal haben. Eines Tages balgten wir uns in Cotters Haus auf dem Fußboden – sie war angezogen und hatte gerade gehen wollen, ich aber hatte sie gepackt und sie wieder auf die Matratze gezerrt, und hatte die Hand unter ihrem Hintern –, als sie auf einmal aus Versehen einen fahren ließ – direkt in meine Hand. Dem kurzen Ton folgte eine furchtbare Stille, wie nach einem Pistolenschuss oder dem ersten Poltern bei einem Erdbeben. Für mich war das natürlich ein großer Schock. Ich war noch in einem Alter, wo ich zwar schon wusste, dass die Geschlechter hinsichtlich ihrer Peristaltik identisch sind, dieses jedoch für mich fröhlich bestreiten konnte. Ein Furz indes war unbestreitbar. Die Folge dieser ganzen Sache war, dass Mrs Gray sich rasch von mir abwandte und mürrisch die Schultern hochzog. »Nun schau doch«, sagte sie ärgerlich, »nun schau doch, was du angerichtet hast, so an mir herumzuzerren, als ob ich ein Kesselflickerflittchen bin oder so was.« Die Ungerechtigkeit dieser Bemerkung machte mich sprachlos. Doch als sie sich wieder zurückdrehte und meinen empörten Blick sah, lachte sie schallend auf und stieß mich hart in die Brust und wollte, immer noch lachend, wissen, ob ich mich denn nicht schämte, und zwar bis auf die Knochen. Wie so oft war es ihr Lachen, das die Situation rettete, und es dauerte gar nicht lange, da fand ich diese fundamentale Entäußerung ihrer selbst keineswegs mehr abstoßend, sondern fühlte mich geradezu privilegiert, als hätte sie mich eingeladen, mit ihr an einem Ort zu weilen, den sie noch nie zuvor jemandem zu betreten gestattet hatte.

Fakt ist, dass sie mir den größten Teil der übrigen Weiblichkeit vermiest hat. Mädchen wie Hettie Hickey waren nun nichts mehr für mich, ihre mageren Brüste und knabenhaften

Hüften, ihre knochigen Knie, ihre Zöpfe und Pferdeschwänze – das alles konnte mich nicht mehr groß beeindrucken, mich, der ich die Opulenz einer erwachsenen Frau erlebt hatte, dieses Gefühl, wenn ihre Fleischesfülle sich in den engen Nähten ihrer Kleidung dehnte, die heiße Fettigkeit ihrer Lippen, wenn sie vor Leidenschaft ganz schwammig wurden, die kühle Feuchte ihrer leicht genarbten Wange, wenn sie sie an meinen Bauch legte. Bei all der Fleischlichkeit besaß sie dennoch eine Leichtigkeit und eine Anmut, wie auch die zierlichste der Mädchenblüten sie nicht zu bieten hatte. Ihre Farben waren für mich natürlich grau, aber so ein spezielles Fliedergrau, und Umbra und Rosé und noch ein Ton, schwer zu benennen – wie dunkler Tee? oder gequetschtes Geißblatt? –, doch zu erspähen an ihren allergeheimsten Stellen, entlang der Säume ihrer Niederlippen und in der Aureole jenes geschürzten kleinen Sterns, der zwischen ihren Hinterbacken sich verbarg.

Und sie war, jedenfalls für mich, ein absolutes Unikum. Ich hatte keine Ahnung, welchen Platz ich ihr auf der Menschenskala zuweisen sollte. Nicht richtig eine Frau wie meine Mutter und gewiss nicht wie die Mädchen, die ich kannte, besaß sie, wie ich wohl schon sagte, gewissermaßen ein ganz eigenes Geschlecht. Gleichzeitig aber war sie selbstverständlich das Weib an sich, die Norm, an der ich, bewusst oder unbewusst, alle anderen Frauen maß, die nach ihr in mein Leben traten; das heißt, alle außer einer. Und was wohl Cass von ihr gehalten hätte? Wie wäre es geworden, wäre nicht Lydia die Mutter meiner Tochter gewesen, sondern Mrs Gray? Die Frage alarmiert und konsterniert mich, und doch muss ich mich mit ihr auseinandersetzen, nachdem sie nun einmal gestellt ist. Bemerkenswert, wie noch die müßigste Spekulation in einem Augenblick und für die Dauer eines Augenblicks alles auf den Kopf stellen kann. Es ist, als hätte die Welt irgendwie einen Halbkreis geschlagen und zeigte sich mir nun aus einer unbekannten Perspektive, und plötzlich stürze ich in eine Art glücklichen Kummer. Meine zwei verlorenen Lieben – ist das der Grund, weshalb ich –? Ach, Cass –

Das war Billie Stryker eben am Telefon, die mir erzählt hat, Dawn Devonport habe versucht, sich das Leben zu nehmen. Offenbar ohne Erfolg.

II

Als meine Tochter klein war, litt sie an Schlaflosigkeit, besonders in den Wochen um die Sommersonnenwende, und manchmal habe ich sie aus Verzweiflung, meiner und ihrer, in jenen weißen Nächten spät in der Nacht in eine Decke gewickelt und ins Auto gepackt und bin mit ihr auf den Landstraßen entlang der Küste immer weiter nach Norden gefahren, denn wir wohnten damals noch am Meer. Sie liebte diese Spritztouren; wenn sie dabei auch nicht einschlief, so wurde sie doch ruhig und fiel in einen Dämmerzustand; es sei ein komisches Gefühl, im Schlafanzug im Auto zu sitzen, sagte sie, als ob sie endlich doch noch eingeschlafen wäre und nun im Traum verreisen würde. Jahre später, als sie eine junge Frau war, verbrachten sie und ich gemeinsam einen Sonntagnachmittag damit, noch einmal unsere alte Route entlang der Küste abzufahren. Die sentimentalen Hintergründe dieser Fahrt gestanden wir einander nicht, und ich erwähnte die Vergangenheit mit keinem Wort – man musste Obacht geben, was man Cass erzählte –, doch als wir auf diese kurvenreiche Straße kamen, da hat auch sie sich, glaube ich, an jene nächtlichen Fahrten erinnert, genau wie ich, und an das Gefühl, wie im Traum durch die graue Dunkelheit zu gleiten, neben uns die Dünen und darunter das Meer als schimmernde Quecksilberlinie und oben drüber der Horizont, der so hoch war, dass man ihn für eine Fata Morgana halten konnte.

Es gibt eine Stelle, ziemlich weit im Norden, ich weiß nicht, wie sie heißt, da wird die Straße plötzlich enger und verläuft eine Zeit lang direkt neben den Klippen. Sie sind nicht sehr hoch, diese Klippen, aber hoch genug und auch steil genug, um gefährlich zu sein, und auf der ganzen Strecke stehen in Abständen gelbe Warnschilder. An jenem Sonntag verlangte Cass, dass ich dort halten und mit ihr bis ganz nach oben gehen sollte. Ich wollte nicht, ich leide immer schon an Höhenangst, aber meiner Tochter eine so einfache Bitte abzuschlagen, brachte ich auch nicht über mich. Es war spätes Frühjahr oder Frühsommer, und der Tag glänzte unterm blank gescheuerten Himmel, ein warmer Wind wehte vom Meer herüber, und in der salzgeladenen Luft lag beißender Jodgeruch. Ich aber hatte kaum einen Sinn für all das Funkeln ringsherum. Beim Anblick des wogenden Wassers dort unten in der Tiefe und der Wellen, die knirschend an die Felsen schlugen, wurde mir übel, obwohl ich tapfer Haltung bewahrte, so gut ich eben konnte. Auf Höhe unserer Augen und nicht weiter als ein paar Meter von uns entfernt hingen Seevögel nahezu reglos im auflandigen Wind, mit zitternden Flügeln und Schreien, die wie Hohngelächter klangen. Nach einer Weile wurde der schmale Pfad noch schmaler und fiel dann jäh ab. Dort war ein steiler Lehmwall, auf der einen Seite Geröll und auf der anderen nichts als Himmel und das tosende Meer. Mir war so schwindlig wie noch nie, und ich hatte fürchterlichen Bammel; ich ging weiter, hielt auf den Wall zu meiner Linken zu, weg von dem windigen Abgrund rechts von mir. Wir hätten im Gänsemarsch gehen sollen, der Weg war jetzt so schmal und das Laufen fühlte sich so trügerisch an, doch Cass bestand darauf, neben mir zu gehen, am äußersten Wegrand, und hatte sich bei mir eingehakt. Ich wunderte mich, wieso sie keine Angst hatte, und fing sogar an, ihr ihre Unbekümmertheit übel zu nehmen, denn ich schwitzte mittlerweile vor Angst und zitterte bereits am ganzen Leibe. Nach und nach aber zeigte sich, dass auch Cass sich fürchtete, vielleicht sogar noch mehr als ich, wenn sie den drängenden Wind hörte, der ihr leise ins Ohr sang, und fühlte, wie die Leere an ihrem Mantel zupfte und der lange Abhang, der nur einen winzig kleinen Seitwärtsschritt entfernt war, ihr so einladend die offenen Arme entgegenstreckte. Sie war eine lebenslange Todesdilettantin, meine Cass – nein, sie war mehr, sie war eine Kennerin. Am Rande des Abgrunds entlangzuschreiten, das war für sie, ich bin mir sicher, ein Nippen an dem tiefsten, finstersten Gebräu, an seinem reichsten Jahrgang. Während sie sich an meinem Arm festhielt, spürte ich in ihrem Innern dieses ferne Trommeln, den Schauder des Entsetzens, das ihre Nerven zucken ließ, und da merkte ich, dass ich, vielleicht, weil sie sich so sehr fürchtete, auf einmal gar keine Angst mehr hatte, und so gingen wir raschen Schrittes weiter, Vater und Tochter, und es war unmöglich zu erkennen, wer von uns den anderen stützte.

Wenn sie an jenem Tag gesprungen wäre, ob sie mich wohl mitgenommen hätte? Das wär ja was gewesen – wir beide purzeln Arm in Arm, mit den Füßen voran, zusammen hinunter durch die gleißend helle, blaue Luft.

Die Privatklinik, in die man die ins Koma gefallene Dawn Devonport in aller Eile brachte – immerhin per Hubschrauber –, steht auf einem hübschen Fleckchen Erde, inmitten eines weiten Meeres aus kurz geschorenem, künstlich wirkendem Rasen. Ein cremeweißer, vielfenstriger Kubus, sieht das Gebäude wahrhaftig wie ein altmodischer Luxus-Ozeanliner aus, allerdings auf dem Kopf stehend, mit allem Drum und Dran, inklusive einer großen, bedeutungsschwanger im Winde flatternden Fahne und der Abluftrohre der Klimaanlage, die die Schornsteine sein könnten. Das Krankenhaus als Ort romantischer Verzauberung – ein Gedanke, mit dem ich schon seit meiner Kindheit im Stillen umgegangen bin, ein Gedanke, von dem auch noch so viele trübselige Besuche und kurze, aber unerfreuliche Aufenthalte daselbst mich nicht ganz abbringen konnten. Ich führe diese fixe Idee auf einen Herbstnachmittag zurück, als ich fünf oder sechs Jahre alt war und mich mein Vater auf der Fahrradstange mitnahm nach Fort Mountain, einen Ort jenseits der Grenzen unserer Stadt, wo wir uns auf einem steilen Hang ins Farnkraut setzten, Butterbrote aßen und Milch aus einer Limonadenflasche tranken, die mit einem Stöpsel aus Butterbrotpapier verschlossen war. Hinter uns ragte die TBC-Klinik auf, auch sie cremefarben und vielfenstrig, auf deren unsichtbaren Terrassen ich mir reihenweise bleiche Mädchen und neurasthenische junge Männer vorstellte, zu vergeistigt und zu anspruchsvoll fürs Leben, die dösend und anfallsweise träumend unter hellroten Decken in ihren fein säuberlich nebeneinander aufgestellten Liegestühlen lagen. Schon der bloße Geruch eines Krankenhauses ruft bei mir die Assoziation einer auf exotische Weise unverfälscht gebliebenen Welt hervor, wo Fachärzte in weißen Kitteln und mit sterilen Masken leise zwischen schmalen Betten hin und her gleiten, über denen Glasflaschen hängen, aus denen der märchenhaft teure Ichor Tropfen für Tropfen in die Adern gefallener Mogule und, ja, auch leidender Filmstars rinnt.

Dawn Devonport hatte Tabletten genommen, ein ganzes Röhrchen. Tabletten sind, nebenbei bemerkt, in unserer Branche das Mittel der Wahl, keine Ahnung, warum. Das wirft die Frage nach der Ernsthaftigkeit ihres Entschlusses auf. Aber ein ganzes Röhrchen, das ist schon beeindruckend. Was ich empfunden habe? Betrübnis, Verwirrung, eine gewisse Taubheit, auch eine gewisse Verärgerung. Ich war, wie schon so oft, unbekümmert eine mir unbekannte, hübsche Straße entlangspaziert, als plötzlich eine Tür aufgerissen wurde und man mich beim Schlafittchen gepackt und umstandslos an einen seltsamen Ort befördert hatte, allerdings einen Ort, den ich nur allzu gut kannte und von dem ich eigentlich geglaubt hatte, dass ich ihn nie mehr wieder würde betreten müssen; einen furchtbaren Ort.

Als ich in das Krankenzimmer kam, besser gesagt, mich hineinschlich und diese bis dahin so lebendige junge Frau still und ausgezehrt dort liegen sah, krampfte sich mir das Herz zusammen, denn ich dachte, man hätte mir etwas Falsches gesagt und sie hätte ihr Vorhaben doch erfolgreich zu Ende gebracht, und das da wäre ihre Leiche, die dort aufgebahrt lag und darauf wartete, einbalsamiert zu werden. Dann aber versetzte sie mir einen noch größeren Schreck, indem sie die Augen aufschlug und lächelte – ja, sie lächelte –, erfreut, wie ich erst glaubte, und mit echter Wärme! Ich wusste nicht, ob ich das für ein gutes oder schlechtes Zeichen halten sollte. Hatte sie den Verstand verloren, hatten Verzweiflung und Hoffnungslosigkeit gesiegt, dass sie hier lag, in einem Klinikbett, und auf solch eine Weise lächelte? Doch als ich genauer hinsah, erkannte ich, dass das gar kein Lächeln war, sondern eine reine Verlegenheitsgrimasse. Und so war auch das Erste, was sie sagte, als sie sich mühsam aufrichtete, dass es ihr schrecklich peinlich sei und sie sich schäme, und damit streckte sie mir ihre zitternde Hand entgegen. Ihre Haut war heiß, als ob sie fieberte. Ich schüttelte ihr die Kissen auf, und sie ließ sich zurücksinken und stöhnte vor Ärger über sich selbst. Ich bemerkte das Plastik-Namensschild, das sie ums Handgelenk trug, und las den Namen. Wie winzig sie aussah und wie ausgehöhlt, wie sie da lag, so scheinbar schwerelos, wie ein aus dem Nest gefallenes Vogeljunges, mit diesen riesigen Augen, die ihr aus dem Kopf quollen, den glatt herunterhängenden, nach hinten gekämmten Haaren und den scharfen Schulterknochen, die sich unter dem ausgewaschenen graugrünen Kliniknachthemd abzeichneten. Ihre großen Hände wirkten noch größer als sonst, die Finger noch dicker. In den Mundwinkeln hatte sie graue

Flatschen von irgendwas Angetrocknetem. Über welche turbulenten Tiefen hatte sie sich hinweggelehnt, hier herüber, welch windiger Abgrund hatte sie gerufen? »Ich weiß«, sagte sie kleinlaut. »Ich sehe aus wie meine Mutter auf dem Sterbebett.«

Ich war mir überhaupt nicht sicher gewesen, ob ich wirklich herkommen sollte. Kannte ich sie denn gut genug, um hier zu sein? Unter solchen Umständen, wenn der betrogene Tod erbittert lauert, gibt es eine Etikette, die noch unerbittlicher ist als alles, was da draußen Geltung hat, im Reich der Lebenden. Doch wie hätte ich nicht herkommen können? Hatten wir denn nicht eine Vertrautheit erlangt, nicht allein vor der Kamera, sondern auch dahinter, die weit über das bloße Spiel hinausging? Hatten wir denn nicht einander unsere Verluste mitgeteilt, sie und ich? Sie wusste von Cass, ich wusste von ihrem Vater. Und dennoch war da die Frage, ob nicht gerade dieses Wissen wie ein lästiger Doppelgeist zwischen uns hängen und uns die Sprache verschlagen würde.

Was ich zu ihr sagte? Fällt mir nicht mehr ein. Sicher hab ich irgendeine abgedroschene Mitgefühlsphrase genuschelt. Was würde ich wohl zu meiner Tochter gesagt haben, wenn sie diese schleimigen rostfarbenen Felsen am Fuße der Landspitze von Portovenere irgendwie überlebt hätte?

Ich zog mir einen Plastikstuhl ans Bett und setzte mich, beugte mich vor, die Unterarme auf die Knie gestützt und die Hände gefaltet; ich muss wie ein leibhaftiger Beichtvater ausgesehen haben. In einem Punkt war ich mir sicher: Falls Dawn Devonport Cass erwähnte, würde ich wortlos von diesem Stuhl aufstehen und hinausgehen. Um uns herum verschmolzen die mannigfachen Krankenhausgeräusche zu einem wirren Summen, und die Luft in dem überheizten Zimmer hatte die Konsistenz von warmer feuchter Watte. Durch das Fenster am Fußende des Bettes sah ich die Berge, fern und undeutlich, und weiter vorn eine riesige Baustelle mit Kränen und Baggern und vielen perspektivisch verkürzten Arbeitern mit Helmen und gelben Sicherheitsjacken, die zwischen den aufgeworfenen Erdhaufen herumkrabbelten. Sie weiß gar nicht, wie herzlos sie ist, diese Alltagswelt.

Dawn Devonport hatte die Hand, die sie mir kurz gegeben hatte, wieder zurückgezogen; sie lag nun schlaff neben ihr, weiß wie das Leintuch, auf dem sie ruhte. Der Name auf dem Plastikidentifizierungsarmband war nicht der ihre, ich meine, der Name, der dort aufgedruckt war, lautete nicht Dawn Devonport. Sie sah meinen Blick und lächelte wieder, grimmig. »Das bin ich«, sagte sie im Cockney-Dialekt, »mein richtiger Name, Stella Stebbings. Ziemlicher Zungenbrecher, was?«

Um die Mittagszeit hatte ein Zimmermädchen sie im Schlafzimmer ihrer Hotelsuite im Ostentation Towers gefunden, die Vorhänge waren zugezogen, und sie lag halb auf dem zerwühlten Bett, halb schon am Boden, mit Schaum vorm Mund, das leere Tablettenröhrchen fest umklammernd. Ich sah die Szene vor mir, in meiner Vorstellung davon in klassischer Manier verdeckt durch ein angedeutetes Proszenium oder in diesem Fall vermutlich eher eingerahmt durch das Rechteck einer düster erleuchteten Leinwand. Sie wisse nicht, warum sie es getan habe, sagte sie, indem sie abermals die Hand ausstreckte und sie auf meine gefalteten Fäuste legte, wozu sie breit genug war – die muss sie wohl von ihrem Vater haben, diese Hände. Es müsse wohl ein spontaner Impuls gewesen sein. Sie wundere sich bloß, wie das denn angehen könne, es sei nämlich echt schwer gewesen, diese ganzen Tabletten überhaupt runterzukriegen. Die könnten aber nicht sehr stark gewesen sein, weil sie sonst garantiert nicht mehr am leben wäre , habe der Arzt gesagt. Er sei Inder, der Arzt, ein Mann von sanfter Wesensart, und er habe so ein liebes Lächeln. Er habe sie als Pauline Powers in der Neuverfilmung von *Bittere Ernte* gesehen. Das sei einer der Lieblingsfilme ihres Vaters gewesen, die Originalversion natürlich, wo Flame Domingo die Pauline gespielt habe. Ihr Vater war es auch, der sie ermutigt hatte, Filmschauspielerin zu werden. Er war so stolz gewesen, den Namen seiner Tochter glänzen zu sehen, jenen Namen, den er sich für sie erträumt hatte, als sie ein leichtfüßiges kleines Wunderkind im Tutu und mit Flügeln aus Zellophan war. Ihre Handmuschel schloss sich noch fester um meine Fäuste, die ich darauf öffnete, eine Hand herumdrehte und ihre heiße Handfläche an meiner spürte; da zog sie ihre Hand jäh wieder weg, als hätte die Berührung sie verbrannt, beugte sich vor, stellte unterm Betttuch die Knie auf und sah aus dem Fenster; ihre Stirn schimmerte feucht, die Haare waren hinter die Ohren geschoben, der schattige Flaum auf ihrer Haut schien von innen zu leuchten, und ihre Augen glänzten heiß und fiebrig. Wie sie so dasaß, starr und kerzengerade, und ihr Profil sich im Gegenlicht abzeichnete, wirkte sie wie eine aus Elfenbein geschnitzte primitive Figur. Ich stellte mir vor, wie ich die Linie ihres Kinns mit der Fingerspitze nachzog, stellte mir vor, wie ich meine Lippen an die glatte, verschattete Beuge ihres Halses legte. Sie war Cora, Vanders Mädchen, und ich war Vander: sie die beschädigte Schönheit, ich das Biest. Wochenlang hatten wir jetzt die wilde Liebe dieser zwei gespielt: Wie hätten wir nicht sie sein sollen – in gewisser Weise? Sie fing an zu weinen, ihre großen, glitzernden Tränen hinterließen graue Spritzer auf dem Betttuch. Ich drückte ihre Hand. Sie solle weggehen, sagte ich mit belegter Stimme, zu ergriffen, als dass ich auch nur hätte versuchen können, das Gefühl genauer zu bestimmen, das mir die Kehle zuschnürte – sie solle Toby Taggart dazu bringen, dass er die Dreharbeiten aussetzt, nur für eine Woche, vielleicht auch einen Monat, und sich einmal ganz und gar aus allem zurückziehen. Sie hörte mir nicht zu. Die fernen

Berge waren blau, wie unbewegter blasser Rauch. Mein verlorenes Mädchen nennt Vander sie im Drehbuch. Mein verlorenes Mädchen.

Vorsicht.

Am Ende hatten wir uns nicht viel zu sagen – hätte ich ihr eine Gardinenpredigt halten sollen, hätte ich sie drängen sollen, die Nase hochzunehmen und die Dinge von der heiteren Seite zu betrachten? – und so verließ ich sie nach einer kleinen Weile und sagte, ich würde morgen wiederkommen. Sie war noch immer weit weg, in sich gekehrt oder bei jenen fernen blauen Bergen, und hat von meinem Weggang kaum Notiz genommen, glaube ich.

Auf dem Flur traf ich Toby Taggart, der unbehaglich dort herumlungerte, nervös zappelte und an den Nägeln knabberte und mehr denn je wie ein verwundeter Wiederkäuer aussah. »Natürlich«, brach es sogleich aus ihm heraus, »werden Sie jetzt denken, ich sorge mich nur um den Dreh.« Dann verzog er beschämt das Gesicht und fing wieder an, wie wild an seinem Daumennagel zu kauen. Ich merkte, wie er es vor sich herschob, hineinzugehen und seinem gefallenen Star gegenüberzutreten. Darum erzählte ich ihm, wie sie mich angelächelt hatte, als sie aufgewacht war. Er nahm das äußerst überrascht auf und, wie mir schien, auch ein wenig tadelnd, wobei ich nicht zu sagen vermochte, ob seine Missbilligung Dawn Devonports wohl schwerlich angemessenem Lächeln galt oder dem Umstand, dass ich ihm davon berichtete. Um mich in meiner Erschütterung ein wenig abzulenken – ich spürte so ein Kribbeln überall, als ginge eine starke elektrische Spannung durch meine Nerven –, dachte ich darüber nach, was für ein riesiger und komplizierter Apparat so ein Krankenhaus doch ist. Endlos strömten Menschen an uns vorbei, immer hin und her, Krankenschwestern in weißen Schuhen mit quietschenden Gummisohlen, Ärzte mit baumelnden Stethoskopen, Patienten in Bademänteln, die vorsichtig schlurfend immer dicht an der Wand entlang gingen, und diese undefinierbar geschäftigen Leute in grünen Kitteln, Chirurgen oder Krankenpfleger, da bin ich mir nie wirklich sicher. Toby beobachtete mich, doch als ich seinen Blick erwiderte, schaute er schnell weg. Ich könnte mir vorstellen, er hatte an Cass gedacht, der gelungen war, was Dawn Devonport nicht geschafft hatte. Dachte auch er mit schlechtem Gewissen daran, wie er Billie Stryker losgeschickt hatte, damit sie mir die Geschichte von Cass entlockte? Er hat nie zu erkennen gegeben, dass er über Cass im Bilde war, hat in meinem Beisein nicht ein einziges Mal auch nur ihren Namen erwähnt. Er ist ein gerissener Bursche, auch wenn er immer gern den Eindruck erweckt, als könne er nicht bis drei zählen.

Neben uns war ein langes rechteckiges Fenster, durch das man einen weiten Blick hatte auf Dächer und Himmel und auf die allgegenwärtigen Berge. In mittlerer Entfernung, zwischen den Schornsteinaufsätzen, hatte sich die Novembersonne irgendetwas Glänzendes ausgesucht, eine Scherbe aus Fensterglas oder eine stählerne Rauchhaube, und dieses Ding blinkte und blitzte mit, wie es mir angesichts der Umstände vorkam, roher Frivolität zu mir herüber. Um irgendwas zu sagen, fragte ich Toby, was er denn nun mit dem Film machen werde. Er zuckte die Achseln und zog eine gequälte Miene. Er habe dem Studio noch nicht gesagt, was passiert sei, sagte er. Ein großer Teil des Materials sei ja bereits im Kasten, daran würde er nun erst mal arbeiten, aber der Schluss müsse natürlich noch gedreht werden. Wir nickten alle beide, schürzten die Lippen, krausten die Stirn. Am Schluss ertränkt sich Vanders Cora, steht im Drehbuch. »Was meinen Sie?«, fragte Toby vorsichtig und immer noch, ohne mich anzusehen. »Sollten wir das ändern?«

Ein Alter in einem Rollstuhl wurde vorbeigeschoben, weißhaarig, soldatisch, ein Auge verbunden, indes das andere wütend geradeaus starrte. Mit angenehm sanftem, boshaftem Flüstern glitt der Rollstuhl über die Gummifliesen des Fußbodens.

Meine Tochter, sagte ich, hat immer Scherze darüber gemacht, dass sie sich irgendwann umbringt.

Toby nickte geistesabwesend, schien nur halb zuzuhören. »Eine Schande ist das«, sagte er. Ich weiß nicht, ob er Cass meinte oder Dawn Devonport. Vielleicht beide. Ja, stimmte ich ihm zu, das sei eine Schande. Wieder nickte er bloß. Ich könnte mir vorstellen, dass er immer noch über den Schluss nachgrübelte. Das war ein kniffliges Problem für ihn. Ja, Selbstmord, selbst wenn's nur ein versuchter war, ist immer eine unangenehme Sache.

Als ich heimkam, ging ich ins Wohnzimmer, zu dem dortigen Telefon, wartete einen Moment, um sicher zu sein, dass Lydia nicht in Hörweite war, und rief Billie Stryker an, um sie zu fragen, ob sie herkommen könne, ob sie sich mit mir treffen könne, und zwar auf der Stelle. Billie hörte sich zunächst unwillig an. Hinter ihr war irgendwelcher Lärm; das sei der Fernseher, sagte sie, aber ich vermute, es war ihr unsäglicher Ehemann, der sie beschimpfte – ich bin mir sicher, diesen für ihn so typischen halb drohenden, halb jammernden Tonfall erkannt zu haben. Irgendwann legte sie die Hand auf den Hörer und schrie irgendjemanden ärgerlich an; das kann nur er gewesen sein. Hatte ich ihn schon erwähnt? Ein grässlicher Kerl – Billie hat immer noch eine gelbliche Spur von dem blauen Auge, das sie bei unserer ersten Begegnung gehabt hat. Wieder lautes Stimmengewirr, wieder musste sie den Hörer zuhalten, am Ende aber flüsterte sie hastig, sie werde kommen, und legte auf.

Leise, immer noch nach Lydia horchend, trat ich wieder hinaus auf den Flur, nahm Hut, Mantel und Handschuhe und schlich mich abermals aus dem Haus, behände und auf leisen Sohlen, wie ein Fassadenkletterer. Im Grunde meines Herzens habe ich mich immer ein wenig für einen Schurken gehalten.

Wenn ich es recht bedenke, ist Lydia von all den Frauen, die ich in meinem Leben getroffen habe, wohl die, die ich am wenigsten kenne. Ein Gedanke, der mich wie vom Donner gerührt verharren lässt. Kann das denn sein? Kann ich all diese Jahre mit einem Rätsel gelebt haben? – Einem von mir selbst erzeugten Rätsel? Vielleicht ist es nur so, dass ich, nachdem ich ihr schon so lange derart nah bin, das Gefühl habe, dass ich sie in einem Maße kennen müsste, das man eigentlich gar nicht erreichen kann, jedenfalls nicht wir, wir Menschen. Oder ist es einfach so, dass ich sie nicht mehr richtig sehen kann, nicht aus der richtigen Perspektive? Oder dass wir zusammen so weit gegangen sind, dass sie mit mir verschmolzen ist, so wie der Schatten eines Mannes, der auf eine Straßenlaterne zugeht, nach und nach mit ihm selbst verschmilzt, bis man ihn nicht mehr sehen kann? Ich weiß nicht, was sie denkt. Früher dachte ich, dass ich es weiß, doch jetzt nicht mehr. Wie denn auch? Ich weiß schließlich von niemandem, was er denkt; ich weiß doch kaum, was ich selbst denke. Ja, das ist es, vielleicht ist sie ein Teil von mir geworden, ein Teil dessen, was das größte aller meiner Rätsel ist, nämlich meiner selbst. Wir streiten nicht mehr. Früher hatten wir Kräche von geradezu erdbebenhaftem Charakter, gewaltige, stundenlange Eruptionen, nach denen wir beide am ganzen Leibe zitternd zurückblieben, ich aschfahl im Gesicht und Lydia schweigend, außer sich, mit Tränen der Wut oder der Verzweiflung, die ihr über die Wangen liefen wie Rinnsale von durchsichtiger Lava. Ich glaube, Cass' Tod hat uns und unserem Zusammenleben eine falsche Last, eine falsche Ernsthaftigkeit auferlegt. Es war, als hätte unsere Tochter uns durch ihr Fortgehen irgendwie eine große Aufgabe hinterlassen, die über unsere Kräfte ging, die wir aber immer weiter erfüllen zu können hofften, und als würde diese ständige Anstrengung uns ein ums andere Mal in Rage bringen und in Konflikte stürzen. Die Aufgabe, nehme ich an, bestand in nicht mehr und nicht weniger als darin, fortgesetzt um sie zu trauern, ohne nachzulassen, ohne uns zu beklagen, genauso glühend, wie wir es in den ersten Tagen nach ihrem Weggang getan hatten, wie wir es wochen-, monate-, ja sogar jahrelang getan hatten. Es nicht zu tun, schwach zu werden, die Last auch nur für einen winzigen Moment niederzulegen, hätte bedeutet, sie mit einer Endgültigkeit zu verlieren, die uns endgültiger als selbst der Tod erschienen wäre. Und so machten wir weiter, kratzten und zerrten aneinander, damit die Tränen nur ja nicht versiegten und unsere Glut nicht erkaltete, bis wir uns ganz verausgabt hatten oder zu alt geworden waren und widerwillig einen Waffenstillstand ausriefen, der heute allenfalls noch durch einen kurzen, halbherzigen Schusswechsel mit Handfeuerwaffen gestört wurde. Ich nehme an, das ist der Grund, weshalb ich glaube, dass ich sie nicht kenne, aufgehört habe, sie zu kennen. Das Streiten war unsere Intimität.

Ich hatte mich mit Billie Stryker am Kanal verabredet. Wie ich dieses archaische Sonnenlicht liebe an solchen Nachmittagen im Spätherbst. Tief am Horizont waren ein paar Wolkenspäne, wie aus zerknittertem Blattgold, weiter oben am Himmel übereinandergeschichtete Bänder von Tonweiß, Pfirsich, Blassgrün, und das Ganze spiegelte sich in zart geflecktem Mauve im reglosen Wasser des Kanals, der voll zum Überlaufen war. Ich hatte noch immer dieses Gefühl von Erregung, dieses elektrische Sieden im Blut, das losgegangen war, als ich an Dawn Devonports Krankenbett gesessen hatte. So hatte ich mich schon sehr lange nicht mehr gefühlt. Es war ein Gefühl, an das ich mich aus meiner Jugend erinnern konnte, als alles neu war und die Zukunft grenzenlos, ein Gefühl ängstlichen und überspannten Wartens wie das, in das vor all den vielen Jahren, gedanken-verloren, kaum hörbar summend und eine widerspenstige Locke sich hinterm Ohr festklemmend, Mrs Gray eingetreten war. Was also war es, das mir heute mit seiner Stimmgabel auf die Schulter geklopft hatte? War es wieder einmal die Vergangenheit, oder war es die Zukunft?

Billie Stryker war in ihrem gewohnten Aufzug erschienen: Jeans und ausgelatschte Joggingschuhe, deren einer Schnürsenkel offen war und auf dem Boden schleifte, dazu eine kurze, glänzende schwarze Lederjacke und unter dieser ein zu knappes weißes Shirt, das ihren Busen und die beiden prallen Fleischkissen, in die ihr Bauch oberhalb der Gürtellinie durch eine tiefe Mittelfurche geteilt war, wie eine zweite Haut umspannte. Seit ich sie vor ein paar Tagen gesehen hatte, hatte sie sich die Haare orange gefärbt und heftig gekürzt, alles eigenhändig, wenn Sie mich fragen, und zu stachligen Büscheln hochgegelt, als hätte sie lauter wuschlige Pfeile auf dem Kopf. Es schien ihr eine boshafte Befriedigung zu verschaffen, ihre Reizlosigkeit zu kultivieren, sie genauso zu betütteln und zurechtzuzupfen wie andere ihre Schönheit. Traurig, dass sie sich so verschandelt; dabei hätte ich doch gedacht, man könne sich darauf verlassen, dass ihr schrecklicher Ehemann das schon wirkungsvoll genug für sie besorgt. Bei der ganzen Schufterei und der ständigen Vorspiegelung falscher Tatsachen während der letzten Wochen hatte ich Billie mit ihrer unerschütterlich praktischen Art, ihrer Zähigkeit und ernüchterten Entschlossenheit wirklich schätzen gelernt.

Dieser Ehemann. Für mich ist das einer von der besonders unappetitlichen Sorte. Er ist lang und dünn, mit vielen hohlen Stellen, als hätte man an den Oberschenkeln, am Bauch und auf der Brust Scheiben aus ihm herausgeschnitten; er hat einen winzigen Kopf und den ganzen Mund voll fauler Zähne; sein

Grinsen ist eher ein Knurren. Wenn er umher schaut, scheinen alle Dinge, die sein Verderben bringender Blick erfasst, zu schrumpfen und in sich selbst zu verkriechen. Er hatte beizeiten angefangen, am Set herumzulungern, sodass sich Toby Taggart, weichherzig wie eh und je, gezwungen sah, irgendwelche Jobs für ihn zu finden. Ich hätte ihn glatt vor die Tür gesetzt, notfalls mit Drohungen. Wie er ansonsten seinen Lebensunterhalt verdient, entzieht sich meiner Kenntnis – Billie ergeht sich in diesem Punkt, wie in so vielen anderen, in Ausflüchten –, aber er gibt sich den Anschein, ständig beschäftigt zu sein; immer steht er unmittelbar vor der Verwirklichung irgendwelcher hochwichtigen Pläne, und stets gibt es ein großartiges Projekt, bei dem ein Wort von ihm genügt, es auf den Weg zu bringen. Ich bin skeptisch. Ich glaube, er schlägt sich irgendwie durch, oder er lebt von Billie, die wesentlich mehr auf dem Kasten hat. Kleiden tut er sich wie ein Arbeiter, ausgewaschene Latzhosen, Hemden ohne Kragen und Stiefel mit zwei Zentimeter dicken Gummisohlen; außerdem sieht er immer sehr verstaubt aus, sogar die Haare, und er setzt sich auch nicht, sondern haut sich immer irgendwo hin, als ob er total erschöpft ist, den dürren Knöchel des einen Beins aufs knochige Knie des anderen gestützt, lässt er gern einen Arm über die Stuhllehne baumeln, als ob er gerade ein qualvoll langes Arbeitspensum hinter sich hat und nur mal kurz eine wohlverdiente Pause einlegt. Ich muss gestehen, dass ich ein bisschen Angst vor ihm habe. Er hat die arme Billie garantiert verprügelt, und ich kann mir gut vorstellen, wie er mir seine Faust unter die Nase hält. Warum bleibt sie bei ihm? Müßige Frage. Warum tut jemand etwas?

Jetzt habe ich Billie gebeten, Mrs Grays Fährte für mich aufzunehmen. Ich habe ihr gesagt, ich bin sicher, dass sie das schafft. Und das bin ich auch. Ein Schwanenpaar kam auf dem Wasser auf uns zu, sicherlich eine Schwänin und ihr Mann, denn Schwäne sind doch monogam, oder nicht? Wir blieben stehen und schauten zu, wie sie sich näherten. Diese Schwäne in ihrer fremdartigen und irgendwie gemeinen Prächtigkeit kommen mir immer so vor, als ob sie nach außen hin elegant tun, hinter der vornehmen Fassade aber in Wirklichkeit von Befangenheit und quälenden Selbstzweifeln niedergedrückt sind. Diese beiden waren ausgepichte Heuchler, starrten abwägend zu uns herüber, und als sie sahen, dass wir mit leeren Händen gekommen waren und keine Brotrinden dabeihatten, glitten sie mit kühl zur Schau getragener Verachtung wieder von dannen.

Billie, diskret wie eh und je, fragte nicht, warum ich plötzlich so ein dringendes Bedürfnis hatte, dieser Frau aus meiner Vergangenheit auf die Spur zu kommen. Schwer zu sagen, was Billie von der Sache hält. Mit ihr zu reden ist, wie wenn man Steine in einen tiefen Brunnen wirft; die Reaktion, die zurückkommt, ist sehr verzögert und gedämpft. Sie ist misstrauisch wie jemand, der oft ausgenutzt und bedroht worden ist – wieder dieser Ehemann –, und ehe sie etwas sagt, scheint es, als würde sie jedes Wort sorgfältig herumdrehen und es gründlich von allen Seiten untersuchen, um zu schauen, ob es etwa Missfallen erregen oder als Provokation verstanden werden könnte. Aber gewundert hat sie sich bestimmt. Ich habe ihr erzählt, dass Mrs Gray inzwischen schon alt oder womöglich gar nicht mehr am Leben sei. Ansonsten hab ich nur gesagt, dass sie die Mutter meines besten Freundes war und dass ich sie seit fast einem halben Jahrhundert nicht gesehen und auch nichts von ihr gehört hatte. Warum ich den Wunsch hatte, sie wiederzufinden, behielt ich für mich, und das mit aller Entschiedenheit. Und warum tat ich das? – Warum tue ich das? Aus Nostalgie? Aus einer Laune heraus? Weil ich alt werde und die Vergangenheit mir nach und nach lebendiger vorkommt als die Gegenwart? Nein, was mich antreibt, ist etwas, das drängender ist als das, obwohl ich nicht weiß, was es ist. Ich könnte mir vorstellen, dass Billie sich gesagt hat, in meinem Alter dürfe ich mir schon mal eine donquiottehafte Nachsicht mir selbst gegenüber gestatten, schließlich sei ich ja bereit, ihr gutes Geld dafür zu zahlen, dass sie die Fährte irgendeines alten Muttchens aus meinen Jugendtagen aufnimmt, und da wäre es doch schön dumm von ihr, meine Dummheit groß zu hinterfragen. Ob sie erraten hat, dass das, was ich mit Mrs Gray zu schaffen hatte, so etwas wie ein »Techtelmechtel« war, wie ich sie irgendwann mal spöttisch hatte sagen hören? Vielleicht war es an dem, und nun schämte sie sich für mich, für den vernarrten alten Knacker, für den sie mich vermutlich hielt und für den ich mich übrigens auch selbst halte. Was hätte sie wohl gedacht, wenn sie gewusst hätte, wie ich über die leidgeprüfte Kleine dachte, die, während wir hier redeten, in ihrem Krankenhausbett lag? Techtelmechtel, in der Tat.

Wir gingen weiter. Moorhühner jetzt, zischelndes Schilfgras am Ufer und immer noch diese kleinen goldenen Wolken.

Was den Tod unserer Tochter für uns, ihre Mutter und mich, noch schlimmer machte, war der Umstand, dass er ein Geheimnis war – ein absolutes, ein für alle Mal besiegeltes Geheimnis; jedenfalls für uns, aber hoffentlich nicht für sie. Ich sage nicht, dass wir überrascht waren. Wie hätten wir denn überrascht sein können, angesichts des chaotischen Zustands, in dem Cass' Seelenleben sich befand? In den Monaten vor ihrem Tod, während ihres Aufenthalts im Ausland, war mir in meinen Tagträumen, die keine Träume waren, immer wieder ein Bild von ihr erschienen, so eine Art Hausgeist. *Du hast gewusst, was sie vorgehabt hat,* hatte Lydia mich angeschrien, als Cass tot war. *Du hast es gewusst und hast nichts gesagt!* Hatte ich es gewusst, und hätte ich, verfolgt von ihrer lebendigen Gegenwart, wie ich doch war, tatsächlich in der Lage sein müssen, ihre Absicht vorherzusehen? War es so, dass sie mir in diesen geisterhaften Erscheinungen irgendwie ein Warnsignal aus der Zukunft sandte? Hatte Lydia recht, hätte ich etwas tun können, um sie zu retten? Diese Fragen lasten auf mir, aber ich fürchte, doch wohl nicht so schwer, wie sie müssten; zehn Jahre unbarmherziger Vernehmung würden wohl auch den hartnäckigsten Anbeter eines entflohenen Gespensts mürbe machen. Und ich bin müde, so müde.

Was sagte ich gerade?

Cass' Anwesenheit in Ligurien.

Cass' Anwesenheit in Ligurien war das erste Glied jener mysteriösen Kette, die sie zu den düsteren Klippen bei Portovenere zerrte, wo sie den Tod fand. Wes- oder wessentwegen war sie dort in Ligurien gewesen? Stundenlang habe ich in ihren Papieren gestöbert, hab auf der Suche nach einem Hinweis, einer Antwort, in Stapeln fettfleckiger, mit Tintenklecksen übersäter, über und über in ihrer winzigen Handschrift vollgekritzelter Blätter gekramt – ich habe sie noch irgendwo –, die sie zurückgelassen hatte in ihrem Zimmer in diesem schäbigen kleinen Hotel in Portovenere, das ich niemals vergessen werde, oben an der kopfsteingepflasterten Straße, von wo aus wir den hässlichen Kirchturm von San Pietro sehen konnten, jenen hohen Turm, von dem sie sich hinabgestürzt hat. Ich wollte glauben, was wie das wahnbesessene Gekritzel eines bis zum Äußersten getriebenen Geistes aussah, sei in Wahrheit eine allein für mich bestimmte, sinnreich verschlüsselte Botschaft. Und wirklich gab es Passagen, mit denen sie sich direkt an mich zu wenden schien. Aber sosehr ich mir auch etwas anderes wünschen mochte, am Ende musste ich doch akzeptieren, dass sie nicht zu mir sprach, sondern zu einem anderen – vielleicht zu meinem schattenhaften, flüchtigen Stellvertreter. Denn auf jenen Seiten war noch eine andere Anwesenheit wahrzunehmen, besser gesagt, eine spürbare Abwesenheit, der Schatten eines Schattens, der Einzige, den sie tatsächlich ansprach, und zwar stets mit dem Namen Swidrigailow.

Hinabgestürzt. Wieso sage ich, dass sie sich dort hinabgestürzt hat? Mag sein, sie hat sich einfach fallen lassen, leicht wie eine Feder. Mag sein, ihr kam es vor, als schwebe sie hinunter in den Tod.

»Sie war schwanger, meine Tochter, als sie starb«, erklärte ich.

Billie ließ das unkommentiert, sie runzelte nur die Stirn und schob ihre rosa glänzende Unterlippe vor. Wenn sie auf diese Art die Stirn runzelt, sieht sie immer aus wie ein verärgerter kleiner Engel.

Der Himmel wurde blasser und wich einer kühlen Abenddämmerung, und ich schlug vor, dass wir uns in ein Pub setzten und etwas tranken. Das war ungewöhnlich für mich – ich konnte mich nicht erinnern, in der letzten Zeit eine Gastwirtschaft betreten zu haben. Wir gingen in ein Ecklokal an einer der Brücken über den Kanal. Braune Wände, fleckiger Teppich, über der Theke ein riesiger Fernseher mit ausgeschaltetem Ton und Sportlern in knallbunten Jerseys, die in erbarmungsloser Pantomime sprinteten, schubsten und gestikulierten. Es waren die üblichen Nachmittagsgäste da, Männer mit ihren Pints und ihren Rennzeitungen, zwei, drei junge Tagediebe im Anzug und die unvermeidlichen beiden alten Opas, die einander an einem winzigen Tisch gegenübersaßen, jeder ein verschmiertes Whiskeyglas vor sich, und in unsterblichem Schweigen vor sich hin brüteten. Sie hat so einen gewissen Hochmut, der mir schon früher aufgefallen war. Ich glaube, sie ist eine ziemliche Puritanerin und fühlt sich insgeheim uns anderen überlegen, eine Undercover-Agentin, die alle unsere geheimen Schwächen kennt und noch in unsere abgeschmacktesten Sünden eingeweiht ist. Sie ist schon zu lange Rechercheurin. Wie sich zeigt, trinkt sie am liebsten einen Schuss Gin, der in ein großes Glas mit frisch gepresstem Orangensaft versenkt und durch eine kräftige Schaufel knisternder Eiswürfel noch zusätzlich neutralisiert wird. Bei einem Fingerhut voll lauwarmem Port, in ihren Augen garantiert ein Drink für Weichlinge, begann ich ihr zu erzählen, wie Billy Gray und ich seinerzeit gemerkt hatten, dass Gin uns besser schmeckte als der Whiskey seines Vaters. Kein Wunder, denn die Flasche, die wir aus der Hausbar stibitzt hatten, war über die Wochen mit so viel Wasser versetzt, dass der Whiskey beinahe farblos war. Der quecksilbrige, spröde Gin erschien uns jetzt auch weltläufiger und gefährlicher als das raue Gold des Whiskeys. Unmittelbar im Anschluss an das erste Mal mit Mrs Gray in der Wäschekammer hatte ich mir furchtbare Sorgen gemacht, ich könnte Billy in die Arme laufen, war ich doch überzeugt, dass er, mehr noch als meine Mutter, mehr noch sogar als seine Schwester, derjenige wäre, der spornstreichs das flammend rote Zeichen des schlechten Gewissens entdecken würde, das doch gewiss auf meiner Stirne lodern musste. Aber er hat natürlich nichts gemerkt. Doch als er ankam und sich herunterbeugte, um mir noch einen Schluck Gin nachzuschenken, sah ich diese blasse Stelle von der Größe eines Sixpencestücks, diesen Wirbel oben auf seinem Scheitel, und da überkam mich so ein unheimliches Gefühl; ich schauderte beinah und wich zurück und hielt den Atem an, aus Angst, dass sein Geruch mir in die Nase steigen und ich den seiner Mutter darin erkennen könnte. Ich bemühte mich, nicht in die braunen Tiefen jener Augen zu schauen und rasch den Blick von diesen enervierend feuchten rosa Lippen abzuwenden. Plötzlich kam es mir so vor, als würde ich ihn überhaupt nicht kennen oder aber, noch schlimmer, als würde ich, indem ich seine Mutter kannte, und zwar im biblischen wie im modernen Sinn des Wortes, auch ihn kennen, und das nur zu genau. Und so saß ich dort auf seinem Sofa vor dem flackernden Fernseher und trank meinen Gin und wand mich in schier unerträglichen Gewissensnöten ob meines Geheimnisses.

Ich erzählte Billie Stryker, dass ich für einige Zeit fortgehen wollte. Auch darauf blieb sie mir die Antwort schuldig. Sie ist wirklich nicht gerade mitteilsam, die junge Frau. Gibt es etwas, das mir fehlt? Für gewöhnlich ja. Ich sagte ihr, wenn ich ginge, würde ich Dawn Devonport mitnehmen. Ich sagte ihr, ich baue darauf, dass sie es Toby Taggart verklickern werde. Dass seine beiden Hauptdarsteller für mindestens eine Woche ausfallen würden. Darauf lächelte Billie. Sie hat es gar nicht ungern, wenn es ein wenig Ärger gibt, die gute Billie, so ein bisschen Krach. Ich könnte mir vorstellen, dass sie sich dann weniger auf ihre eigene häusliche Unordnung zurückgeworfen fühlt. Sie fragte, wo ich denn hinwolle. Italien, sagte ich. Ach, Italien, sagte sie, als wär das ihre zweite Heimat.

Wie es der Zufall wollte, stand eine Reise nach Italien ganz oben auf der Liste der Dinge, die Mrs Gray sich wünschte und die ihr, fand sie, eigentlich auch zugestanden hätten. Sie träumte davon, in eine dieser eleganten Städte an der Riviera aufzubrechen, Nizza oder Cannes oder so was in der Art, und dann mit dem Wagen die Küste entlang bis hinunter nach Rom, um den Vatikan zu sehen und eine Audienz beim Papst zu haben, auf der Spanischen Treppe zu sitzen und Münzen in den Trevi-Brunnen zu werfen. Ein anderer Wunsch, den sie hatte, war, sonntags im Nerz zur Messe zu gehen, und natürlich ein schicker neuer Wagen anstelle des verbeulten alten Kombis – »dieser ollen Mühle!« – und ein Haus aus rotem Backstein mit einem Erkerfenster, das auf die Avenue de Picardy hinausging am eleganteren Ende der Stadt. Sie war durchaus gesellschaftlich ambitioniert. Es hätte ihr schon gefallen, wenn ihr Mann nicht bloß so ein kleiner Optiker gewesen wäre – eigentlich hatte er ja ein richtiger Arzt werden wollen, aber seine Familie konnte oder wollte ihm kein Studium finanzieren –, und Billy und seine Schwester sollten einmal besser dran sein. Besser dran sein, das war ihr Ziel, in allem – damit die Nachbarn Augen machen, damit die Stadt, dieses »verschlafene Nest«, aufhorchen sollte. Wenn wir in unserem baufälligen Liebesnest draußen im Wald auf dem Boden lagen und einander in den Armen hielten, träumte sie gern laut vor sich hin. Was für eine Fantasie sie hatte! Und während sie sich diese Geschichten ausdachte, wie sie, in Pelze gehüllt mit ihrem Mann, dem berühmten Hirnchirurgen, an ihrer Seite in einem offenen Sportcoupé an der azurblauen Küste entlang bretterte, zerstreute ich mich damit, ihr in die Brüste zu kneifen, dass die Brustwarzen dick und hart wurden – man denke! – dieselben Brustwarzen, an denen mein Freund Billy genuckelt hatte –, oder glitt mit meinen Lippen über den rötlich entzündeten, geriffelten Abdruck, den der Gummibund von ihrem Unterrock auf ihrem zarten Bauch hinterlassen hatte. Sie träumte von einem romantischen Leben, und in Wirklichkeit hatte sie mich, einen Jungen mit Mitessern und schlechten Zähnen, der obendrein, wie sie sich oft lachend beklagte, immer nur an das eine dachte.

Nie kam sie mir so jung vor wie in solchen Augenblicken, wenn sie selige Fantasien spann von Glück, Erfolg und Geld im Überfluss. Seltsame Vorstellung, dass ich damals nicht einmal halb so jung wie sie war und sie nicht einmal halb so alt, wie ich es heute bin. Der Mechanismus meines Erinnerungsvermögens hat Schwierigkeiten, sich mit diesen Altersunterschieden herumzuschlagen, doch damals, nach dem ersten Schock an jenem verregneten Nachmittag in der Wäschekammer, nahm ich das Ganze nur noch gelassen hin und hielt es schlichtweg für selbstverständlich: ihr Alter, meine Jugend, die Unglaublichkeit unserer Liebe, einfach alles. Für mich mit meinen fünfzehn Jahren wurde selbst das Unwahrscheinlichste zur Norm, sobald es öfter als einmal passierte. Das eigentliche Rätsel ist, was *sie* dachte und empfand. Ich kann mich nicht erinnern, dass sie sich jemals zu der Unverhältnismäßigkeit, der Inkongruenz unserer – ich weiß immer noch nicht recht, wie ich es bezeichnen soll, unserer Liebesaffäre, muss ich wohl sagen, obwohl sich das in meinen Ohren irgendwie falsch anhört –, dass sie sich dazu je geäußert hätte. Affären hatten die Leute aus den Geschichten in den Zeitschriften, die Mrs Gray las, oder die Helden in den Filmen, die sie sich am Freitagabend ansah; für mich und auch für sie war das, was wir zusammen taten, viel einfacher, viel elementarer, viel – wenn ich solch ein Wort in diesem Kontext gebrauchen darf – kindlicher als das ehebrecherische Treiben der Erwachsenen. Vielleicht ist es ja das, was sich für sie durch mich erfüllt hat – eine Rückkehr in die Kindheit, aber nicht die Kindheit der Puppen und der Haarschleifen, sondern die der schwellenden Erregung, des schwitzigen Gefummels und der glücklichen Ferkelei. Denn meiner Treu, mitunter konnte sie ein richtig schlimmes Mädchen sein.

In unserem Wald gab es einen Fluss, ein geheimnisvolles, braun dahinmäanderndes Fließ, das aussah, als wäre es auf seinem Weg zu einem anderen, wichtigeren Ort irgendwie abgelenkt worden und auf diese von Buschwerk gesäumte Lichtung hier geraten. Ich hatte damals einen tiefen Respekt vor Wasser, eine Ehrfurcht gar, was wohl bis heute so geblieben wäre, verbände es sich unterdessen nicht für mich mit dem düsteren Gedanken an Cass' Tod. Wasser ist eines von den Dingen, die immer gegenwärtig sind – die Luft, der Himmel, Licht und Finsternis, das sind die anderen – und die ich dennoch irgendwie unheimlich finde. Mrs Gray und ich, wir liebten unser Flüsschen sehr, unser Fließ, unser Bächlein, unseren Quell, wie immer man es nennen will. An einer bestimmten Stelle machte es eine Biegung um eine Gruppe von Erlen herum, ich glaube, es waren Erlen. Das Wasser war dort tief und bewegte sich so langsam, dass man hätte meinen können, es bewege sich überhaupt nicht, wären da nicht diese verräterischen kleinen Wirbel gewesen, die sich an seiner Oberfläche bildeten, wieder auflösten und von Neuem bildeten. Manchmal gab es dort Forellen, fleckige Gespenster nah am Grund, kaum auszumachen, reglos verharrend gegen die Strömung und doch so flink, wenn sie erschraken, dass man nur ein ganz kurzes Zittern sah, und auf der Stelle waren sie verschwunden. Wir verbrachten dort glückliche Stunden zusammen, meine Liebste und ich, an den mildesten Tagen jenes Sommers, im kühlen Schatten unter diesen verkümmerten, nervösen Bäumen. Mrs Gray liebte es, im Wasser zu waten, das in der Tiefe das gleiche schimmernde Braun hatte wie ihre Augen. Wenn sie sich vorsichtig vom Ufer aus hineinwagte, nach spitzen Steinen auf dem Grunde Ausschau haltend, mit diesem selbstvergessenen Lächeln und die Röcke hochgerafft bis zu den Hüften, dann war sie Rembrandts Saskia, bis zu den Schienbeinen versunken in ihrer eigenen Welt von Umbra und von Gold. Einmal an einem Tag war es so heiß, dass sie sich ganz und gar auszog, ihr Kleid einfach über den Kopf zog und es hinter sich warf, damit ich es auffing. Sie hatte nichts darunter und ging nun nackt mitten hinein, bis ihr das Wasser bis zur Taille reichte, hatte die Arme nach beiden Seiten ausgestreckt, klatschte fröhlich mit den Handflächen auf die Wasseroberfläche und summte vor sich hin – habe ich schon erwähnt, dass sie in jeder Lebenslage summte, obwohl sie keine einzige Note Musik im Kopf hatte? Die Sonne, die durch das Laub der Erlen schien, übergoss sie mit einem Schauer aus blitzenden goldenen Münzen – meine Danaë! – und an den Achselhöhlen und den Unterseiten ihrer Brüste brach sich glitzernd das wogende Licht. Angestachelt vom Wahn des Augenblicks – was, wenn mit einem Mal ein Wanderer aus der Stadt am Schauplatz auftauchte? – watete ich in Hemd und Khakishorts ihr hinterher. Sie beobachtete mich, wie ich ellbogenschwenkend und mit vorgerecktem Hals auf sie zukam, und sah mich an mit diesem Blick durch die gesenkten Wimpern, von dem ich mir gern vorstellen wollte, dass sie ihn allein für mich reserviert hatte, mit eingezogenem Kinn und die zusammengepressten Lippen schelmisch nach oben gebogen, und ich tauchte hinab ins braune Wasser – die vollgesogenen Shorts waren auf einmal schwer, das Hemd klebte mir eiskalt am Oberkörper, sodass mir fast die Luft wegblieb, und kriegte einen Rückwärtssalto hin – oje, in diesem Alter war ich noch genauso geschickt wie diese gefleckten Forellen! –, streckte die Hände aus nach ihrem Hintern, zog sie an mich, schob das Gesicht zwischen ihre Schenkel, die sich erst widersetzten, sich dann aber schaudernd öffneten, und drückte meinen Fischmund auf ihre Niederlippen, die außen kühl und austernartig waren und innen heiß, und dann lief mir eiskaltes Wasser die Nase hoch, ich spürte einen Schmerz zwischen den Augen und musste sie loslassen und wieder auftauchen, keuchend und mit den Armen rudernd, aber auch triumphierend – oh ja, jeder Vorteil, den ich mir über sie verschaffte, war ein gemeiner kleiner Sieg für meine Selbstachtung und mein Gefühl, die Herrschaft über sie zu haben. Kaum heraus aus dem Wasser, rannten wir wie die Wilden zurück in Cotters Haus, ich mit ihrem Kleid in den Armen, sie immer noch nackt, eine birkenbleiche Dryade, die mir voraus durch den Sonnenschein irrlichterte und durch die Schatten des Waldes. Ich spüre noch wie damals, wenn wir uns augenblicklich keuchend gegenseitig auf unser provisorisches Bett zogen, die raue, krisselige Haut ihrer Arme und rieche auch den aufregend abgestandenen Duft des Flusswassers auf ihrer Haut und schmecke die brackige Kühle, die zwischen ihren Schenkeln lauerte.

Ach, verspielte Tage, Tage der – wage ich es auszusprechen? – Tage der Unschuld.

»Hat sie Ihnen gesagt, warum sie es getan hat?«, fragte Billie. Sie hockte vor mir auf einem hohen Holzstuhl, hatte die röhrenförmigen Schenkel in der engen Jeans gespreizt und die Hände zwischen den Knien. Ich war einen Moment lang verwirrt, weil ich in Gedanken noch bei den kühnen Sachen gewesen war, die ich mit Mrs Gray gemacht hatte, und dachte, sie meinte Cass. Nein, sagte ich, nein, natürlich nicht, ich hatte keine Ahnung, warum sie es getan hat, woher denn? Sie sah mich mit ihrem hasserfüllt-missbilligenden Blick an – sie hat so eine Art, einen anzugucken, dass es aussieht, als würden ihr die Augen aus dem Kopf quellen, was einem entschieden auf die Nerven gehen kann – und da erst merkte ich, dass sie Dawn Devonport meinte. Um meinen Fehler wiedergutzumachen, schaute ich weg, legte die Stirn in Falten und spielte mit meinem Glas Portwein herum. Ich sagte, in ziemlich sprödem Ton, wie ich fand, ich sei mir sicher, dass das Ganze ein Irrtum sei und Dawn Devonport es bestimmt nicht ernst gemeint habe. Billie, die anscheinend das Interesse verloren hatte, brummte nur vor sich hin und sah sich gleichgültig in der Bar um. Ich betrachtete ihr aufgedunsenes Profil, und während ich das tat, wurde mir auf einmal kurz schwindlig, als hätte man mich ganz nah an den Rand einer hohen, steilen Klippe gebracht. Das ist ein Gefühl, das ich bisweilen habe, wenn ich andere Leute ansehe, ich meine, wenn ich sie wirklich ansehe, was ich nicht oft tue, was vermutlich niemand oft tut. Es ist auf eine mysteriöse Weise verknüpft mit dem Gefühl, das mich mitunter auf der Bühne überkam, diesem Gefühl, irgendwie in die Rolle zu fallen, die ich spielte, buchstäblich in sie hineinzufallen, wie wenn man stolpert und nach vorn kippt, aufs Gesicht, und jegliches Gefühl für mein anderes Ich, das nicht gespielte, zu verlieren.

Die Statistiker sagen uns, es gibt keine Zufälle, und ich muss ihnen zugestehen, dass sie wissen, wovon sie reden. Würde ich daran glauben, dass ein gewisses Zusammenströmen von Ereignissen ein besonderes und einzigartiges Phänomen außerhalb des gewöhnlichen Flusses des Zufalls sei, dann müsste ich, was ich indes nicht tue, akzeptieren, dass über oder hinter oder innerhalb der gewöhnlichen Wirklichkeit ein transzendenter Prozess am Wirken ist. Und doch, ich frage mich, warum denn nicht? Warum soll ich nicht zulassen, dass es eine Kraft gibt, die das, was scheinbar zufällig geschieht, insgeheim nach einem ausgeklügelten Plan regelt? Axel Vander war in Portovenere, als meine Tochter starb. Diese Tatsache, und ich gehe davon aus, dass es eine Tatsache ist, steht riesengroß und unverrückbar vor mir, wie ein Baum mit all seinen tief im Dunkel verborgenen Wurzeln. Warum war sie dort, und warum war er es?

Swidrigailow.

Ich hätte vor, sagte ich nun, nach Portovenere zu gehen, und Dawn Devonport wolle ich mitnehmen, sie wisse allerdings noch nichts davon. Ich glaube, das war das erste Mal, dass ich Billie Stryker lauthals lachen hörte.

Früher waren diese kleinen Städte allein vom Meer aus zu erreichen, denn das Hinterland entlang der Küste besteht weitgehend aus einer Kette von Bergen, deren Hänge steil zur Bucht abfallen. Jetzt gibt es ein schmales Eisenbahngleis, das den Fels geradewegs durchsticht, unter zahlreichen Tunneln hindurchführt und jähe, schwindeln machende Ausblicke auf zerklüftete Landschaften und enge Buchten bietet, wo das Meer matt schimmert wie geriffelter Stahl. Im Winter hat das Licht etwas von einem Bluterguss, und in der Luft ist Salz und ein Geruch nach Tang und nach den Dieselabgasen der Fischerboote, die sich in den winzigen Häfen drängen. Der Wagen, den ich gemietet hatte, erwies sich als bärbeißiges, widerspenstiges Biest und machte mir unterwegs eine Menge Ärger und als wir von Genua in Richtung Osten fuhren, mehr als einmal auch richtig Angst. Aber vielleicht war ich auch selbst schuld, denn ich war einigermaßen aufgeregt – ich bin nicht gut im Reisen, bin nervös im Ausland und alles andere als sprachbegabt. Während wir fuhren, dachte ich an Mrs Gray und wie sie uns beneidet hätte, hier unten an dieser blauen Küste. In Chiavari ließen wir den Wagen stehen und nahmen den Zug. Ich hatte Schwierigkeiten mit dem Gepäck. Im Zug roch es nicht gut, und die Sitze waren hart. Während wir gen Osten tuckerten, fegte von den Bergen ein heftiger Regen heran und klatschte an die Abteilfenster. Dawn Devonport blickte versonnen in den Guss und sprach aus den Tiefen ihres großen hochgestellten Mantelkragens. »Von wegen sonniger Süden«, sagte sie.

Seit wir fremden Boden betreten hatten, wurde sie überall sofort erkannt, trotz ihres Kopftuchs und der riesigen Sonnenbrille, die sie trug; oder vielleicht gerade deshalb, gehörte doch beides zur untrüglichen Maskerade eines Stars, der in Schwierigkeiten steckt und auf der Flucht ist. Diese Prominenz war etwas, das ich nicht vorausgeahnt hatte, und obwohl ich selbst eine weitgehend unbeachtete Person an ihrer Seite und öfter noch in ihrem Schlepptau war, fühlte ich mich unangenehm auf dem Präsentierteller, wie ein Chamäleon, dem seine Anpassungsfähigkeit abhandengekommen ist. Eigentlich sollten wir an diesem Tag in Lerici eintreffen, wo ich uns Hotelzimmer reserviert hatte, sie aber hatte darauf bestanden, sich zuerst die Cinque Terre anzuschauen, und so waren wir also hier gestrandet, an diesem trostlosen Winternachmittag – verirrt und verwirrt.

Dawn Devonport war nicht mehr die, die sie gewesen war. Sie neigte zu Wutausbrüchen, fummelte ständig mit irgendwelchen Sachen herum, ihrer Handtasche, ihrer Sonnenbrille, den Knöpfen ihres Mantels, und ich bekam eine lebhafte und beunruhigende Vorstellung davon, wie sie im Alter sein würde. Außerdem rauchte sie wie ein Schlot. Und überdies hatte sie einen neuen Geruch, der schwach und dennoch unverkennbar durch die ihn überdeckenden Düfte von Parfum und Puder hindurchdrang – schal und trocken, wie von etwas, das zuerst verfault, dann eingetrocknet und zuletzt verschrumpelt war. Rein körperlich wirkte sie neu und steifer, was sie mit scheinbar gleichgültiger, geduldiger Miene ertrug, wie eine Patientin, die schon so lange Schmerzen hat, dass der Schmerz für sie einfach zur Daseinsform geworden ist. Sie war dünner geworden, was kaum noch möglich schien, und ihre Arme und die zarten Fesseln wirkten fragil und erschreckend zerbrechlich.

Ich hatte erwartet, dass sie es ablehnen würde, mich hierher zu begleiten, aber zu meiner Überraschung musste ich sie schließlich gar nicht überreden, was mir, wie ich gestehen muss, ein leichtes Unbehagen bereitete. Ich hatte ihr einfach den Reiseplan erklärt, und sie hatte mir zugehört, hatte leicht die Stirn gekraust und den Kopf zur Seite gedreht, als hätte ihr Gehör ein wenig nachgelassen. Sie hatte aufrecht in dem Klinikbett gesessen in ihrem verwaschenen grünen Krankenhausnachthemd. Als ich fertig war, hatte sie weggeschaut, hinüber zu den blauen Bergen, und geseufzt, was ich in Ermangelung irgendwelcher anderen Äußerungen als Zustimmung zu nehmen beschloss. Der Widerstand, muss ich sagen, kam von Toby Taggart und Marcy Meriwether. Oje, was haben die für einen Krach gemacht, Toby mit seinem donnernden Bass, und Marcy kreischte wie ein Papagei in der transatlantischen Leitung! Das alles ignorierte ich, und am nächsten Tag stiegen wir einfach ins Flugzeug, Dawn Devonport und ich, und flogen los.

Es war eigenartig, mit ihr zusammen zu sein. Wie wenn man mit jemandem zusammen ist, der nicht ganz da ist, nicht ganz bei Bewusstsein. Als ich noch sehr klein war, hatte ich eine Puppe, ich weiß nicht, wie ich zu der gekommen war; meine Mutter hätte mir bestimmt kein Mädchenspielzeug geschenkt. Ich bewahrte sie oben auf dem Speicher auf, in einer Holzkiste, versteckt unter alten Kleidern. Ich nannte sie Meg. Dieser Speicher, auf dem ich Jahre später eines Tages den Schemen meines toten Vaters erblickte, der unentschlossen dort herumlungerte, war leicht über eine enge Stiege zu erreichen, die vom Treppenabsatz aus an der Wand entlang nach oben führte. Meine Mutter lagerte dort Zwiebeln, auf dem Boden ausgebreitet; ich glaube jedenfalls, es waren Zwiebeln, es kommt mir fast so vor, als könne ich mich noch an den Geruch erinnern, aber vielleicht waren es auch Äpfel. Die Puppe, die früher dickes Haar gehabt haben musste, war inzwischen kahl, bis auf ein paar schüttere blonde Fransen, die am Hinterkopf in einem klebrigen Knoten aus glänzendem gelbem Gummi steckten. An Schultern und Hüften hatte sie Scharniere, die Ellenbogen und die Knie aber waren steif, die Gelenke in angewinkelter Haltung modelliert, sodass sie gleichsam in verzweifelter Umarmung mit irgendwas erstarrt schien, vielleicht mit ihrem nicht mehr vorhandenen Zwilling. Wenn man sie auf den Rücken legte, klappte sie die Augen zu, die dabei kurz und trocken klickten. Ich liebte diese Puppe heiß und innig, mit einer dunklen, beunruhigenden Heftigkeit. So manche glühend heiße Stunde brachte ich damit zu, ihr alle möglichen Fetzen und Lumpen an- und sie dann liebevoll wieder auszuziehen. Auch spielte ich, dass ich sie operierte, ihr zum Beispiel die Mandeln oder, was noch aufregender war, den Blinddarm herausnahm. Diese Behandlungen bereiteten mir ein brennendes Vergnügen, auch wenn ich nicht verstand, warum. Es musste etwas damit zu tun haben, dass diese Puppe so leicht war, damit, dass sie hohl war – in ihrem Innern war irgendwas lose, das wie eine getrocknete Erbse herumklapperte –, was mir das Gefühl gab, ihr Beschützer zu sein, und zugleich einen aufkommenden Zug von erotischer Grausamkeit in mir ansprach. Genauso war es jetzt mit Dawn Devonport. Sie erinnerte mich an Meg mit ihren knochenlosen, spröden Gliedern und klappernden Lidern. Wie sie, schien auch Dawn Devonport innen hohl zu sein und praktisch nichts zu wiegen und ganz in meiner Macht zu stehen, derweil ich doch in Wahrheit in der ihren stand, irgendwie, erschreckenderweise.

Wir stiegen aus dem Zug und gingen einfach aufs Geratewohl in eine der fünf Städte, ich weiß nicht mehr, in welche. Sie lief mit schnellen Schritten den Bahnsteig entlang, gesenkten Kopfes und die Handtasche an sich gedrückt, wie eine dieser dünnen, angestrengten jungen Frauen aus den Zwanzigerjahren, in ihrem engen Mantel mit dem großen Kragen, den Nahtstrümpfen und den schmalen Schuhen. Ich schleppte mich indessen mal wieder hinter ihr mit unseren drei Koffern ab, zwei großen von ihr und einem kleinen von mir. Der Regen hatte aufgehört, aber der Himmel hing noch immer tief und hatte die Farbe von durchnässter Jute. In einem verlassenen Restaurant am Hafen nahmen wir eine späte Mittagsmahlzeit ein. Es lag am Kopf einer Helling, wo dunkle Wellen sich gegenseitig anrempelten wie lauter große Kästen aus Metall, die irgendwer kräftig herumstößt. Dawn Devonport kauerte vor einem noch unberührten Teller mit Meeresfrüchten, hatte die Schultern hochgezogen und war mürrisch mit ihrer Zigarette beschäftigt, an der sie mit den Zähnen herumnagte wie an einem Stück Holz. Ich sprach sie an, fragte sie irgendwas – dieses Schweigen, in das sie immer verfiel, ging mir auf die Nerven –, aber sie ließ sich nur selten zu einer Antwort herbei. Schon erschien mir diese Unternehmung, zu der ich mit ihr zusammen aufgebrochen war, sogar noch unwahrscheinlicher als jene Fantasie aus Licht und Schatten, die durch ihren Suizidversuch und unsere sich daraus ergebende Flucht so jählings zerrissen worden war und die dadurch, wenn ich es recht bedachte, zu einem unbeendeten, unbeendbaren und durchaus schmählichen Ende hätte kommen können. Was für ein miserables Paar müssen wir doch abgegeben haben, das obskur geplagte Mädchen mit dem starren Gesicht, dem Kopftuch und der dunklen Brille und der bedrückt wirkende, in sein Unbehagen versunkene, grau melierte alternde Mann, wie wir wortlos in diesem schlecht beleuchteten, niedrigen Lokal oberhalb der winterlichen See saßen, während sich unsere Koffer in der verglasten Lobby aneinanderlehnten und auf uns warteten wie ein Trio großer, braver und ebenso geduldiger wie unverständiger Jagdhunde.

Als Lydia von meinem Plan erfuhr, mit Dawn Devonport zu verreisen, hatte sie gelacht und mich ungläubig angesehen, den Kopf in den Nacken gelegt, eine Augenbraue hochgezogen, mit genau dem gleichen Blick, mit dem mich Cass immer betrachtet hatte, wenn ich irgendwas zu ihr sagte, das sie albern oder verrückt fand. Ob das mein Ernst sei, fragte meine Frau. Ein Mädchen und in meinem Alter? Ich hatte steif erwidert, dass das nicht die Frage sei, ganz und gar nicht, dass die Reise einen rein therapeutischen Zweck verfolge und von meiner Seite aus ein reiner Akt der Nächstenliebe sei. Und während ich das sagte, hatte ich selbst das Gefühl, dass ich mich wie einer der eher aufgeblasenen und eher tendenziösen Esel unter den Protagonisten Bernard Shaws anhörte. Lydia seufzte kopfschüttelnd. Wie könne ich nur, fragte sie ganz leise, als könnte jemand uns belauschen, wie könne ich nur irgendwen, und dann auch noch Dawn Devonport, dorthin mitnehmen, ausgerechnet dorthin? Darauf hatte ich keine Antwort. Es war, als ob sie mich beschuldigte, Cass' Andenken in den Schmutz zu ziehen, und das schockierte mich, denn darüber, und das müssen Sie mir glauben, hatte ich überhaupt nicht nachgedacht. Ich sagte, sie könne gern mitkommen, doch das machte die Sache nur noch schlimmer, dann herrschte lange Schweigen, die Luft zwischen uns schien zu vibrieren, und schließlich senkte sie langsam den Kopf, ihre Stirn verdüsterte sich unheilvoll, und ich fühlte mich wie ein winzig kleiner Torero, der einem furchterregend kalten und berechnenden Stier gegenübersteht. Doch sie packte einfach meinen Koffer für mich, wie sie es früher immer getan hat, als ich noch auf Tournee ging. Als sie fertig war, schlappte sie hochmütig in die Küche. An der Tür blieb sie stehen und wandte sich zu mir um: »Weißt du«, sagte sie, »du bringst sie nicht wieder zurück, nicht so.« Ich wusste, dass sie nicht Dawn Devonport meinte. Nachdem sie ihren Schlussvers abgeliefert hatte – nicht umsonst hatte sie all die Jahre mit einem Schauspieler gelebt –, ging sie in ihre Höhle und zog mit einem Knall die Tür hinter sich ins Schloss. Und dennoch war ich, und das machte mich durchaus betroffen, der Überzeugung, dass sie das Ganze vor allem absurd fand.

Ich hatte Dawn Devonport nichts von Cass erzählt – das heißt, ich hatte ihr nicht erzählt, dass meine Tochter in Portovenere gestorben war. Ihr gegenüber hatte ich nur Ligurien erwähnt, als wäre ich zufällig darauf gekommen, einen Ort im Süden, wo es ruhig wäre, einen Platz, um sich zu erholen, wo es um diese Zeit des Jahres Stille gab und nicht so viele Menschen. Ich nehme an, Dawn Devonport war es im Grunde ganz egal, wo sie hinging, wohin man sie brachte. Sie kam einfach mit mir mit, im Stupor, wie ein schläfriges Kind, das ich am Arm führte.

Und dann, dort in dem Restaurant, fing sie auf einmal an zu reden; ich zuckte erschrocken zusammen. »Es wäre mir lieb, wenn Sie mich Stella nennen würden«, zischte sie zornig durch die zusammengebissenen Zähne. »So heiße ich nämlich, wissen Sie. Stella Stebbings.« Warum war sie denn mit einem Mal so wütend? Wäre ich selbst in einer sonnigeren Stimmung gewesen, hätte ich darin ein Zeichen sehen können, dass sie ins Leben zurückkehrte und wieder zu Kräften kam. Sie drückte ihre Zigarette in dem Plastikaschenbecher auf dem Tisch aus. »Nicht wahr, Sie wissen ja noch nicht mal das Erste von mir?«, sagte sie. Ich beobachtete durchs Fenster die ausgelassenen Wellen und fragte irritiert, doch in geduldig-mildem, wenn auch leicht gekränktem Ton, was denn ihrer Meinung nach das Erste von ihr sei. »Mein Name«, fauchte sie. »Vielleicht fangen Sie einfach mal damit an, sich meinen Namen zu merken. Stella Stebbings. Sprechen Sie mir nach.« Ich sprach ihr nach und wandte den Blick vom Wasser ab, um ihr fest in die Augen zu sehen. All das, dieses Geplänkel zur Eröffnung eines Streits mit einer Frau, war mir beklagenswert vertraut, wie etwas Auswendiggelerntes, von dem ich vergessen hatte, dass ich es kannte, und das nun unheilvoll zurückkam, wie irgendeine Klamotte, bei der ich mitgespielt hatte und die gefloppt war. Sie funkelte mich mit zusammengekniffenen Augen an, voll giftiger Verachtung, wie es schien, lehnte sich dann plötzlich auf ihrem Stuhl zurück, zog eine Schulter hoch und ließ sie wieder fallen, mit einem Mal genauso gleichgültig, wie sie eben noch zornbebend gewesen war. »Verstehen Sie?«, sagte sie mit müdem Ekel. »Ich weiß gar nicht, warum ich überhaupt versucht habe, mich umzubringen. Ich bin doch sowieso kaum vorhanden, hab ja noch nicht mal einen richtigen Namen.«

Unser Kellner, ein absurd gut aussehender Bursche mit dem üblichen Adlerprofil und dickem schwarzem, straff aus der Stirn gegeltem Haar, war hinten an der Küchentür, durch die der Koch den Kopf steckte – ich finde immer, diese Küchenchefs mit ihrer bekleckerten Schürze sehen aus wie Chirurgen, denen man die Approbation entzogen hat –, und nun kamen sie beide heran, der Küchenchef schüchtern und zögernd im Schlepptau seines großspurigen Kollegen, der weder Tod noch Teufel fürchtete. Ich wusste, was sie vorhatten, hatte ich doch dieses Ritual schon unzählige Male erlebt, seit wir auf italienischem Boden waren. Sie traten an unseren Tisch – unterdessen waren wir die einzigen Gäste, die noch übrig waren –, und Mario, der Kellner, stellte mit großer Geste Fabio, den Chefkoch, vor. Fabio war kugelrund und in mittleren Jahren und hatte sandfarbenes Haar, was ungewöhnlich ist in diesem Land der dunkelhäutigen Lotharios. Er war scharf auf ein Autogramm, natürlich. Ich glaube nicht, dass ich je zuvor einen Italiener hatte erröten sehen. Interessiert wartete ich darauf, wie Dawn Devonport reagieren würde – es war noch keine Minute her, dass sie bereit schien, mich mit ihrer Handtasche zu verprügeln –, aber sie ist natürlich durch und durch Profi, bis in die Spitze ihres kleinen silbernen Kugelschreibers, den sie nun hervorholte, um etwas auf die Speisekarte zu kritzeln, die der rotgesichtige Fabio ihr hinhielt, um ihm dieselbe mit diesem Zeitlupenlächeln zurückzugeben, das sie eigens für derartige Nahaufnahme-Begegnungen mit ihren Fans vorrätig hat. Es gelang mir, einen Blick auf die Unterschrift mit den zwei großen, geschwungenen, opulenten D zu erhaschen, die wie geschlossene Augenlider aussehen. Sie sah, wie ich guckte, und schenkte mir ein sarkastisches kleines Lächeln zum Dank. Stella Stebbings, also wirklich. Der Küchenchef kullerte glücklich davon, die kostbare Speisekarte an die bekleckerte Brust gedrückt, während der affektiert grinsende Mario sich in Positur stellte und die Diva fragte, ob sie vielleicht einen *Caffè* wolle, mich dabei indes geflissentlich ignorierte. Ich glaube, die denken alle, ich sei ihr Manager oder ihr Agent; dass irgendjemand mich für mehr als das hält, wage ich zu bezweifeln.

Da es ja wohl so ist, dass kein Teil der Schöpfung jemals wirklich zerstört wird, sondern allenfalls zerlegt oder zerstreut werden kann, könnte das dann nicht auch für das Bewusstsein des Einzelnen gelten? Wohin geht, wenn wir sterben, all das, was wir gewesen sind? Denk ich an die, die ich einst liebte und verloren habe, dann geht es mir wie einem, der bei Einbruch der Nacht in einem Garten zwischen augenlosen Statuen umherstreift. In der Luft um mich herum flüstert es von Abwesenheiten. Ich denke an die feuchten braunen Augen von Mrs Gray mit den winzigen goldenen Sprenkeln darin. Wenn wir uns liebten, veränderten sie sich von Bernstein über Umbra hin zu einem trüben Bronzeton. »Wenn wir Musik hätten«, sagte sie immer in Cotters Haus, »wenn wir Musik hätten, könnten wir tanzen.« Sie selbst sang die ganze Zeit vollkommen falsch den Walzer aus der *Lustigen Witwe, The Man Who Broke the Bank at Monte Carlo, Roses Are Blooming in Picardy* und irgendwas mit »Lerche, Lerche«, wo sie aber den Text nicht kannte, sodass sie nur summen konnte, und auch das wieder total falsch. Diese

Dinge teilten wir, diese und andere Myriaden, Myriaden, Myriaden, die von ihr bleiben, doch was wird aus ihnen, wenn ich nicht mehr da bin, ich, der einzige Hüter ihres Verwahrungsortes?

»Ich hab etwas gesehen, als ich tot war«, sprach Dawn Devonport. Sie saß nach vorn gebeugt, die Ellenbogen auf den Tisch gestützt, kauerte da, vor sich den Aschenbecher, und stocherte mit der Fingerspitze zwischen den Kippen herum. Sie hatte die Stirn in Falten gelegt und sah mich nicht an. Draußen vorm Fenster hatte der Nachmittag unterdessen die gleiche Farbe wie die kalte Asche im Ascher. »Ich war fast eine Minute lang praktisch tot, hat man mir gesagt – haben Sie das gewusst?«, fragte sie. »Und da habe ich etwas gesehen. Vermutlich hab ich mir das ausgedacht, aber ich weiß nicht, wie ich tot sein und mir gleichzeitig etwas ausdenken konnte.«

Das sei vielleicht unmittelbar vor ihrem Tod passiert, mutmaßte ich, oder unmittelbar danach, dieses Erlebnis.

Sie nickte, die Stirn noch immer in Falten gelegt, ohne mir zuzuhören. »Es war nicht so was wie ein Traum«, sagte sie. »Es war nicht so wie irgendwas anderes. Ergibt das einen Sinn, etwas, das nicht so war wie irgendwas? Aber genauso ist es gewesen – ich hab etwas gesehen, das so wie nichts war.« Sie musterte interessiert ihre mit Asche beschmierte Fingerspitze und sah mich dann sonderbar leidenschaftslos an. »Ich fürchte mich«, sagte sie, ganz ruhig und sachlich. »Vorher war das nicht so, aber jetzt fürchte ich mich. Ist doch komisch, nicht wahr?«

Als wir gingen, waren der Kellner und der Koch an der Tür und verbeugten sich grinsend. Fabio, der Koch, zwinkerte mir mit fröhlicher, fast brüderlicher Herablassung zu.

Es war schon spät, als wir in Lerici eintrafen, immer noch leidend nach dem sauren Wein zum Mittagessen und der schlechten

Luft und dem Radau im Zug. Inzwischen hatte es angefangen zu schneien, und hinter der niedrigen Mauer an der Promenade war das Meer in dunkler und dunkler werdendem Aufruhr. Ich versuchte, jenseits der Bucht Portovenere zu erkennen, was mir aber wegen der großen weißen Flocken, die kreuz und quer durch die dunstige Luft wirbelten, nicht gelang. Vor uns zog sich die von Lampen erleuchtete Stadt den Hügel hinauf zum ungeschlachten, massig aufragenden *castello*. In der schneegedämpften Stille hatten die engen, gewundenen Straßen etwas Verschlossenes, Melancholisches. Vor Staunen über das Spektakel jenes gnadenlosen, geisterhaften Niederschlags schien alles schier den Atem anzuhalten. Das Hotel le Logge stand eingeklemmt zwischen einem kleinen Lebensmittelladen und einer geduckten, stuckverzierten Kirche. Der Laden war noch offen, trotz der späten Stunde, ein überraschender, hell erleuchteter fensterloser Kasten mit vollgestopften Regalen bis hinauf zur Decke und vorn am Eingang einer schrägen Auslage, auf der eine reiche Auswahl feucht glänzenden Gemüses und polierter Früchte prangte. Es gab Stiegen mit Pilzen in Creme und Hellbraun, schamlose Tomaten, reihenweise gebündelte Porreestangen, jede so dick wie mein Handgelenk, Zucchini von der Farbe blank geriebener Palmenblätter, offene Rupfensäcke mit Äpfeln, Orangen, Amalfi-Zitronen. Wir stiegen aus dem Taxi, blieben stehen und betrachteten verständnislos und einigermaßen bestürzt diese ungeheure, so gar nicht der Jahreszeit gemäße Überfülle.

Das Hotel war alt und schäbig, und in seinem Innern herrschten sämtliche Schattierungen von Braun – der Teppich sah aus wie Affenfell. Neben dem üblichen Geruch der Sanitäranlagen – er wehte in Schwaden heran, in regelmäßigen Abständen, als entstiege er einer alten, verfaulenden Lunge – gab es noch einen anderen Geruch, der etwas Trockenes und Sehnsuchtsvolles hatte, den Geruch des Sonnenscheins des letzten Sommers vielleicht, der sich in den Ecken und den Fugen verfangen hatte und darin vermodert war. Als wir eintraten, wurde das flotte, hochherrschaftliche Nahen von Dawn Devonport mit vielen Verbeugungen und reichlich strahlenden Gesichtern quittiert – öffentliche Beachtung muntert sie stets auf; wen denn auch nicht in unserer Branche? Der hohe Pelzkragen ihres Mantels ließ ihr abgemagertes Gesicht noch dünner und kleiner erscheinen; das eingeschlagene Kopftuch trug sie eng anliegend, turbanartig, im Stil von – wie hieß sie noch mal – in *Sunset Boulevard*. Wie sie es mit dieser beunruhigend an die böse glitzernden, prismatischen Augen eines Insekts erinnernden Sonnenbrille schaffte, sich im Halbdunkel des Foyers zurechtzufinden, ist mir ein Rätsel, aber sie ging mit raschen, spröde klappernden Schritten voraus zur Rezeption, wo sie ihre Handtasche neben der oben mit einem Nippel versehenen Messingglocke hinknallte, sich seitlich in Positur stellte und dem Burschen hinter dem Tresen in seinem abgeschabten schwarzen Jackett und seinem durchgescheuerten weißen Hemd, der sowieso schon hin und weg war, ihr herrliches Profil präsentierte. Ich frage mich, ob sie diese scheinbar mühelos aus dem Ärmel geschüttelten Effekte jedes Mal neu kalkulieren muss, oder ob sie sie mittlerweile fix und fertig parat hat, ob sie gewissermaßen Teil ihres festen Repertoires sind, ihres Arsenals? Sie müssen verstehen, ich fühlte mich angesichts des Schauspiels ihrer Großartigkeit die ganze Zeit genauso erbärmlich wie der arme Kerl hinter dem Tresen – diese Absurdität, o Herz, verstörtes Herz.

Dann der rasselnde Aufzug, die wurmförmigen Flure, das Knirschen des Schlüssels im Schloss und dieser schale Seufzer, mit dem die Luft aus dem düsteren Zimmer entwich. Der nuschelnde Gepäckträger mit seinem krummen Rücken ging uns voraus und stellte die Koffer unmittelbar vor dem

Fußende des großen quadratischen Bettes ab, das in der Mitte eine Kuhle hatte und aussah, als wären schon Generationen von Gepäckträgern – die Vorfahren von diesem hier – darin geboren worden. Wie anklagend einen doch ein einmal abgestellter Koffer angucken kann. Nebenan hörte ich Dawn Devonport viele mysteriöse kleine Geräusche machen und unter Klimpern und Klopfen und leisem, vielsagendem Geraschel ihre Taschen auspacken. Dann kam der Augenblick gelinder Panik, wenn die Anziehsachen aufgehängt waren, die Schuhe verstaut, das Rasierzeug auf dem Marmorbord im Badezimmer aufgestellt, wo eine vergessene Zigarette einen Brandfleck hinterlassen hatte, schwarz mit bernsteinfarbenen Rändern. Unten auf der Straße sauste ein Auto vorbei, von dessen grellen Scheinwerfern ein bleistiftdünner gelber Lichtstrahl durch einen Riss im Vorhang drang, der das Zimmer von einer Seite zur anderen abtastete, um sich dann eilig wieder zurückzuziehen. Über mir rülpste und schluckte ein Klosett, und prompt kam auch das Rohr bei mir im Bad in Stimmung und gab einen tiefen, kehligen Laut von sich, der einem lüstern gurgelnden Gelächter glich.

Unten herrschte summende Stille. Ich ging auf lautlosen Füßen auf dem rauen Fell des Teppichs auf und ab. Das Restaurant war geschlossen; undeutlich sah ich durch das Glas die vielen Stühle auf den dazugehörigen Tischen stehen, als wären sie aus Angst vor irgendwas, das auf dem Fußboden war, dort hinaufgesprungen. Der Bursche an der Rezeption hatte die Möglichkeit erwähnt, sich etwas aufs Zimmer bringen zu lassen, was jedoch nicht sehr überzeugend klang. Fosco hieß er, wie mir das Schildchen an seinem Revers verriet, Ercole Fosco. Dieser Name war wie ein Omen, obwohl ich nicht hätte sagen können, wofür. Ercole Fosco. Er war der Nachtportier. Mir gefiel sein Aussehen. Mittelalt, ergrauende Schläfen, Hängebacken und ein bisschen blass im Gesicht – Albert Einstein in mittleren Jahren, in seiner präkonischen Periode. Die sanften braunen Augen erinnerten mich ein wenig an die von Mrs Gray. In seinem Betragen lag ein Zug von Melancholie, zugleich aber ging auch etwas Beruhigendes von ihm aus; er war ein bisschen wie diese unverheirateten Onkel, die in meiner Kindheit immer um die Weihnachtszeit mit Geschenken auftauchten. Ich lungerte am Tresen herum, versuchte irgendwas zu finden, worüber ich mich mit ihm unterhalten konnte, aber mir fiel nichts ein. Er lächelte entschuldigend und machte eine kleine Faust – was für kleine Hände er hatte –, hielt sie sich vor den Mund und hustete hinein, wobei sich seine sanften Augen in den äußeren Winkeln senkten. Ich merkte, dass ich ihn nervös machte, und fragte mich, warum. Ich dachte mir, dass er vielleicht nicht hier aus der Gegend kam, denn er sah aus wie jemand aus dem Norden – aus Turin vielleicht, der Hauptstadt der Magie, oder aus Mailand oder Bergamo oder sogar noch weiter weg, jenseits der Alpen. Gelangweilt, irgendwie mechanisch, fragte er, ob das Zimmer zu meiner Zufriedenheit sei. Ich bejahte. »Und die Signora, ist sie auch zufrieden?« Ich sagte ja, ja, die Signora sei ebenfalls zufrieden. Wir seien beide sehr zufrieden, sehr froh. Er machte eine kleine dankbare Verbeugung, wobei er seitwärts ruckte, was weniger wie ein Diener und eher wie ein Achselzucken aussah. Müßig fragte ich mich, ob ihm mein Verhalten und meine Bewegungen ebenso fremd vorkamen wie mir die seinen.

Ich ging zur Tür, blieb davor stehen und schaute durch das Glas hinaus. Draußen, in der Lücke zwischen zwei Straßenlaternen, herrschte tiefe Dunkelheit, und der in der leise murmelnden Stille rasch in großen nassen Flocken senkrecht herniederfallende Schnee sah beinah schwarz aus. Vielleicht würden um diese Jahreszeit, bei diesem Wetter, die Fähren nach Portovenere gar nicht fahren – das wäre ein Thema, über das ich mich mit Ercole, dem Nachtportier, hätte unterhalten können –, vielleicht würde ich die Straße nehmen müssen, zurück durch La Spezia und dann an der Küste entlang. Es war ein langer Weg, die Straße oberhalb der schroffen Klippen machte zahlreiche Biegungen und Kurven. Das wär ja was, wenn Lydia hören würde, ihr Mann sei.auf dem Weg dorthin, wo ihre Tochter – in anderen Umständen – auf ganz ähnliche Art gestorben war, an einer Felswand zerschellt.

Irgendwie bewegte sich mein Spiegelbild in der Glasscheibe nicht mit, wenn ich mich bewegte. Aber dann passsten sich meine Augen an, und ich entdeckte, dass das, was ich sah, gar nicht mein Spiegelbild war, sondern dass da draußen jemand stand und mich anschaute. Wo war er hergekommen, wie kam es, dass er da war? Es war, als hätte er sich in diesem Moment erst materialisiert. Er trug keinen Mantel, keinen Hut und auch keinen Schirm. Sein Gesicht konnte ich nicht richtig erkennen. Ich trat zurück und hielt die Tür auf, es gab ein schmatzendes Geräusch, und eifrig und gelenkig wie ein Tier sprang die Nacht herein; in ihrem Fell hatte sich kalte Luft verfangen. Der Mann kam herein. Er hatte Schnee auf den Schultern und trat sich stampfend die Füße auf dem Teppich ab, erst einen, dann den anderen, jeweils dreimal. Er taxierte mich mit einem stechenden Blick. Es war ein junger Mann mit hoher, gewölbter Stirn. Oder vielleicht, dachte ich, nachdem ich noch einmal genauer hingesehen hatte, vielleicht war er auch gar nicht jung, denn sein ordentlich gestutzter Bart war angegraut, und außen an den Augenwinkeln hatte er feine Fältchen. Er trug eine Brille mit dünnem Gestell und ovalen Gläsern, durch die er ein bisschen wie ein Gelehrter aussah. Wir standen einen Moment da, sahen einander an – wie Gegner, hätte ich fast gesagt, genau wie eben noch, nur jetzt ohne eine Glasscheibe zwischen uns. In seiner Miene lag Skepsis, die aber durch Humor gemildert war. »Kalt«, sagte er, das Wort wie ein Weinverkoster mit den Lippen umschließend. Er sprach, als hätte er ein kleines Hindernis im Mund, einen Obstkern oder einen Stein, etwas, um das er mit der Zunge immer einen Bogen machen musste. Hatte ich ihn schon mal irgendwo gesehen? Er kam mir bekannt vor, aber woher nur?

Früher, als ich noch gearbeitet habe, am Theater, meine ich, habe ich während einer Produktionsperiode nie geträumt. Das heißt, ich muss wohl doch geträumt haben, da man uns ja erklärt hat, dass unser Geist nicht untätig sein kann, nicht einmal im Schlaf, aber wenn dem so ist, hab ich vergessen, was ich träumte. Fünf Abende in der Woche und samstags zweimal über die Bühne zu stolzieren und herumzuschwafeln, das hat wohl die Funktion erfüllt, die sonst die Träume haben. Als ich mich jedoch zurückzog, verwandelte sich jede meiner Nächte in einen regelrechten Aufstand, und meistens wachte ich am Morgen durchgeschwitzt und in völlig verdrehter Haltung auf, keuchte und war total erschöpft nach langen, qualvollen Wegen durch eine Schreckenskammer oder einen Liebestunnel oder manchmal eine Kombination von beidem, während derer ich hilflos mit dem Kopf voran durch alle möglichen grotesken Kalamitäten getaumelt war, oft genug ohne Hose, mit flatternden Hemdschößen und nacktem Hintern. Heute aber führt einer meiner häufigsten Albträume – jener unbeherrschbaren Rosse – mich wie zum Hohn unwiderstehlich wieder auf die Bühne und schleudert mich zurück ins Rampenlicht. Ich spiele in einer großen Tragödie oder in einer unglaublich verwickelten Komödie, und mitten in einem langen Monolog bleibe ich stecken. Genau das ist mir, wie ja allgemein bekannt ist, im wirklichen Leben auch passiert, ich meine, in meinem wachen Leben – ich spielte damals Kleists Amphitryon –, und hat meiner Theaterlaufbahn ein jähes und unrühmliches Ende bereitet. Merkwürdig war das schon mit diesem Aussetzer, denn ich hatte ein beachtliches Gedächtnis, jedenfalls in meinen besten Jahren, man hätte sogar sagen können, ein fotografisches Gedächtnis. Meine Methode, die Verse zu lernen, war, dass ich den ganzen Text, ich meine, Seite für Seite, als eine lange Reihe von Bildern im Kopf festhielt, die ich dann ablesen und rezitieren konnte. Der Schrecken dieses speziellen Traumes bestand aber darin, dass der Text auf den im Gedächtnis festgehaltenen Seiten eben noch ganz schwarz und scharf ist und im nächsten Moment auf einmal vor meinem geistigen Auge, dem verzweifelt blinzelnden Auge meines schlafenden Geistes, verlischt und zerfällt. Zu Anfang mache ich mir keine großen Sorgen, weil ich überzeugt bin, dass ich es schaffe, mich an genügend Stellen meines Monologs zu erinnern und mich irgendwie durchzuwursteln oder ich, wenn's hart auf hart kommt, das ganze Ding schon irgendwie improvisieren kann. Doch das Publikum kriegt schnell mit, dass da was ganz übel in die Hose geht, und die anderen Schauspieler, die mit mir auf der Bühne sind – um mich herum wimmelt es geradezu von Schauspielern –, merken plötzlich, dass ein Kollege »verreckt« ist, und fangen an, nervös herumzuzappeln, und sehen sich gegenseitig mit großen Augen an. Was ist da zu tun? Ich versuche, das Publikum herumzukriegen, es auf meine Seite zu holen, indem ich mich feige bei den Leuten einschmeichle, lächle und lisple, mit den Achseln zucke und Fratzen schneide, nachdenklich auf meine Füße starre, zum Schnürboden hochblinzele und dabei Zentimeter um Zentimeter seitwärts rücke, immer näher heran an die rettende Gasse. Und noch dazu geht das Ganze einher mit einer furchtbaren Komödie, einer Komödie, die umso mehr zum Verzweifeln ist, als sie überhaupt nichts mit dem ganzen Zeug da auf der Bühne zu tun hat. Im Grunde ist das

ja das Wesen des Albtraums, dass das ganze theatralische Ge-
tue auf einmal weg ist und mit ihm auch der ganze Schutz. Die
Fetzen des Kostüms, die an mir haften, sind durchsichtig geworden, oder, was genauso gut ist, ich bin da, nackt und zur
Schau gestellt, vor mir der voll besetzte Saal mit all den nervösen Zuschauern und hinter mir die Kollegen, die mit Vergnügen dafür sorgen würden, dass ich tatsächlich verrecke. Die
ersten Buhrufe erschallen, ich wache auf und finde mich bekla-
genswertes Würstchen zusammengerollt in dem völlig zerwühlten, heißen, schweißgetränkten Bett.

Es war jemand an der Tür. Jemand hämmerte an die Tür.
Ich wusste nicht, wo ich war, und lag klopfenden Herzens reglos da, wie ein gejagter Verbrecher, der in einem Graben kauert.
Ich lag auf der Seite, einen Arm verkrampft unter dem Körper,
den anderen hochgerissen, wie um einen Angriff abzuwehren.
Die Gazevorhänge am Fenster glühten gelblich, und dahinter
war eine rasche, generell abwärts gerichtete Wellenbewegung,
die ich weder verstehen noch mir erklären konnte, bis mir der
Schnee wieder einfiel. Die Person an der Tür, wer auch immer
sie sein mochte, hatte aufgehört zu hämmern und schien sich
jetzt dagegen zu werfen, sodass das Holz dumpf dröhnte. Ich
stand auf. Im Zimmer war es kalt, und dennoch schwitzte ich
und war vom Miasma meines eigenen Gestanks umweht. An
der Tür zögerte ich, die Hand am Knauf. Ich hatte keine Lampe
angemacht; das Einzige, was den Raum erhellte, war das schwe-
felige Leuchten der Straßenlaterne, das hinter mir durch den
Vorhang drang. Ich öffnete die Tür. Im ersten Moment dachte
ich, jemand im Flur habe mit einem leichten, dünnen Klei-
dungsstück nach mir geworfen, denn ich hatte das Gefühl, dass
etwas Kühles, Fröstelnmachendes wie Seide an mir hinabglitt,
anscheinend eine leere Hülle. Dann kratzten Dawn Devonports Finger an meinem Handgelenk, und auf einmal stand sie

vor mir, in ihrem Nachthemd, zitternd und keuchend, duftend nach Nacht und Angst.

Sie konnte nicht sagen, was sie hatte. Ja, wirklich, sie konnte kaum sprechen. Ob es ein Traum war, fragte ich, vielleicht ein Schauspieleralbtraum, so einer wie der, aus dem sie mich mit ihrem Hämmern an die Tür geweckt hatte? Nein – sie habe nicht geschlafen. Sie habe das Gefühl gehabt, dass da etwas Riesiges mit ihr im Zimmer gewesen sei, ein wissendes, boshaftes und unsichtbares Unwesen. Ich führte sie zum Bett und knipste die Lampe auf dem Nachttisch an. Sie setzte sich hin, mit hängendem Kopf, die Hände schlaff auf den Oberschenkeln, die Handflächen nach oben gekehrt. Ihr Nachthemd war aus perlgrauem Satin, so fein und dünn, dass ich unterm Stoff die Wirbel ihrer Wirbelsäule hätte zählen können. Ich zog mein Jackett aus und legte es ihr um die Schultern, und erst da merkte ich, dass ich noch immer vollständig angezogen war – ich war anscheinend hereingekommen, ins Bett gefallen und sofort eingeschlafen. Was sollte ich jetzt machen mit dieser bibbernden Kreatur, die in diesem Nachtgewand noch nackter aussah, als sie ohne ausgesehen hätte, sodass ich sie kaum zu berühren wagte? Sie sagte, ich müsse überhaupt nichts machen, solle sie einfach nur einen Moment hierbleiben lassen, bis es, was immer es auch war, vorüber wäre. Sie blickte nicht auf, während sie sprach, sondern blieb genauso sitzen wie zuvor, elend und zitternd, mit hängendem Kopf und hilflos nach oben gekehrten Handflächen, und ihr entblößter blasser kleiner Nacken glänzte im Licht der Nachttischlampe.

Wie seltsam das doch ist, diese unmittelbare und intime Nähe eines anderen. Oder bin ich der Einzige, der das seltsam findet? Für andere sind die anderen vielleicht überhaupt nicht anders, jedenfalls nicht so wie für mich. Für mich gibt es nur zwei Arten des Andersseins, den geliebten Menschen und den Fremden, wobei Ersterer eigentlich gar kein anderer ist, sondern eher eine Erweiterung meiner selbst. Ich glaube, dass das so ist, habe ich Mrs Gray zu verdanken oder zu verübeln. Sie hat mich so früh an ihre Brust gedrückt, dass ich gar keine Zeit hatte, die Gesetze der richtigen Perspektive zu lernen. Sie war so nah, dass dadurch alle Übrigen zwangsläufig unverhältnismäßig viel weiter weggerückt wurden. Hier halte ich einen Moment inne, um nachzudenken. Ist das wirklich so, oder gefalle ich mir nur in dieser Vernünftelei, von der ich seit meinen frühesten Tagen heimgesucht bin? Aber wie kann ich wissen, ob das stimmt? Ich habe das Gefühl, dass es so ist, dass Mrs Gray das Original war und bis zu einem gewissen Grade auch die anhaltende Schiedsrichterin meiner Beziehungen zu anderen Leuten, und keine noch so ausgiebige oder intensive Anstrengung des Gedankens kann mich davon überzeugen, dass dem nicht so sei. Selbst wenn die Gewalt des Denkens mich zu der gegenteiligen Meinung nötigen würde, so würde das Gefühl sich immer noch im Recht fühlen und wäre ein allgegenwärtiger grollender kläglicher Rest bereit, bei der allergeringsten Gelegenheit seinen Anspruch zu behaupten. Dies sind die Überlegungen, denen ein Mann sich hingibt, wenn er in den schneeigen Stunden vor Tau und Tag viele Meilen entfernt von Heim und Herd sich unerwartet in diesem Hotelzimmer als Gastgeber eines berühmten und berüchtigt schönen Filmstars wiederfindet, der nichts weiter anhat als ein Nachthemdchen.

Ich brachte sie dazu, sich auf mein nicht eben wohlriechendes, verschwitztes Bett zu legen – sie war so schwach, dass ich ihr mit der Hand unter die Knöchel greifen und ihr helfen musste, die kalten Füße vom Boden hochzubekommen – und deckte sie zu. Sie hatte immer noch mein Jackett um die Schultern. Man sah, dass sie nicht einmal richtig wach war, und ich fühlte mich an Lydia erinnert, wenn sie des Nachts auf der Suche nach unserer verlorenen Tochter durchs Haus geisterte; ist das die einzige Rolle, die mir jetzt noch bleibt – als Tröster der getriebenen und heimgesuchten Frauen? Ich zog mir einen Binsenstuhl ans Bett und setzte mich, um über meine Lage nachzudenken: hier mit dieser jungen Frau, die ich kaum kannte, schlaflos und verwüstet, an dieser winterlichen Küste. Doch da war etwas ganz unten im Rückgrat, ein heißes Kribbeln, eine heimliche Erregung. Als ich ein Junge war, nach Meg, der Puppe, aber lange vor dem Erscheinen von Mrs Gray, hatte ich einen wiederkehrenden Tagtraum, in dem ich mich um gewisse kosmetische Bedürfnisse einer erwachsenen Frau kümmern musste. Es war keine bestimmte Frau, sondern einfach ein weibliches Wesen, die Frau an sich vermutlich, das berühmte *Ewig-Weibliche*. Alles war ganz unschuldig, zumindest, was das Handeln anging, denn es wurde mir nichts weiter aufgetragen, als diesem Fantasiegeschöpf zu dienen, indem ich, sagen wir mal, ihm die Haare wusch oder die Fingernägel lackierte oder in Ausnahmefällen Lippenstift auflegte, wobei Letzteres übrigens gar nicht so einfach war, wie ich später feststellen sollte, wenn ich es schaffte, Mrs Gray dazu zu bringen, dass sie mir erlaubte, ihren herrlich fleischigen Mund, der ständig in Bewegung war, mit einem dieser knallroten Wachsstifte zu bearbeiten, die für mich immer wie eine messingene Patronenhülse aussehen, in der sich ein surrealistisch weiches, glänzendes Geschoss befindet. Was ich jetzt hier in diesem schäbigen Hotelzimmer empfand, das hatte etwas von diesem gleichen sanft schwellenden Vergnügen, das ich vor all den Jahren genossen hatte, wenn ich mir vorstellte, wie ich meiner Phantomdame bei ihrer Morgentoilette zur Hand ging.

»Sie müssen mir erzählen«, flüsterte meine ungebetene Besucherin jetzt in atemlos drängendem Ton und riss dabei die leicht umwölkten grauen Augen weit auf, »Sie müssen mir erzählen, was mit Ihrer Tochter passiert ist.«

Sie lag auf dem Rücken, die Hände über der Brust gefaltet und den auf meinem Jackett ruhenden Kopf zur Seite gewandt, also zu mir, sodass mir ihre Wange das Revers zerknautschte. Sie hat so eine Art, wie ich inzwischen gemerkt habe, mit irgendetwas plötzlich so herauszuplatzen, plötzlich und leise, wenn man am wenigsten damit rechnet, und diese Plötzlichkeit ist es, die das Gesagte gleichsam zum Orakel macht, wodurch ihre Worte, mögen sie auch noch so abgeschmackt oder unlogisch sein, ein archaisches Puckern hervorrufen. Ich nehme an, das ist ein Trick, den sie in all den Jahren vor der Kamera gelernt hat. Es ist schon wahr, ein Filmset hat etwas von der luftlosen Intensität des Tempels einer Seherin. Dort in der Höhle aus heißem Licht, wo das Mikro an seinem Galgen über unseren Köpfen baumelt und der Drehstab uns aus dem Schatten fixiert wie ein Kreis von verschüchterten Bittstellern, mag man uns verzeihen, dass wir uns vorstellen, die Worte, die wir rezitieren, seien die durch uns hervorgebrachten Äußerungen des in Rätseln redenden Gottes selbst.

Ich erzählte ihr, dass ich nicht weiß, was mit meiner Tochter passiert ist, außer, dass sie gestorben ist. Ich erzählte ihr, dass Cass immer Stimmen gehört hatte, und sagte, vielleicht sei sie durch sie dazu getrieben worden, durch die Stimmen, wie es, soweit ich weiß, ja häufig vorkommt bei Menschen, deren Geist gestört ist und die durch irgendwas dazu getrieben werden, sich selbst zu zerstören. Ich war bemerkenswert ruhig, fast schon unbeteiligt, möchte ich sagen, als hätten mich die Umstände – das anonyme Hotelzimmer, die späte Stunde, der unbeirrbar feste, ernste Blick dieser jungen Frau – mit einem Schlage, einfach so, von der Mühsal jenes Paktes zu Zurückhaltung und Verschwiegenheit, den ich vor zehn Jahren mit Cass' Geist geschlossen hatte, erlöst oder diesen Pakt zumindest zeitweilig ausgesetzt. Hier, so schien es, durfte alles ausgesprochen, jeder Gedanke heraufbeschworen und frei zum Ausdruck gebracht werden. Dawn Devonport wartete, die großen Augen unverwandt auf mich geheftet. Jemand, erzählte ich ihr, sei bei meiner Tochter gewesen. »Dann sind Sie also«, sagte sie, »hierher zurückgekommen, um herauszufinden, wer das war.«

Darauf runzelte ich die Stirn und guckte weg. Wie gelb das Licht der Lampe war, wie dicht sich jenseits seines Scheins die Schatten drängten. Im Fenster hinter dem Gewebe des Vorhangs fielen und fielen noch immer schwere nasse Flocken.

Cass' Name für ihn, sagte ich in nachdenklichem Ton, wer immer er auch sein mochte, war Swidrigailow. Sie streckte die Hand unter der Decke hervor und legte sie leicht, nur kurz auf meine, eher Einhalt gebietend, wie mir schien, als um mich zu ermuntern. Ihre Berührung war kühl und merkwürdig unpersönlich, wie von einer Krankenschwester, die prüfen möchte, ob ich Fieber habe, und mir den Puls misst. Ich sagte: »Sie war schwanger, wissen Sie.«

Hatte ich ihr das schon erzählt? Ich wusste es nicht mehr.

Das war, zu meiner gelinden Überraschung, das Ende unserer Unterhaltung, denn nun seufzte Dawn Devonport wie ein Kind, dem der Anfang der Gutenachtgeschichte ausreicht, und drehte sich um und schlief ein – oder tat jedenfalls so. Ich wartete und wagte nicht, mich zu bewegen, denn ich hatte Angst, dass sonst womöglich der Stuhl knarrte und sie wieder wach wurde. In der Stille stellte ich mir vor, ich könnte draußen den Schnee fallen hören, ein schwaches Rascheln, das dennoch von unermüdlichem Bemühen zeugte und von gedämpftem, standhaft erduldetem Leiden. Wie doch die Welt nur immer klaglos weitermacht, ganz gleich, womit, und tut, was sie zu tun hat. Ich merkte, dass ich Frieden hatte. Es war, als hätte mein Geist in einem See aus klarer Dunkelheit gebadet, die wie Balsam auf mich wirkte. Es war das erste Mal seit damals, seit der Sache mit dem Priester und der Beichte, dass ich mich so vollkommen erleichtert fühlte und so – ja, was eigentlich? – geschoren? Mein Blick fiel auf das Telefon auf dem Nachttisch, und mich streifte der Gedanke, Lydia anzurufen, doch es war zu spät in der Nacht, und ich wusste auch gar nicht, was ich ihr hätte sagen sollen.

Ich stand vorsichtig auf und zog mein Jackett unter der schlafenden jungen Frau hervor, stellte den Stuhl weg, nahm meinen Schlüssel und verließ den Raum. Als ich die Tür schloss, schaute ich noch einmal zurück zum Bett und zu dem tiefen Baldachin aus Lampenlicht, wo sich indes nichts rührte und nichts zu hören war als Dawn Devonports gleichmäßiges Atmen. Hatte auch sie für den Moment Frieden?

Auf dem Korridor herrschte die gewohnte Stille. Ich mied den Aufzug – von seiner schmalen Doppeltür aus zerbeultem rostfreien Stahl ging ein unheilvoller Glanz aus – und nahm stattdessen die Treppe. Über sie gelangte ich in einen mir unbekannten Teil der Eingangshallen, in dem es eine ausladende Topfpalme gab und einen Automaten, der die Größe eines aufrecht stehenden Sarkophags hatte und dessen Seite düster opalisierend schimmerte, und da verlor ich einen Augenblick lang total die Orientierung, und Angst flackerte in mir auf. Ich wandte mich erst nach der einen und dann nach der anderen Seite, drehte mich auf dem Absatz herum und fand schließlich hinter den protzigen verstaubten Palmwedeln die Rezeption. Ercole, der Nachtportier, war da oder jedenfalls sein Kopf, im Profil, denn mehr sah ich nicht von ihm, ruhte, wie es schien, auf dem Tresen, hinter einem Teller mit Bonbons. Ich musste an Salomes grausige Trophäe denken, die auch auf einem Teller lag. Diese Bonbons sind übrigens eine Sitte, die noch aus den

Zeiten der alten Währung herrührt, als sie anstelle einer Tasche voll wertloser Wechselmünzen angeboten wurden. Was ich mir nicht alles merke; wertlose Münze der Erinnerung.

Ich trat an den Tresen. Er war hoch, und Ercole saß seitlich dahinter auf einem niedrigen Hocker und las in einem dieser altmodischen Comicbücher, die statt der Zeichnungen so merkwürdig verwaschene Fotos haben. Er blickte auf und schaute mich mit einer Mischung aus Ehrerbietung und gelinder Gereiztheit an, und seine müden Augen sahen noch trostloser aus als sonst. Ich fragte, ob ich vielleicht etwas zu trinken haben könne, und er erwiderte seufzend natürlich, natürlich, wenn ich mich bitte schon zur Bar begeben wolle, er werde augenblicklich folgen. Doch als ich bereits im Gehen war, rief er auf einmal meinen Namen, und ich blieb stehen und wandte mich um. Er hatte den Comic weggelegt und sich von seinem Hocker erhoben und stand nun leicht nach vorn gebeugt da, in einer Haltung, die Vertraulichkeit ausdrückte, die Fäuste rechts und links vor sich auf den Tresen gestemmt. Langsam und – beinah hätte ich gesagt – andächtig ging ich zurück. Signora Devonport, fragte er, ob mit ihr alles in Ordnung sei? Er sprach leise, gleichsam mit angehaltenem Atem, wie im Anschluss an ein Trauer- oder Klageritual. Seine schmachtenden Augen schienen mein Gesicht von oben bis unten abzutasten, wie die Fingerspitzen eines blinden Sehers. Ich sagte ja, es sei alles bestens. Er lächelte freundlich, aber ohne mir zu glauben, wie ich sah. Mir war nicht klar, was er mit dieser Frage meinte, mir war nicht klar, worauf er hinauswollte. War es eine Vorsichtsmaßnahme? War Dawn Devonports Hämmern an meine Tür gehört worden, war sie beobachtet worden, wie sie völlig aufgelöst in mein Zimmer geschlüpft war? In Hotels bin ich mir immer unsicher, was die Hausordnung betrifft. Wenn früher eine Dame nachts heimlich das Zimmer eines Herrn betreten hätte, wäre sofort der Hausdetektiv angeschossen gekommen und hätte sie beide am Schlafittchen gepackt, zumindest aber die Dame, von der er angenommen hätte, dass sie mitnichten eine Lady war, und hätte sie hinausgeworfen in den Schnee. Nach einer forschenden Pause nickte Ercole, bedauernd, wie mir schien, als hätte ich ihn irgendwie enttäuscht. All diese Lügen und miesen kleinen Ausreden, mit denen er sich Nacht für Nacht befassen musste. Ich überlegte, was ich noch hinzufügen könnte, um die Untat abzumildern, derer ich mich in seinen traurigen braunen Augen schuldig gemacht haben mochte, allein, es war vergebens, und so wandte ich mich zum Gehen. Und dennoch hatte ich trotz allem das Gefühl, irgendwie, ich weiß nicht, wie, errettet zu sein, irgendeinen Segen bekommen zu haben, die Stirn, und so die Seele, mit geweihtem Öl gesalbt.

Ich fand die Bar und fand sie unerwartet neu und schick, mit dunklen Spiegeln, schwarzen Marmortischen und tief hängenden Lampen, die weniger Licht gaben als vielmehr so etwas wie leuchtenden Schatten warfen und das Ganze wie eine Täuschung erscheinen ließen. Tastend suchte ich mir meinen Weg durch dieses düstere, glasige Labyrinth und nahm auf einem der hohen Barhocker Platz. Hinter der Bar war ein weiterer Spiegel, davor Borde mit Flaschen, die gespenstisch von unten angestrahlt wurden. Hinter all den Flaschen konnte ich mich kaum erkennen, mein fragmentiertes Spiegelbild; es sah aus, als würde ich mich wegducken und vor mir selbst verstecken. Ich trommelte mit den Fingern und wartete, dass Ercole endlich käme. Es war spät, ich hatte einen langen Tag hinter mir, war aber trotzdem überhaupt nicht müde und hatte auch nicht das Gefühl, schlafen zu müssen – ganz im Gegenteil, ich war geradezu schmerzhaft munter, und jede Haarwurzel kribbelte vor Erregung. Was mochte der Grund sein für diese merkwürdige Hochstimmung, diese merkwürdige Erwartung? Hinter mir hustete jemand leise und scheinbar fragend. Rasch fuhr ich auf meinem Barhocker herum und blinzelte ins Dunkel. Unweit von mir saß eine Gestalt an einem kleinen Tisch und musterte mich gelassen. Warum hatte ich sie nicht bemerkt, als ich hereingekommen war? Ich musste doch direkt an diesem Tisch vorbeigekommen sein. Sie saß bequem zurückgelehnt in einem niedrigen schwarzen Ledersessel, hatte die Beine vor sich ausgestreckt, die Knöchel über Kreuz, die Fingerspitzen der in Bethaltung aneinandergelegten Hände vorm Kinn. Ich wusste erst nicht, wer das war. Doch als ein zufälliger Lichtstrahl von den angeleuchteten Borden hinter mir über seine Brillengläser glitt, erkannte ich in ihm den Mann wieder, den ich vorhin an der Eingangstür des Hotels gesehen hatte, den Mann mit dem Schnee auf den Schultern. »Buenas Noches«, sagte er und neigte ganz leicht den Kopf zu einer kleinen Verbeugung. Vor ihm auf dem Tisch standen eine Flasche und ein Glas – nein, zwei Gläser. Hatte er jemanden erwartet? Mich, wie es schien, denn jetzt deutete er mit seinen immer noch aneinandergelegten Händen auf die Flasche und fragte, ob ich etwas dagegen hätte, mich zu ihm zu setzen. Nun, warum nicht, in dieser endlosen Nacht der eigentümlichen Begegnungen, der schicksalhaften Überkreuzungen?

Er zeigte auf den Sessel vis-à-vis von ihm; ich setzte mich. Jetzt sah ich, dass er wesentlich jünger war als ich, ja, sehr viel jünger. Und ich bemerkte auch, dass die Flasche noch voll war – hatte er tatsächlich auf mich gewartet? Woher hatte er wissen können, dass ich kommen würde? Er beugte sich vor und goss ohne Eile, mit Besonnenheit, beide Gläser randvoll. Er reichte mir das meine. Der schwere Rotwein sah an der Oberfläche schwarz aus, mit kleinen lila Blasen, die sich ringsherum am Rand des Glases drängten. »Der kommt aber leider aus Argentinien«, sagte er. Und dann mit einem Lächeln: »Genau wie ich.«

Wir erhoben unsere Gläser zu einem wortlosen Prosit und tranken. Wermut, gallebitter, ein Geschmack nach Tinte und köstlicher Fäulnis. Wir lehnten uns beide zurück, er öffnete in einer seltsam fließenden, umfassenden Bewegung die Arme und ließ seine Manschetten hervorblitzen, und ich fühlte mich daran erinnert, wie der Priester sich früher am Tag des Sündenerlasses von den Gläubigen abzuwenden pflegte, den Kelch absetzte, die Schultern hochzog und auf genau die gleiche Art die Arme unterm schweren Joch des Messgewands vorstreckte. Er stellte sich vor. Sein Name war Fedrigo Sorrán. Er schrieb ihn mir auf eine Seite eines kleinen schwarzen Notizbuches. Ich dachte an ferne Ebenen, umherziehende Herden, einen Hidalgo zu Pferde.

Ercole kam; er sah uns an, nickte lächelnd, als wäre alles genau so arrangiert gewesen, verzog sich wieder und latschte leise plattfüßig von hinnen.

Worüber haben wir zuerst geredet, der Mann aus dem Süden und ich? Er erzählte mir, er liebe die Nacht, er ziehe sie dem Tage vor. »So still«, sagte er, indem er mit der flachen Hand die Luft glatt strich, »Scho schdülla.« Er sagte, mein Name sei ihm bekannt vorgekommen – ob das möglich sein könne? Ich erzählte ihm, ich sei früher Schauspieler gewesen, glaube aber kaum, dass er von mir gehört habe. »Ah, dann sind Sie wohl ein Freund« – er reckte den Zeigefinger hoch zur Decke, zog die Brauen hoch und riss weit die Augen auf – »der göttlichen Señorita Devonport?«

Wir tranken weiter von dem bitteren Wein. Und was er tue, fragte ich. Er dachte einen Moment lang über meine Frage nach, lächelte leise, legte von Neuem die Fingerspitzen aneinander und hob sie leicht an die Lippen. »Ich bin«, erwiderte er,

»im Bergbau, könnte man sagen.« Er schien die Formulierung amüsant zu finden. Er schaute mit gespielt bedeutungsvollem Blick zu Boden. »Untergrund«, flüsterte er.

Ich war wohl mit den Gedanken woanders gewesen, abgelenkt vom Wein und vom mangelnden Schlaf, oder vielleicht hatte ich sogar wirklich geschlafen, ein wenig, gewissermaßen. Anfangs hatte er von Minen und Metallen geredet, von Gold und Diamanten und all den tief im Erdinnern begrabenen Elementen, doch jetzt, ohne dass ich wusste, wie, war er abgeschweift und war auf einmal in den Tiefen des Weltalls und erzählte mir was von Quasaren und Pulsaren, von roten Riesen, braunen Zwergen und schwarzen Löchern, von Hitzetod und der Hubble-Konstante, von Quarks und Quirks und multiplen Unendlichkeiten. Und von dunkler Materie. Seiner Meinung nach enthält das Universum eine fehlende Masse, die wir weder fühlen noch messen können. Davon gibt es viel, viel mehr als von irgendwas anderem, und im Vergleich dazu ist das sichtbare Universum, also das, das wir kennen, winzig und kümmerlich. Ich stellte es mir vor, dieses riesige unsichtbare Meer von schwerelosem, durchsichtigem, allgegenwärtigem, unentdecktem Stoff, durch das wir uns bewegen, arglose Schwimmer, und das sich durch uns hindurchbewegt, eine geheime, schweigende Essenz.

Nun sprach er über das uralte Licht der Galaxien, das eine Million – eine Billion – eine Trillion! – Meilen weit wandert, um zu uns zu gelangen. »Selbst hier«, sprach er, »an diesem Tisch braucht das Licht, welches das Bild in meinem Auge ist, Zeit, eine ganz kleine Zeit, unendlich klein, und dennoch Zeit, um in Ihr Auge zu gelangen, und darum schauen wir überall, egal, wohin wir schauen, schauen wir überall in die Vergangenheit.«

Wir hatten die Flasche ausgetrunken, er schenkte uns die Neige ein. Er stieß mit seinem Glas an meins, es klirrte. »Sie

müssen gut achtgeben auf Ihren Star, hier an diesem Ort«, flüsterte er lächelnd, ganz, ganz leise, und beugte sich in seinem
Sessel so weit vor, dass ich mich in seinen Brillengläsern spiegeln konnte, zweifach spiegeln. »Die Götter wachen über uns,
und sie sind eifersüchtig.«

Es war ein heißer Sommer, jener Sommer mit Mrs Gray. Rekorde wurden gebrochen, neue aufgestellt. Es gab eine Dürre, die monatelang anhielt, das Wasser wurde rationiert und an jeder Straßenecke wurden Notbrunnen installiert, an denen verdrossen nörgelnde Mütter mit kampflustig aufgekrempelten Ärmeln sowie mit Eimern und Kochtöpfen Schlange stehen mussten. Die Rinder verendeten auf den Feldern oder wurden verrückt. Ginsterbüsche gingen von selbst in Flammen auf; ganze Hänge blieben schwarz und schwelend zurück, und noch Stunden später war die Luft in der Stadt von beißendem Rauch geschwängert, von dem es einem im Hals kratzte und jedermann Kopfschmerzen bekam. Auf den Fahrbahnen und in den Ritzen zwischen den Gehwegplatten schmolz der Asphalt und blieb an den Sohlen unserer Sandalen kleben, und die Reifen der Fahrräder versanken darin; ein Junge fiel dadurch vom Rad und brach sich das Genick. Die Bauern jammerten, die Ernte werde eine Katastrophe werden, und in den Kirchen wurden spezielle Regengebete angeboten.

Ich für mein Teil habe diese Zeit indes als ganz besonders hell und lieblich in Erinnerung. Mein Bild davon gleicht diesen emsig angefertigten Gemälden, die damals dort in jener Gegend so großen Anklang fanden, mit einem weiten Himmel, an dem Wattewölkchen treiben, und in der Ferne goldene Felder mit Heuschobern in Puddingform und weit, weit weg, nicht dicker als ein Nagel, ein einsamer Kirchturm und am Horizont ein

Pinselstrich, hauchdünn, in Kobaltblau, als Andeutung der See. Unglaublich, aber selbst an Regen kann ich mich erinnern – Mrs Gray und ich liebten es, in Cotters Haus ganz still auf dem Boden zu liegen, uns in den Armen zu halten und zuzuhören, wie er in den Blättern raschelte, während irgendwo in der Nähe eine in Leidenschaft erglühte Amsel sich die Seele aus dem Leib sang. Wie sicher fühlten wir uns dann, so weit entfernt von allem, was uns bedrohte. Mochte die ausgedörrte Welt um uns herum verschrumpeln und zu Asche werden, unseren Durst stillte die Liebe.

Ich dachte, unsere Idylle würde niemals enden. Besser gesagt, ich wehrte den Gedanken ab, dass sie je enden könnte. Jung, wie ich war, war ich der Zukunft gegenüber skeptisch und sah in ihr nur eine Frage dessen, was möglich war, etwas, das vielleicht eintreffen würde, vielleicht aber auch nicht, und das wahrscheinlich niemals kommen würde. Natürlich gab es Anzeichen, die man im Blick behalten musste, sehr deutliche sogar. Zum Beispiel, dass der Sommer mit Sicherheit zu Ende ginge, und wenn die Ferien vorüber wären, würde von mir erwartet werden, dass ich Billy morgens wieder zur Schule abholte – wie sollte ich das hinkriegen? Wäre ich in der Lage, genauso unbekümmert aufzutreten wie vor dem Sommer, als Mrs Gray und ich bloß händchenhaltend an den flacheren Hängen jenes Hügels umhergeschlendert waren, der unterdessen für uns zum Berge Hymettos geworden war, mit allem Drum und Dran, mit goldenen Honigwaben und Klippen aus schönem blaugrauem Marmor und nackten Nymphen in den sanften Senken? Die Wahrheit ist, dass da bei allem jugendlichen Übermut und Trotz doch direkt über meinem Kopf ein unheilschwangeres Wölkchen dräute. Es war nicht mehr als eine Wolke, schwerelos, von unbestimmter Form, und dennoch dunkel, jenseits des Silberstreifs am Horizont, der böse strahlte. Meistens gelang es mir, sie zu ignorieren oder so zu tun, als wäre sie nicht da. Was war schon eine Wolke, verglichen mit der sengenden Sonne der Liebe?

Es verblüffte mich, dass die Leute um uns herum unser Geheimnis nicht errieten; mitunter merkte ich sogar, dass es mich fast schon wütend machte, wie wenig Scharfblick sie besaßen, wie wenig Fantasie – mit einem Wort, wie sie uns unterschätzten. Meine Mutter, Billy, Mr Gray, sie alle waren ja im Grunde gar nicht ernst zu nehmen und machten mir nicht wirklich Angst – obwohl Kittys Gesicht in dieser drohenden Wolke über meinem Kopf des Öfteren aufschien und hämisch zu mir herabgrinste wie ein Honigkuchenpferd –, aber was war mit den Wichtigtuern in der Stadt, den Moralwächtern, den taubenblauen Legionären Mariens? Warum erfüllten die ihren Auftrag nur so schlampig? War es nicht ihre Pflicht und Schuldigkeit, uns beide auszuschnüffeln, Mrs Gray und mich, wenn wir schamlos und mit unendlicher Erfindungsgabe der sinnlichen Begierde und der Wollust frönten? Der Himmel weiß, dass wir Gefahren auf uns nahmen, bei denen selbst der Himmel nur entsetzt sein konnte. In dieser Hinsicht war Mrs Gray, wie ich wohl schon erwähnte, die weitaus Leichtsinnigere von uns beiden. Das war etwas, das ich mir nicht erklären, das ich nicht verstehen konnte. Fast war ich geneigt, sie furchtlos zu nennen, doch so war es nicht, denn mehr als einmal hatte ich sie zittern sehen vor Angst, vermutlich weil sie fürchtete, mit mir erwischt zu werden; dann wieder gab es Zeiten, da tat sie so, als hätte sie nie auch nur einen Augenblick lang irgendwie Bedenken, zum Beispiel damals an dem Tag, als sie dreist mit mir auf den Planken herumspazierte, oder wenn sie am helllichten Tage nackt durch den Wald rannte und die Bäume schockiert, empört und außer sich ob ihres Anblicks die Arme hochzureißen und vor ihr zurückzuweichen schienen. So unerfahren ich auch war in diesen Dingen, war ich mir dennoch ziemlich sicher, dass ein derartiges Betragen bei den Matronen unserer Stadt nicht eben an der Tagesordnung war.

Abermals frage ich mich nun, ob sie die anderen mit Absicht provozierte, damit sie uns auf die Schliche kämen. Eines Tages bestellte sie mich zu einem Rendezvous, nachdem sie beim Arzt gewesen war – »Frauensache«, sagte sie brüsk und verzog das Gesicht –, und als sie mit dem Kombi an unserem Treffpunkt an der Straße über dem Haselwald ankam, bestand sie darauf, dass ich sofort und dort, an Ort und Stelle, mit ihr schlief. »Komm schon«, sagte sie, beinah ärgerlich, und wackelte mir mit dem Hintern vor der Nase rum, während sie auf den Rücksitz kletterte, »komm schon, besorg's mir.« Ich muss zugeben, dass ihre Schamlosigkeit mich schockierte und ich ausnahmsweise sogar ein wenig unwillig war – das Schauspiel dieser rohen Begierde drohte sich gar dämpfend auf mich auszuwirken –, doch sie legte mir den Arm, der hart wie ein Männerarm war, um die Schultern und zog mich wild zu sich hinunter, und schon spürte ich ihr Herz hämmern und ihren Bauch zittern, und selbstverständlich tat ich, was sie von mir wollte. Nach einer Minute war alles vorbei, und sie war nur noch harsch und abweisend, schob mich weg und zog sich wieder an, wobei sie sich mit ihrem Schlüpfer abwischte. Zwischen uns auf dem Ledersitz hatten wir eine glänzende Schliere hinterlassen. Mrs Gray hatte kaum zehn Meter von der Straße weg geparkt, und obwohl damals noch nicht viel Verkehr war, hätte jeder Kraftfahrer uns sehen können, der mit gedrosseltem Tempo vorüberfuhr, ihre nylonumspannt in die Luft ragenden Beine und meinen nackten weißen Hintern, der sich dazwischen auf und ab bewegte. Nun kletterten wir wieder auf die Vordersitze und schrien auf, weil sich das Leder in der prallen Sonne so aufgeheizt hatte, und dann zündete sie sich eine Zigarette an und saß halb von mir abgewandt, einen Ellbogen im hinuntergekurbelten Fenster, das Kinn auf die Faust gestützt, und sagte nichts. Ich wartete demütig, dass ihre schlechte Laune sich verzog, und starrte nachdenklich auf meine Hände.

Was, fragte ich mich, war geschehen, dass sie so außer sich war? Hatte ich irgendwas getan, das sie geärgert hatte? Meistens hatte ich mit der ganzen herzlosen Selbstsicherheit der Jugend ein unerschütterliches Vertrauen in ihre Liebe, und doch bedurfte es nur eines bösen Wortes oder eines abschätzigen Blicks von ihr, um mich auf der Stelle zu überzeugen, dass alles so gut wie aus war. Es war seltsam aufregend, ihrer Zuneigung gewiss zu sein und dennoch immer Angst zu haben, sie zu verspielen, diese leidenschaftliche Frau irgendwie in der Hand zu haben und doch zugleich auch ihrer Gnade ausgeliefert zu sein. Was hat sie mich nicht alles gelehrt über das Menschenherz. An jenem Tage aber dauerte es, wie stets, nicht lange, bis das Dunkel sich lichtete. Sie rührte sich und schnippte ihre halb gerauchte Zigarette – die leicht den ganzen Haselwald und mit ihm unser Liebesnest hätte in Flammen aufgehen lassen können – aus dem Fenster und beugte sich vor, zog den Rock hoch und blickte angestrengt in ihren Schoß. Als sie meinen erschrockenen, ungläubig staunenden Blick sah – wollte sie etwa schon wieder loslegen? –, kicherte sie heiser. »Keine Bange«, sagte sie, »ich suche bloß den Knopf von meinem Strumpfhalter, den du mir abgerissen hast.« Der Knopf war aber nicht zu finden, und schließlich musste sie sich eine Threepenny-Münze von mir borgen, um ihn zu ersetzen. Ein Notbehelf, der mir vertraut war, hatte ich doch oft genug gesehen, wie meine Mutter genau das Gleiche tat. Meine Mutter benutzte ebenfalls Pond's Coldcreme, genau wie Mrs Gray jetzt. Sie holte ein kleines rundes Töpfchen mit dem Zeug aus ihrer Handtasche und schraubte mit einer raschen Drehung des Handgelenks den Deckel ab, als würde sie einem kleinen Wesen geschickt den Hals umdrehen, und dann, das Töpfchen samt dem Deckel in der schlaffen Linken haltend, rutschte sie auf dem Sitz nach vorne, reckte sich hoch, um sich im Rückspiegel zu sehen, und tupfte sich mit der Fingerspitze ein wenig von der eisig weißen Creme auf Stirn, Wangen und Kinn. Ich weiß nicht, ob es so etwas wie eine ganz und gar selbstlose Liebe geben kann, aber wenn ja, dann kam ich ihr in solchen Augenblicken wie diesem wohl am nächsten, wenn sie mit irgendeinem Ritual beschäftigt war, das sie so oft vollzogen hatte, dass sie sich seiner gar nicht mehr richtig bewusst war, und ihre Augen Mühe hatten, sich zu fokussieren, und ihr Gesicht entspannt war, abgesehen von der Stelle zwischen ihren Brauen, wo sich die Haut ganz fest zu einer kleinen konzentrierten Falte zusammenzog.

Ich glaub, das muss der Tag gewesen sein, an dem sie mir erzählte, dass sie weggehen würde – die Familie würde die Ferien an der See verbringen wie jedes Jahr. Zuerst hatte ich Mühe zu begreifen, was sie sagte. Wenn ich mich heute daran erinnere, dann finde ich es faszinierend, wie sich meine Seele damals, ehe die Stürme der Erfahrung sie weich und durchlässig genug gemacht haben, weigerte, die Dinge, die ihr nicht zupasskamen, an sich heranzulassen. Damals konnte ich einfach alles glauben oder bezweifeln, akzeptieren oder ablehnen, vorausgesetzt, es passte mir und entsprach meinen Ansichten darüber, wie die Dinge zu sein hatten. Sie *konnte* nicht weggehen; es war einfach nicht möglich, dass wir getrennt sein sollten, ganz und gar nicht möglich. Es konnte nicht sein, dass ich alleine hier zurückblieb, während sie für zwei Wochen wegfuhr – zwei Wochen! – und sich halb nackt am Strand vergnügte und Tennis und Minigolf spielte, und mit ihrem dämlichen Ehemann romantisch bei Kerzenschein zu Abend aß, um dann beschwipst die Treppe raufzutappen und lachend rücklings aufs Hotelbett zu fallen – nein, nein, nein! Während ich über diese fürchterlichen, diese vollkommen unerträglichen Aussichten nachdachte, packte mich jenes von kaltem Grausen begleitete Gefühl, es einfach nicht glauben zu können, das einen in dem Moment ergreift, wo einem die Messerklinge in den Daumenballen gleitet oder die Säure ins Auge spritzt, wenn alles aussetzt und der verspielte Dämon Schmerz tief und entschlossen Luft holt und sich anschickt, ernsthaft ans Werk zu gehen. Was würde ich die ganze Zeit ohne sie machen – was würde ich tun? Sie musterte mich halb amüsiert, halb konsterniert, erschrocken, dass ich so erschrocken war. Sie wies mich darauf hin, dass sie ja nicht weit weg führe, nur nach Rossmore, nicht mal zwanzig Kilometer entfernt von hier mit der Bahn – sie wäre praktisch nur ein Stück die Straße runter, sagte sie, im Grunde gar nicht richtig weg. Ich schüttelte den Kopf. Vielleicht faltete ich sogar flehentlich vor ihr die Hände. In mir formte sich ein gequältes Schluchzen wie ein großes, warmes Ei, das nicht herauskommen konnte. Sie schien unfähig, die lebenswichtige Tatsache zu begreifen, dass es für mich einfach unvorstellbar war, von ihr getrennt zu sein, unvorstellbar, sie an einem Ort zu wissen, wo ich nicht war. Mir würde irgendwas passieren, erklärte ich, ich würde krank werden, womöglich sogar sterben. Da lachte sie, kriegte sich aber gleich wieder ein. Ich solle nicht albern sein, sagte sie mit ihrer Ich-bin-eine-verheiratete-Frau-Stimme, ich würde schon nicht krank werden, ich würde schon nicht sterben. Dann würde ich eben von zu Hause weglaufen, sagte ich und funkelte sie mit zusammengekniffenen Augen an, würde meine Sachen in meine Schultasche packen und nach Rossmore kommen und die zwei Wochen, die sie dort wäre, am Strand hausen, und jedes Mal, wenn sie und die anderen Grays dort aus irgendeiner Tür träten, würde ich mich und meinen Kummer über das Hotelgelände schleppen und über den Golfplatz, ihr hohläugiger, am Herzen kranker Junge.

»Hör zu«, sagte sie, indem sie sich seitlich herumdrehte, den Arm aufs Lenkrad legte und den Kopf senkte, um mich streng anzusehen, »ich *muss* diese Urlaubsreise machen – verstehst du? Ich *muss*.« Ich schüttelte erneut den Kopf, immer und immer wieder, bis mir die Wangen brummten. Befriedigt sah ich, wie mein Ungestüm ihr langsam Sorgen machte, und ich sah auch, dass in ihrer Sorge ein winzig kleiner, scharfer Funken Hoffnung glimmte. Ich musste weiter Druck ausüben – ich musste meinen Druck verstärken. Die Sonne brannte durch die Windschutzscheibe, ließ das Glas grau erscheinen, und die Lederpolster verströmten einen starken animalischen Duft, zu dem Mrs Gray und ich ohne Zweifel eine postkoitale Note beisteuerten. Ich fühlte mich irgendwie zittrig, als hätte sich mein ganzes Inneres in Kristall verwandelt und vibrierte in sehr hohem Tempo und erzeugte dabei einen anhaltenden, gleichförmigen Ton. Ich glaube, wenn ich einen Wagen hätte kommen hören, ich wäre rausgesprungen und hätte mich mit erhobenen Händen mitten auf die Straße gestellt und ihn angehalten, um mich bei dem Fahrer über Mrs Gray zu beklagen – Sehen Sie sich dieses herzlose Weibsbild an, Sir! –, denn in meiner Verzweiflung stieg meine Wut mir immer mehr zu Kopfe, und ich hätte nur allzu gern einen Zeugen gehabt für diese schnöde Ungerechtigkeit, die ich ertragen musste. Wer kann Empörung und Verletzung besser spielen als ein verliebter Junge? Ich sagte, ich würde sie nicht nach Rossmore fahren lassen, das sei mein letztes Wort. Ich sagte, ich würde Billy erzählen, was seine Mutter und ich miteinander getrieben hätten, und er würde es seinem Vater erzählen, und dann würde Mr Gray sie rausschmeißen, und ihr würde gar nichts weiter übrig bleiben, als mit mir nach England durchzubrennen. Ich sah, wie ihre Lippen zuckten und wie schwer es ihr fiel, sich das Lächeln zu verkneifen, und das machte mich erst recht wütend. Fast hätte ich gesagt, es würde ihr noch leidtun, wenn sie führe. Wenn sie wiederkäme, wäre ich nicht mehr hier, sie würde mich nie mehr wiedersehen, wie sie sich dann wohl fühlen würde? – Ja, ich würde weggehen, ich würde diese Stadt verlassen, für immer, sagte ich zu ihr, dann werde sie schon sehen, wie es sei, einsam und verlassen zu sein.

Am Ende, als nach all diesem Bemühen meine Energie erschöpft war, wandte ich mich von ihr ab, verschränkte die Arme und starrte finster in die struppige Hecke, neben der wir parkten. Wie eine gläserne Barriere erhob sich das Schweigen zwischen uns. Schließlich rührte Mrs Gray sich seufzend und sagte, sie müsse jetzt nach Hause, die würden sich dort alle sicher wundern, wo sie bleibe und wieso sie so spät heimkomme. Oh ja, alle, ganz bestimmt!, sagte ich in einem Ton, der nach beißendem Sarkasmus klingen sollte. Sie legte mir leicht die Hand auf den Arm. Ich gab nicht nach. »Armer Alex«, versuchte sie mir gut zuzureden, und plötzlich fiel mir auf, wie selten sie mich bei meinem Namen nannte, und sogleich stiegen von Neuem Wut und bitterer Groll in mir hoch.

Sie ließ den Motor an, drosch, wie immer, die Gänge rein, setzte den Kombi zurück und wendete ihn in einer mächtigen Wolke aus Staub und hochspritzendem Kies. Erst da bemerkten wir die drei kleinen Jungen, die mit ihren Fahrrädern auf der anderen Straßenseite standen und uns beobachteten. Mrs Gray hielt den Atem an; sie murmelte irgendetwas und nahm dann zu schnell den Fuß von der Kupplung; der Motor grunzte, stöhnte und ging schließlich aus. Um uns herum wirbelte immer noch träge der Staub. Die Jungs waren drei kleine Homunkuli mit schmutzverschmierten Gesichtern, Schorf an den Knien und zerstrubbelten Haaren – wahrscheinlich Kesselflickerbuben aus dem Lager oben an der städtischen Müllhalde. Sie guckten uns noch immer mit ausdruckslosen Mienen an, und wir saßen da und schluckten hilflos ihre leeren Blicke, bis sie sich auf einmal scheinbar angewidert umdrehten, wieder auf die Sättel stiegen und träge die Straße hinunterglitten. Mrs Gray lachte unsicher. »Ach, du musst dir keine Sorgen machen«, sagte sie, »wenn diese Bürschchen uns verraten, fahr ich nirgends hin, und du auch nicht, mein Freundchen, höchstens in die Besserungsanstalt.«

Aber sie fuhr. Ich konnte bis zum letzten Augenblick nicht glauben, dass sie es wirklich fertigbringen würde, sich von mir zu trennen und mich leiden zu lassen, und doch kam der Moment der Abreise, und sie reiste wirklich ab. Kann ein fünfzehnjähriger Junge die Qualen der Liebe kennen, ich meine, wirklich kennen? Um den Schmerz des Verlusts wahrhaftig erfahren zu können, müsste man sich wohl voll und in aller Trostlosigkeit dessen bewusst sein, dass der Tod unausweichlich ist, und so, wie ich damals war, kam mir die Vorstellung, dass ich eines Tages sterben würde, absurd vor, fast nicht zu ertragen, wie ein böser Traum, an den man sich nur bruchstückhaft erinnert. Aber wenn das, was ich erfuhr, kein wirklicher Schmerz war, was war es dann? Der Form nach war es so was wie ein gequältes allgemeines Tattern, jedenfalls fühlte es sich sehr so an, als wäre ich mit einem Schlage alt geworden, betulich und gebrechlich. In der reichlichen Woche, die ich vor ihrer Abfahrt zu erdulden hatte, hielt jenes Gefühl der Unruhe, jenes innerliche Zittern an, das an dem Tag am Straßenrand im Kombi angefangen hatte, als sie mir ihre Urlaubspläne ankündigte, und wurde immer stärker. Es war so ähnlich wie ein Wechselfieber, ein innerlicher Veitstanz. Äußerlich muss ich im Wesentlichen so wie immer gewesen sein, denn niemand, nicht mal meine Mutter, schien zu merken, dass irgendwas mit mir nicht stimmte. Innerlich aber war ich fiebrig und total verwirrt. Ich fühlte mich, wie ein zum Tode Verurteilter sich fühlen muss, hin- und hergerissen zwischen Ungläubigkeit und starker Furcht. War mir nie der Gedanke gekommen, dass ich früher oder später eine – sei es auch nur vorübergehende – Trennung von ihr würde aushalten müssen? Nein, nie. Für mich, der ich mich zufrieden im Schoß von Mrs Grays opulenter, allumfassender Liebe räkelte, gab es allein die Gegenwart, die Zukunft spielte keine Rolle, schon gar nicht eine Zukunft ohne sie. Nun aber war das Urteil verkündet, die Henkersmahlzeit eingenommen, und ich war auf dem Schinderkarren, hörte die Räder auf dem Kopfsteinpflaster knirschen und sah das Schafott deutlich haargenau in der Mitte des Platzes aufgerichtet, und dazu die Henkerin, die mich erwartete, mit ihrer schwarzen Kapuze.

Es war Samstagmorgens, als sie abreisten. Stellen Sie sich, wenn Sie wollen, einen Kleinstadtsommertag vor: makellos blauer Himmel, Vögel in den Zweigen der Kirschbäume, ein nicht unangenehmer, süßlicher Gestank nach Jauche von den Schweineställen draußen am Stadtrand, das Geklopfe und Geklapper und Gekreische spielender Kinder. Und nun sehen Sie mich an, wie ich krumm und gequält durch die unschuldigen, sonnigen Straßen schleiche, um dem ersten großen Schmerz meines jungen Lebens zu begegnen – in seiner ganzen erbarmungslosen Unermesslichkeit. Was Leiden angeht, muss ich freilich sagen, dass es den Dingen ein feierliches Gewicht verleiht und sie in ein stärkeres Licht rückt, ein Licht, das mehr offenbart als jedes andere, das sie bis dahin erfahren haben. Es erweitert den Geist, reißt ihm die schützende Haut herunter, und so bleibt das innere Selbst zurück, den rauen Elementen ausgesetzt, die Nerven liegen alle blank und singen wie die Saiten einer Harfe im Wind. Während ich über den kleinen Platz näherkam, schaute ich bis zur letzten Minute nicht zu dem Haus hinüber, wollte nicht die Fenster mit den heruntergelassenen dunkelblauen Rollos sehen, die in den Hals einer leeren Milchflasche gerammte Nachricht für den Milchmann, die ungerührt vor mir verschlossene Haustür. Stattdessen stellte ich mir in Gedanken vor, fieberhaft konzentriert, als könnte ich all das mit meiner Einbildungskraft Wirklichkeit werden lassen, dass mein zuvorkommender, treuer alter Freund, der zerbeulte Kombi, wie immer am Bordstein stünde, die Haustür angelehnt und alle Fenster offen wären und aus einem davon die bußfertige Mrs Gray sich weit hinauslehnte und strahlend zu mir herunterlächelte, die Arme weit geöffnet, um mich zu empfangen. Dann aber war ich dort und musste hinsehen, und da war kein Kombi, und das Haus war abgeschlossen, und meine Liebe war davongegangen, und ich stand hier in einer Kummerpfütze.

Wie habe ich es nur geschafft, den Rest des Tages hinter mich zu bringen? Ich ließ mich treiben, äußerlich teilnahmslos, doch innerlich am ganzen Leibe zitternd. Gestern noch war meine Welt mit Mrs Gray darin leicht, prall und glänzend wie ein frisch aufgeblasener Partyluftballon gewesen; und heute, wo sie weg war, war auf einmal alles schlaff und fasste sich klebrig an. Die Qual, diese konstante, unablässige Qual, machte mich müde, schrecklich müde, doch ich wusste nicht, wie ich zur Ruhe kommen sollte. Ich fühlte mich ganz trocken, trocken und heiß, wie ausgebrannt, meine Augen schmerzten, und selbst die Fingernägel taten weh. Ich war wie eines dieser großen Platanenblätter, die verdorrten Klauen ähneln und die der Herbstwind schurrend und scharrend über die Bürgersteige fegt. Was rede ich denn da? Es war nicht Herbst, es war Sommer, es gab keine toten Blätter auf dem Boden. Und doch, das ist es, was ich sehe, abgefallene Blätter und Schmutzwasser im Rinnstein, und mein leidendes Ich, dem ein bitterkalter Wind entgegenweht und den Beginn des Winters verkündet.

Spät am Nachmittag jedoch kam die große Offenbarung, gefolgt von einem noch größeren Entschluss. Während ich so umherstreifte, fand ich mich auf einmal vor dem Brillengeschäft von Mr Gray wieder. Ich glaube nicht, dass ich mit Absicht dort hingegangen war, obwohl ich mich den ganzen Tag an Orten herumgetrieben hatte, die für mich mit meiner verlorenen Liebsten verbunden waren, wie die Tennisplätze, zu denen ich einst ging, um ihr beim Spielen zuzusehen, und die Planken, wo wir uns und unsere Liebe so furchtlos zur Schau gestellt hatten. Das Geschäft war genauso wenig bemerkenswert wie sein Besitzer. Vorn gab es einen Raum mit einem Ladentisch und einem Stuhl, auf dem Kunden Platz nehmen und in einem runden, silbergerahmten Vergrößerungsspiegel, der in günstiger Position auf dem Ladentisch stand, ihre neuen Augengläser bewundern konnten. Hinten, wusste ich, war ein Beratungszimmer, dessen Wände mit übereinandergestapelten Holzschubfächern versehen waren, die Brillengestelle enthielten, und dann gab es dort einen Apparat mit zwei großen, runden, erschrocken dreinblickenden Linsen, wie Roboteraugen, mit dem Mr Gray die Sehkraft seiner Kunden prüfte. Um seinen Umsatz aufzubessern – erinnern Sie sich noch, wie wenige Leute damals eine Brille trugen? –, verkaufte Mr Gray teuren Modeschmuck und Kosmetikartikel und sogar Destillierkolben und Reagenzgläser in verschiedenen Größen, wenn ich mich nicht irre. Während ich mir diese Dinge, die im Schaufenster ausgestellt waren, ansah, war mein Schmerz nicht so extrem, dass ich mich nicht an Kittys Geburtstagsgeschenk erinnert hätte, das ich nach wie vor begehrte, und der Gedanke daran steigerte noch meine Qualen und mein Gefühl, verletzt zu sein.

An diesem Nachmittag gingen die Geschäfte wohl eher schleppend, denn Miss Flushing, Mr Grays Verkäuferin, stand in der offenen Ladentür, genoss das Sonnenlicht, das zwar schon langsam in spitzem Winkel über die Dachfirste abwärts stieg, aber immer noch stark und voller Wärme war. Rauchte sie eine Zigarette? Nein, damals haben Frauen nicht in der Öffentlichkeit geraucht, obwohl die mutige Mrs Gray es manchmal tat, manchmal sogar auf der Straße. Miss Flushing war grobknochig und blond, hatte einen hohen Busen und eine ebensolche Taille, sehr weiße, vorstehende Zähne, die beeindruckend waren, wenn auch ein wenig furchterregend anzusehen. Insgesamt wirkte sie hell und rosig, und um die Nasenlöcher und die Ränder ihrer stets ein wenig erschrocken dreinblickenden Augen hatte sie immer einen leichten, zarten Schimmer, der an das wirbelige Innere einer Muschel erinnerte. Sie trug mit Vorliebe Strickjacken aus Angorawolle, die sie offenbar selbst strickte, oder sie hatte eine Mutter, die es für sie tat; sie achtete darauf, dass alle Knöpfe ordentlich geschlossen waren, sodass die unglaublich spitzen Spitzen ihrer perfekt kegelförmigen Brüste deutlich darunter hervortraten. Sie war extrem kurzsichtig, und ihre Brillengläser waren dick wie Flaschenböden. Ist es nicht bemerkenswert, dass Mr Gray, der selbst kurzsichtig war, sich eine Verkäuferin genommen hatte, die noch schlechter sehen konnte als er? Es sei denn, sie sollte so was wie eine Reklame sein, eine abschreckende Warnung an die Leute, ja nicht ihr Sehvermögen zu vernachlässigen. Miss Flushing war eine freundliche, wenn auch etwas zerstreute Person, obwohl, bei langsamen oder unentschlossenen Patienten konnte sie mitunter sehr kurz angebunden sein. Meine Mutter, die ein Ausbund an Unentschlossenheit war, konnte sie nicht leiden und hielt überhaupt nichts von ihr, und wenn sie einmal im Jahr zehn Shilling aus der Kleingeldkasse nahm und zum Sehtest ging, bestand sie darauf, ausschließlich von Mr Gray begrüßt und bedient zu werden, der ein reizender Mann sei, wie sie oft wehmütig lächelnd wiederholte. Die Vorstellung, dass meine Mutter sich den professionellen Aufmerksamkeiten von Mr Gray überließ, war mir unbehaglich, sie rief bei mir regelrecht Übelkeit hervor. Ob sie über Mrs Gray geredet haben? Ob meine Mutter sich nach ihrem Wohlbefinden erkundigt hat? Ich malte mir aus, wie das Thema kurz und zögernd angerissen und dann vorsichtig beiseitegelegt wurde, wie eine Brille in ihr mit Seide ausgeschlagenes Etui, woraufhin Stille herrschte, in die meine Mutter ein leises, schwaches Hüsteln fallen ließ.

Ich kannte Miss Flushing nicht weiter, wobei man in unserer nicht gerade bevölkerungsreichen kleinen Stadt natürlich sagen konnte, dass mehr oder minder jeder jeden kannte. Als ich an jenem Abend in die Straße kam, in der das Optikergeschäft war, und sie in der Tür stehen sah, reckte ich das Kinn hoch, runzelte kräftig die Brauen, tat so, als hätte ich es furchtbar eilig, und beeilte mich weiterzukommen – das Entscheidende war, dass sie nicht den Eindruck hatte, meine Anwesenheit hier habe irgendetwas mit den Grays zu tun, schon gar nicht mit Mrs Gray –, doch da sprach sie mich auf einmal an, redete mich zu meiner Überraschung, ja sogar zu meinem leichten Entsetzen, mit meinem Namen an, und dabei hatte ich noch nicht einmal gewusst, dass sie ihn kannte. Ich gebe zu, dass ich mir in meiner knäbischen Neugier und einfach aus dem Wunsch heraus, Mrs Grays üppige Reize an irgendeinem Vergleichsmaßstab zu messen, in letzter Zeit des Öfteren vorgestellt hatte, wie Miss Flushing wohl aussehen würde, wenn sie sich an einem freien Nachmittag an einem Ort wie Cotters Haus dazu überreden ließe, ihre wuschelweiche Strickjacke und das ganze steife Zeug aus Spitze und Fischbein, das sie darunter anhatte, einfach auszuziehen, und als sie mich jetzt beim Namen nannte, wurde ich sicher rot – was ihr jedoch, vermute ich, nicht einmal auffiel. Die Grays seien verreist, sagte sie. Ich nickte, immer noch mit gerunzelten Brauen, und versuchte immer noch, so zu tun, als würde sie mich von einer wichtigen Besorgung abhalten. Sie musterte mich mit ihren kurzsichtigen Augen, wobei ihre volle Oberlippe in der Mitte etwas nach oben ging und sich ihre Nase krauste. Hinter diesen großen Brillengläsern erinnerten ihre fahlen Basedowaugen in Größe und Farbe an verschrumpelte Stachelbeeren. »Sie sind in Rossmore«, sagte sie, »für vierzehn Tage. Heute Morgen sind sie abgereist.« Es schien mir, als läge ein leises Bedauern in ihrem Ton. War denn auch sie in irgendeiner Form eine Verlassene? Trauerte sie ebenfalls, genau wie ich, und wollte mir ihr Mitleid ausdrücken? Die Sonne fiel auf etwas Blankes im Schaufenster und blendete meine ohnehin von Kummer geblendeten Augen. »Mr Gray kommt jeden Tag mit der Bahn in die Stadt«, sagte Miss Flushing und lächelte, wie ich mir mittlerweile sicher war, aus schierer, greller Seelennot. »Er arbeitet hier, und abends fährt er wieder rüber zu ihnen.« Zu ihnen. »Ist ja nicht weit, mit der Bahn«, fügte sie mit plötzlich zitternder Stimme hinzu. »Überhaupt nicht weit.«

Und dann sah ich es. Miss Flushings Mitleid galt gar nicht mir, sondern sich selbst. Der Kummer, den sie nicht verhehlen konnte, betraf nicht mich – es war ihr eigener. Natürlich! Sie war in Mr Gray verliebt, das wurde mir in diesem Augenblick schlagartig klar. Und er? – War er in sie verliebt? Waren sie auf die gleiche Art zusammen wie Mrs Gray und ich? Das würde so vieles erklären – Mr Grays andere Art von Myopie zum Beispiel, die ihn daran hinderte zu sehen, was direkt vor seiner Nase zwischen seiner Frau und mir vor sich ging und die vielleicht, dachte ich nun, gar keine Myopie war, sondern die Gleichgültigkeit eines Menschen, der seine Zuneigung anderweitig ausgerichtet hatte. Ja, das war es, das musste es sein: Es war ihm egal, wenn seine Frau ihre Nachmittage nicht mit Einkaufen verbrachte, wie sie behauptete, oder beim Tennisspielen mit ihren gleichfalls verheirateten Freundinnen – was für verheiratete Freundinnen sollten das denn auch sein? –, sondern in wildem Drunterunddrüber mit mir in Cotters Haus, weil er es nämlich mittlerweile hier im Hinterzimmer bei heruntergelassenen Rollladen und aufgehängtem »Geschlossen«-Schild flutschen ließ und die liebe Miss Flushing von ihrer hässlichen Brille, der anschmiegsamen Strickjacke und der drahtbügelverstärkten Panzerung befreite, die sie darunter trug. Oh ja, nun sah ich alles deutlich vor mir und frohlockte, und augenblicklich war der Ballon der Möglichkeiten des Lebens wieder zum Bersten voll und zerrte ungeduldig an seiner Leine. Und nun wusste ich auch, was ich zu tun hatte. Am nächsten Morgen, wenn Mr Gray mit der Bahn stadteinwärts fuhr, würde ich die entgegengesetzte Richtung nehmen und mit Volldampf und Funkenflug zu meiner Liebsten eilen, deren liebreizende Glieder die Sonne unterdessen sicher schon begonnen hatte, appetitlich zu bräunen. Aber was war mit meiner Mutter, was würde die wohl dazu sagen? Nun ja, was sollte mit ihr sein? Es waren schließlich immer noch Schulferien, ich würde schon irgendeine Ausrede finden, weshalb ich für einen Tag weg wäre; sie würde nichts dagegen haben, sie glaubte jede meiner Lügen und fiel auf alle meine Schliche herein, das arme, dumme Ding.

Ich halte inne. Plötzlich überkommt mich die Erinnerung an sie, an meine Mutter, wie sie an einem hellen, windigen Tag am Strand sitzt, um sie herum die Reste eines Picknicks, Pappteller und zerknautschte Pappbecher, Brotrinden in einer großen blechernen Keksdose, eine obszön ausgebreitete Bananenschale und, trunken schief halbwegs im Sand begraben, eine Flasche mit einem Rest von milchigem Tee. Meine Mutter sitzt aufrecht da, die nackten, fleckigen Beine vor sich ausgestreckt, und sie hat etwas auf dem Kopf, ein Kopftuch oder einen formlosen Baumwollhut. Macht sie mal wieder Handarbeiten? – Sie hat dieses geistesabwesende kleine Lächeln, das sie sonst immer beim Sticken hat. Wo ist mein damals noch lebender Vater? Ich sehe ihn nicht. Er ist unten im seichten Wasser, muss er wohl sein, dort, wo er so oft mit hochgekrempelten Hosenbeinen herumgeplanscht und seine gräulich weißen, schmalzfarbenen Waden samt den knubbeligen Knöcheln zur Schau gestellt hat. Und ich, wo bin ich, oder wo war ich? – Ein mitten in der Luft hängendes Auge, nur ein schwebender Zeuge, der da ist und zugleich auch nicht? Ach, Mutter, wie kann die Vergangenheit vergangen und zugleich noch da sein, ungetrübt, glänzend, bunt wie diese Blechdose? Und hattest du wirklich nie einen Verdacht, was dein Sohn getrieben hat, nicht ein einziges Mal in diesem ganzen glutheißen, schwülstigen Sommer? Kann eine Mutter denn so blind sein für die Leidenschaften ihres einzigen Kindes! Du hast kein Wort gesagt, hast dir nie etwas anmerken lassen, keine gezielte Frage gestellt. Doch was, wenn du sehr wohl einen Verdacht gehabt, was, wenn du Bescheid gewusst hast und nur zu schockiert warst, zu entsetzt, um etwas zu sagen, mich zur Rede zu stellen, Verbote zu verhängen? Diese Möglichkeit beunruhigt mich sogar noch mehr als die Möglichkeit, dass alle Bescheid gewusst haben, und zwar von Anfang an. So viele Menschen habe ich getäuscht in meinem Leben, angefangen mit ihr, dem ersten Opfer.

Sollte ich wirklich nach Rossmore fahren? Unzählige Male an jenem Samstagabend und den ganzen Sonntag über fiel meine Entschlusskraft in sich zusammen, rappelte sich wieder auf, schwankte von Neuem und verließ mich abermals. Doch dann – zu meiner eigenen Überraschung – fuhr ich wirklich. Das Wegkommen erwies sich als das reinste Kinderspiel – ich bin mir sicher, dass es einen Teufelslehrling gibt, dessen spezielle Aufgabe darin besteht, heimlich Liebenden den Weg zu ebnen. Dem Diktat des Dämons folgend, erzählte ich meiner Mutter, Billy Gray habe mich eingeladen runterzukommen und den Tag mit ihm zu verbringen. Sie war nicht nur nicht misstrauisch, sondern durchaus erfreut, denn in ihren Augen waren die Grays eine perfekt funktionierende Familie und darum genau der Umgang, den sie sich für mich wünschte und von dem sie wollte, dass ich ihn pflegen sollte. Sie gab mir das Fahrgeld für die Bahn und noch ein bisschen extra, damit ich mir ein Eis kaufen könne, machte mir belegte Brote zum Mitnehmen, bügelte eins von meinen beiden guten Hemden und bestand sogar darauf, mir meine Segeltuchschuhe mit Pfeifenton zu weißen. Natürlich machte ihre ganze Geschäftigkeit mich rasend, konnte ich es doch kaum erwarten, endlich weg zu sein, aber um das launische Schicksal, das bis dato mit solch ungewohnter Nachsicht auf mich herabgelächelt hatte, nicht herauszufordern, hielt ich an mich.

Als ich den Zug bestieg, überkam mich ein ungutes Gefühl, das auf irgendeine ominöse Art und Weise mit dem Geruch des Kohlenrauchs und der spröden Beschaffenheit der Sitzpolsterung zusammenhing. Erinnerte ich mich da wieder an meine Mutter früher in Rossmore? Schämte ich mich, weil ich sie vorhin am Morgen so aalglatt angelogen hatte? Es ist bemerkenswert, wie selten ich in jenen Tagen derlei Gewissensbissen ausgesetzt war – ich hab sie mir wohl alle für später aufgehoben, für jetzt –, in dem Moment jedoch, als der Zug keuchend und ratternd den Bahnhof verließ, war mir da auch nur ein kurzer Blick in die flammende Ebene und auf den brennenden See der Sorgen vergönnt, hörte ich da die Schreie der verdammten Liebenden aus der Grube aufsteigen? Das ist eine schwere Sünde, mein Kind, hatte der Priester gesagt, und die war es gewiss. Na und, sollte doch die Verdammnis kommen, ich scherte mich nicht darum. Ich stand auf, wobei ein paar Wölkchen von altem Staub aus dem Sitz aufstiegen, und ließ das schwere holzgerahmte Fenster an seinem dicken Lederriemen runter, und gleich sprang mir der Sommer in die Arme mit all seinen Verheißungen.

Ich habe Züge schon immer geliebt. Am besten waren natürlich die alten, deren rußschwarze Lokomotiven dichte Dampfschwaden und puffende Ketten von malerischem weißem Rauch ausspien, und die klirrenden, schlingernden Wagen, die heftig ratternden Räder – so viel Kraft und Mühe und alles nur, um einen so lustigen Spielzeugeffekt hervorzubringen. Und wie die Landschaft zu rotieren schien, wie ein riesiges, langsames Rad, oder sich allemal zu öffnen, wie ein Fächer, und wie die Telegrafenmaste untertauchten und davonglitten und die Vögel im Fenster rückwärts davonflogen, langsam, mühsam, wie lauter schwarze Fetzen.

Wie weit und tonlos doch die Stille ist, die sich im Sommer über den Bahnsteig legt, wenn ein Zug ausfährt. Ich war der Einzige, der ausgestiegen war. Der specknackige Stationsvorsteher mit seiner Schildmütze und seinem marineblauen Mantel spuckte auf die Schienen und schlenderte davon mit diesem komischen Schlaufending, das er wohl vom Lokführer oder von dem Kollegen aus dem Dienstabteil bekommen hatte und das über seiner Schulter baumelte. Auf der anderen Seite der Gleise knisterte das verbrannte Gras in der Sonne. Auf einem Pfosten hockte eine Krähe. Ich ging durch die kleine grüne Pforte und trat hinaus auf die Straße. Undeutlich wie ein schwerer schwarzer, vom Wind bewegter Vorhang wogte plötzlich vor meinem inneren Auge die Erkenntnis, wie verrückt es war, einfach so hierherzufahren; und dennoch, nein, das kümmerte mich nicht, das würde mich nicht kümmern. Ich war schon viel zu weit gegangen, um noch umkehren zu können, und außerdem fuhr in den nächsten Stunden eh kein Zug. Ich holte die belegten Brote aus der Tasche, die mir meine Mutter gemacht hatte, und warf das Päckchen schwungvoll über die Gleise ins Gras, gleichsam als Beleg für meine Hingabe, für meine Entschlossenheit, mich von nichts und niemand abschrecken zu lassen, vermute ich. Die Krähe auf dem Pfosten gab ein genervtes Krächzen von sich, entfaltete ihre Schwingen aus schwarzem Krepp und flog mit ein paar trägen Flügelschlägen hinunter, um die Sache ohne große Erwartungen in Augenschein zu nehmen. Das alles war schon einmal irgendwo geschehen.

Das Strandhotel, in dem die Grays logierten, ein lang gestreckter, flacher eingeschossiger Bau mit einer verglasten Veranda, war nur dem Namen nach ein Hotel, eigentlich aber kaum mehr als eine Pension, wenn auch entschieden eine Stufe besser als das schäbige Etablissement, das meine Mutter führte. Ich flitzte vorbei und wagte keinen Blick hinüber zu den vielen Fenstern, in denen sich der Himmel spiegelte. Was, wenn jetzt Billy oder, noch verheerender, wenn Kitty dort herauskäme und mich sähe? Wie würde ich meine Anwesenheit erklären? Die für ein Alibi notwendigen Requisiten hatte ich nicht bei mir, nicht einmal eine Badehose oder ein Handtuch. Ich ging weiter die Straße hinunter, und plötzlich war da zwischen einem Café und einem Geschäft eine Gasse, die zum Strand hinunterführte. Es war ein heißer Morgen, und ich überlegte, ob ich mir die Eiswaffel kaufen sollte, für die meine Mutter mir Geld gegeben hatte, beschloss aber, vorerst zu warten, denn ich wusste ja nicht, wie lang der Tag noch werden würde. Nun tat es mir schon leid um die belegten Brote, die ich so verschwenderisch weggeworfen hatte.

Ich ging also an den Strand und setzte mich hin, machte mit meiner Faust einen Trichter, ließ den Sand hindurchrieseln und schaute trübsinnig aufs Meer. Das Wasser, auf das die Sonne fiel, glich einer breiten Decke aus lauter feinen Metallblättchen – Altgold, Silber, Chrom. Es gab Leute, die ihre Hunde ausführten, und es gab auch schon ein paar Schwimmer, die kreischend in den Wellen planschten. Ich war mir sicher, dass alle Blicke auf mir ruhten, dass ich im Mittelpunkt des allgemeinen Interesses stand. Was, wenn zum Beispiel der Alte da vorne, der mit der Bulldogge, oder die dürre Frau dort mit dem kleinen Fliederzweig am Band ihres Strohhuts, was, wenn einer davon misstrauisch wurde und mich zur Rede stellte – wie sollte ich dann meine untätige Anwesenheit rechfertigen? Und Mrs Gray, was würde die wohl sagen, wenn sie mich sah, was würde sie machen? Es gab Zeiten, da war sie für mich einfach irgendeine Erwachsene, genauso beschäftigt und unberechenbar und zu grundlosen Wutausbrüchen neigend, das heißt, genauso verschieden von mir wie der Rest der Erwachsenenwelt.

Ich hatte das Gefühl, schon mindestens eine halbe Stunde, wenn nicht sogar noch länger, wie so ein Häufchen Unglück dort im Sand zu hocken, doch als ich auf die Uhr am Turm der evangelischen Kirche hinter dem Strand schaute, sah ich, dass noch nicht mal zehn Minuten vergangen waren. Ich stand auf, klopfte mir den Sand ab und machte mich auf zu einem Spaziergang durchs Dorf, um mir anzugucken, was es dort zu sehen gab – das Übliche halt: Urlauber mit weiten Shorts und albernen Hüten, Geschäfte mit Trauben von Wasserbällen an der Tür, schnurrende, stampfende Eismaschinen, auf dem Golfplatz Golfer in ärmellosen gelben Pullis und großen Schuhen mit Rüschen und Fransen vorne auf dem Blatt. Sonnenlicht, das von den Windschutzscheiben vorüberfahrender Autos reflektiert wird und in den Torwegen scharfe Schatten wirft. Ich blieb stehen und beobachtete eine Beißerei zwischen drei Hunden, die aber schnell vorbei war. Als ich an der Zinkblechkirche vorüberging, war mir, als sähe ich Kitty auf einem Fahrrad auf mich zukommen; schnell versteckte ich mich hinter einer Hecke, und das Herz, ein heißer Klumpen, strampelte mir in der Brust wie eine Katze in einem Sack.

In jenen echolosen Höhlen aus leerer Zeit, wo niemand mich beobachtete und keiner mich bemerkte, entfernte ich mich immer weiter von mir selbst, geriet in einen Zustand wachsender Entkörperlichung. Mitunter schien es mir, als sei ich zum Phantom geworden, und ich hatte das Gefühl, auf die Leute zu und geradewegs durch sie hindurchgehen zu können, ohne dass diese auch nur einen Atemzug wahrnähmen. Zu Mittag kaufte ich mir ein Kuchenbrötchen und einen Schokoriegel und setzte mich zum Essen auf eine Bank draußen vor Myler's Lebensmittelladen. Von der Langeweile und der sengenden Sonne wurde mir ein bisschen übel. In meiner Verzweiflung fing ich an, mir zu überlegen, mit was für Ausreden ich im Strandhotel nach Mrs Gray fragen könnte. Ich sei aus Versehen in den Zug nach Rossmore gestiegen und hier gestrandet und müsse mir nun das Geld für die Rückfahrt borgen; jemand habe versucht, in ihr Haus am Platz einzubrechen, und ich sei in aller Eile hier heruntergekommen, um ihnen Bescheid zu geben; Mr Gray habe sich auf dem Weg in die Stadt aus dem Eisenbahnwagen gestürzt, weil Miss Flushing gedroht habe, ihn sitzen zu lassen, entlang der Gleise suche man noch immer nach seinem verstümmelten Leichnam – ganz egal, was. Ich würde einfach irgendwas erzählen. Aber erst mal zog ich weiter durch die Straßen, erregt und trostlos, und immer langsamer verging die Zeit.

Ich habe Billy tatsächlich getroffen. Das war vielleicht eine verrückte Sache. Ich bog um eine Ecke und lief ihm direkt in die Arme. Er kam gerade von den öffentlichen Tennisplätzen, zusammen mit drei, vier anderen Jungen, von denen ich keinen Einzigen kannte. Wir zögerten kurz, Billy und ich, dann stoppten wir und starrten uns an. Verblüffter können Stanley und Livingstone auch nicht gewesen sein. Billy trug Tennisklamotten, einen cremefarbenen Jumper mit einem blauen Streifen, der von den Armen aus rund um die Brust lief, und einen Schläger, nein, zwei Schläger, ich sehe sie vor mir, beide mit glänzenden neuen Holzpressen. Er wurde rot, ich sicher auch, denn die Situation war äußerst peinlich. Wir fingen gleichzeitig an zu reden und hörten wieder auf. Das war nicht vorgesehen, es war nicht vorgesehen, dass wir uns hier trafen – was hatte ich hier überhaupt zu suchen? Und was war jetzt zu tun? Billy versuchte erst, die beiden Tennisschläger mit ihren auffälligen Pressen hinterm Rücken zu verstecken, dann hielt er sie mit gespieltem Desinteresse nach unten. Die anderen waren ein Stück weitergegangen, blieben nun aber stehen und schauten nicht übermäßig neugierig zu uns zurück. Ich dachte, wohlgemerkt, weder an Mrs Gray noch an den Zweck, der mich hierher geführt hatte, das war nicht der Grund für dieses Unbehagen, diese heiße Mischung aus Verlegenheit, dumpfer Furcht und verbissenem Groll. Aber was sonst? Einfach die Überraschung, nehme ich an, sich so unerwartet zu treffen. Es war, als wären wir beide auf eine unangenehme Weise in etwas Peinliches verwickelt worden und hätten keine Ahnung, wie wir uns da wieder rausziehen sollten; einen Moment lang sah es so aus, als knurrten wir einander an wie zwei wilde Tiere, die sich Schnauze an Schnauze auf einem Urwaldpfad begegnen und weder vor noch zurück können. Dann entspannte sich auf einmal alles, Billy zog sein schiefes, irgendwie entschuldigendes Lächeln und neigte den Kopf zur Seite – einen Moment lang war er seine Mutter – und ging mit gesenktem Blick los, vorsichtig, schlängelnd, wie um einem mit Stacheldraht versehenen, widerborstigen Hindernis auszuweichen, das sich vor ihm aufgerichtet hat. Er sagte ein Wort, das ich nicht verstehen konnte, und ging weiter, um sich wieder zu seinen neuen Strandfreunden zu gesellen, die sich inzwischen in tumber Heiterkeit eins feixten über das, was sie gesehen hatten, aber nicht kapierten. Ich sah Billys immer noch geröteten Nacken. Einer von den Jungs schlug ihm auf die Schulter, als hätte er irgendeine schwierige

Prüfung tapfer und sicher bestanden, und dann gingen sie lachend zusammen weiter, und einer legte Billy den Arm um die Schultern und sah sich höhnisch grinsend nach mir um. All das geschah so schnell, dass es mir, als ich weiterging, so vorkam, als wäre es überhaupt nicht passiert, und ich mit einer Ruhe, die mich selbst erstaunte, weiter durch die Straßen zog.

Es war gespenstisch, wie oft ich an diesem Tag in der sommerlichen Menschenmenge Mrs Gray nicht nur zu sehen glaubte, sondern sie tatsächlich sah. Sie war überall, eine qualvoll helle Gestalt, die zwischen den vielen gestaltlosen Schemen hin und her flitzte. Es war ermüdend, all diese Wogen freudigen Wiedererkennens auszuhalten, die fortwährend in mir aufwallten, nur um im nächsten Augenblick wieder niedergeschlagen zu werden. Es war, als würde ein schelmischer, aber hartherziger Geist mich necken und mitten im wimmelnden Treiben mit mir Verstecken spielen. Je öfter ich sie erspähte und gleich wieder aus den Augen verlor, desto wahnsinniger wurde meine Sehnsucht nach ihr, bis ich glaubte, ohnmächtig oder verrückt zu werden, wenn sie nicht bald in Wirklichkeit auftauchte. Doch als sie dann tatsächlich da war, hatte ich unterdessen schon so viele Fantasieversionen von ihr gesehen, dass ich zuerst meinen Augen gar nicht traute.

Inzwischen hatte ich die Hoffnung aufgegeben und trottete in Richtung Bahnhof, um den letzten Zug nach Hause zu nehmen. Ich war dermaßen niedergeschlagen, dass ich, als ich am Strandhotel vorüberging, nicht mal mehr hinsah. Da kam sie vom Bahnhof her auf mich zu, im Gegenlicht – ein sich bewegender Schemen, der Umriss aus flammendem Gold. Sie trug Sandalen und das kurzärmlige Kleid mit dem Blumenmuster – als Erstes erkannte ich das Kleid – und hatte die Haare hochgesteckt, was sie sehr jung aussehen ließ, ein Mädchen mit nackten Beinen, das in Sandalen angeschlappt kommt und eine

Einkaufstasche schwenkt. Ich sah, dass auch sie im ersten Moment ihren Augen nicht traute; mitten auf der Straße blieb sie stehen und starrte mich erstaunt und mit allmählich aufkommendem Entsetzen an. So hatte ich mir unsere Begegnung nun wirklich nicht vorgestellt. Was ich hier tat, wollte sie wissen, ob irgendwas passiert sei. Ich wusste nicht, was ich sagen sollte. Mit dem Sonnenbrand hatte ich recht gehabt: Ihre Stirn war gerötet, auch in der Halsbeuge hatte sie eine gerötete Stelle und auf der Nase ein paar hinreißende Sommersprossen.

Sie neigte den Kopf zur Seite, kniff Augen und Mund zusammen und musterte mich scharf. War bei meinem Anblick zunächst ein Anflug von Angst in ihre Miene getreten, so schaute sie mich jetzt finster und misstrauisch, wütend und vorwurfsvoll an. Ich sah, wie sie sich in aller Eile ausrechnete, wie weitreichend das Problem meines plötzlichen, erschreckenden Auftauchens für sie war. Jeden Moment konnte eines ihrer Kinder aus der Tür des Hotels treten, das keine hundert Meter von uns entfernt war, und uns beide sehen, und was dann? Ich reagierte auf ihren Blick, indem ich verdrossen mit dem Zeh in einer Ritze zwischen den Gehwegplatten bohrte. Ich war enttäuscht – mehr noch, ich war ernüchtert, bitter ernüchtert. Ja, ich hatte sie erschreckt; ja, es gab die Gefahr, dass uns jemand entdeckte und wir keine Erklärung hätten; aber hatte sie mir nicht wiederholt versichert, dass sie mich liebte und dass Liebe sich um keine Konventionen scheren dürfe? Was war mit der unbekümmerten Leidenschaft, die sie dazu gebracht hatte, sich an einem Aprilnachmittag mit mir in der Wäschekammer hinzulegen, nackig im sommerlichen Wald herumzuhüpfen, und um derentwillen sie bereit gewesen war, den Kombi am helllichten Tage an einer öffentlichen Straße zu parken, auf die Rückbank zu klettern, sich ohne Vorwarnung den Rock bis über die Taille hochzuschieben und mich, ihr liebes Freundchen, gebieterisch zu sich runterzuziehen? Jetzt hatte sie ein hektisches Flackern in den Augen, schaute an mir vorbei die Straße runter zum Hotel und fuhr sich fortwährend mit der Zungenspitze über die Unterlippe. Mir wurde klar, dass ich irgendwas tun musste, um sie abzulenken, damit sie aufhörte, nur an sich selbst zu denken, an alles, was sie zu verlieren hatte, und sich wieder für mich interessierte. Ich ließ die Schultern sacken, senkte demütig den Blick – oh ja, ganz der zukünftige Schauspieler – und sagte in leicht weinerlichem Ton, ich sei nach Rossmore gekommen, weil ich nicht mehr weiterwusste; ich hätte es einfach nicht mehr ausgehalten, auch nur einen einzigen Tag, eine Stunde länger von ihr getrennt zu sein. Sie sah mich einen Moment lang aufmerksam an, sichtlich verblüfft ob der Intensität meiner Worte, dann lächelte sie auf ihre vergnügte, langsame, leicht verschwommene Art. »Was bist du doch für ein fürchterliches Bürschchen«, murmelte sie mit stockender Stimme, schüttelte den Kopf und war wieder mein.

Wir gingen zusammen zurück in die Richtung, aus der sie gekommen war, vorbei am Bahnhof, überquerten eine kleine Buckelbrücke und waren plötzlich auf dem Lande. Wo sie gewesen sei, wollte ich wissen, wo sie hergekommen sei. Sie lachte. In der Stadt sei sie gewesen, den ganzen Tag. Sie zeigte mir ihre dicke Einkaufstasche. »Die haben hier ja reinweg gar nichts«, sagte sie und deutete verächtlich mit dem Kopf in Richtung Strandhotel, »immer nur Würstchen und Kartoffeln, Kartoffeln und Würstchen, jeden Tag, den Gott werden lässt.« Also war sie heute früh losgefahren und jetzt gerade mit dem Zug zurückgekommen. Ja, und sie war auch einfach so herumgebummelt, genau wie ich, war stundenlang in der Stadt herumgelaufen und hatte sich gefragt, wo ich wohl sei, und dabei sei ich die ganze Zeit hier gewesen! Als sie mein miesepetriges Gesicht sah, musste sie abermals lachen. Wir gingen am Straßenrand. Die Sonne schien uns in die Augen, und das Abendlicht war wie beschlagenes Gold. Lange Grashalme lehnten sich aus dem Straßengraben, klatschten uns träge gegen die Beine und hinterließen ihren Staub darauf. Über den Feldern erhob sich dünner weißer, knöchelhoher Nebel, die Kühe, die auf unsichtbaren Hufen standen, schauten uns nach, als wir vorübergingen, und bewegten gelangweilt den Unterkiefer mechanisch zur Seite und nach oben. Sommer und die Abendstille und meine Liebste mir zur Seite.

Wenn sie mit dem Zug gekommen sei, wollte ich wissen, was denn dann mit Mr Gray sei. Wo der denn stecke. Der sei in der Stadt aufgehalten worden, sagte sie, und werde den späten Postzug nehmen. In der Stadt aufgehalten. Ich dachte an Miss Flushing mit ihren blonden Wellen und ihrer hohen Taille und diesen großen feucht glänzenden Vorderzähnen. Sollte ich etwas sagen, sollte ich andeuten, dass ich das schuldbeladene Geheimnis von Mr Gray zu kennen glaubte? Noch nicht. Und als ich es ihr schließlich erzählte, irgendwann später, wie hat sie da gelacht – »O Gott, ich glaub, ich mach mir in die Hose!« – und in die Hände geklatscht und gekreischt. Sie kannte ihren Mann besser als ich.

An einer Wegbiegung, im violettbraunen Schatten einer raschelnden Baumgruppe, blieben wir stehen, und ich küsste sie. Sagte ich schon, dass sie ein paar Zentimeter größer war als ich? Ich war ja immerhin noch nicht mal ausgewachsen; schwer vorstellbar. Ihre sonnenverbrannte Haut fühlte sich weich und heiß auf meinen Lippen an, leicht geschwollen, ganz zart klebrig, eher wie eine geheime innere Haut als wie die äußere. Von all den Küssen, die wir tauschten, erinnere ich mich am deutlichsten an jenen, einfach, weil er so seltsam war, nehme ich an, denn seltsam war er, so im Stehen, unter Bäumen, in der Abenddämmerung eines ansonsten keineswegs bemerkenswerten Sommerabends. Und dennoch waren wir auch unschuldig, auf unsere

Art, und auch das ist seltsam. Ich sehe uns wie auf einem dieser rustikalen alten Holzschnitte, der jugendliche Liebhaber und seine sommersprossige Flora, züchtig einander umarmend in einer schattigen Laube unterm Gewirr von Geißblattranken und tausüßen Heideröslein. Alles bloß Fantasie, verstehen Sie, alles nur ein Traum. Als der Kuss erledigt war, traten wir beide je einen Schritt zurück, räusperten uns, machten kehrt und gingen schicklich schweigend weiter. Wir gingen Hand in Hand, und ich, ganz ambitionierter Kavalier, trug ihr die Einkaufstasche. Was sollten wir nun machen? Es wurde langsam spät, mein letzter Zug war weg. Was, wenn jemand, der uns kannte, hier langgefahren kam und uns zusammen sah, so spät am Tage, Hand in Hand durch dunstige Felder schlendernd, ein bartloser Bursche, eine verheiratete Frau und doch ganz offenbar ein Liebespaar? Ich stellte es mir vor, den wild schleudernden Wagen und wie der Fahrer ungläubig übers Lenkrad schaut, mit offen klaffendem Mund. Mrs Gray fing an, mir zu erzählen, wie ihr Vater sie, als sie klein war, an Abenden wie diesem immer zum Pilzesammeln mitgenommen hatte, aber dann unterbrach sie sich und wurde nachdenklich. Ich versuchte, sie mir als Mädchen vorzustellen, wie sie barfuß durch die vom Nebel weißen Wiesen schritt, am Arm einen Korb, und der Mann, ihr Vater, ihr vorausging, mit Brille, Backenbart und Gehrock, wie die Väter im Märchen. Für mich konnte sie unmöglich eine Vergangenheit haben, die kein Märchen war, denn hatte ich sie schließlich nicht erfunden, sie heraufbeschworen, aus nichts als meinen Herzenswünschen?

Sie sagte, sie wolle zurückgehen und den Kombi holen, um mich heimzufahren. Aber ich wollte wissen, wie sie das schaffen sollte, wie sie damit durchkommen wollte? – Denn ich hatte endlich angefangen, die Gefahren unserer misslichen Lage abzuwägen. Oh, sagte sie, sie werde sich schon etwas einfallen lassen. Oder ob ich etwa einen besseren Vorschlag hätte? Ihr spöttischer Ton gefiel mir nicht, und wie so oft, war ich mal wieder eingeschnappt. Ich sei ein großes Baby, sagte sie lachend, zog mich mit beiden Armen an sich und drückte mich, während sie mich gleichzeitig ein bisschen schüttelte. Dann schob sie mich wieder weg, holte ihren Lippenstift raus und machte sich einen neuen Mund, spitzte die Lippen und saugte daran, dass es aussah, als ob sie keine Zähne hätte, und dabei schmatzte sie leise. Ich solle an der Eisenbahnbrücke warten, sagte sie, sie werde zurückkommen und mich dort abholen. Ich solle aufpassen, falls in der Zwischenzeit Mr Grays Zug ankäme. Und wenn er käme, fragte ich, was ich denn dann wohl machen solle? »Dich hinterm Graben verstecken«, sagte sie trocken, »oder willst du ihm etwa erklären, was du zu nachtschlafender Zeit hier draußen zu suchen hast?«

Sie nahm mir die Einkaufstasche ab und ging los. Ich sah, wie ihre verblassende Gestalt sich leise schwankend im hereinbrechenden Dunkel entfernte, über die Brücke ging und verschwand gleich einem Schatten, der durch eine Lücke zwischen zwei Welten gleitet, ihre und meine. Wie kommt es eigentlich, dass sie in den Erinnerungen, die ich an sie habe, so oft von mir weggeht? Ich hatte sie nicht gefragt, warum sie in die Stadt gefahren war. Es hatte mich nicht interessiert, nun aber stellte ich sie mir vor wie auf diesen bunten, fröhlichen Reklametafeln von damals, sommersprossig, braun gebrannt in ihrem Sommerkleid, flankiert von Billy und Kitty, die mit blanken Knopfaugen, die rosigen Backen auf die Fäuste gestützt, eifrig grinsend zu ihr aufblicken, wie sie aus dem Füllhorn ihrer Tasche alle möglichen Köstlichkeiten hervorholt – Plätzchen und Bonbons, Maiskolben, in Wachspapier eingewickeltes Schnittbrot, Orangen, groß wie Bowlingkugeln, eine schuppige Ananas mit diesem lustigen Puschel obendrauf –, während im Hintergrund

Mr Gray, der Ehemann und Vater, der allein für all die Fülle sorgt, nachsichtig lächelnd von seiner Zeitung aufblickt, der bescheidene, verlässliche Mr Gray mit seinem eckigen Kinn. Deren Welt, die niemals meine werden würde. Der Sommer ging zu Ende.

Ich setzte mich auf einen Zauntritt. Unter mir glänzten die Gleise im letzten Tageslicht, und im Büro des Bahnhofsvorstehers bohrte ein Radio seinen nadelspitzen Summton in die Stille. Die Nacht brach an und verbreitete jenes schummrig violette Grau, das um diese Jahreszeit als Dunkel gilt. Jetzt ging im Fenster des Wartesaals ein Licht an, und unter der summenden Lampe am Ende des Bahnsteigs webten die Motten trunkene Zickzackmuster. Hinter mir auf den Feldern drehte eine Wiesenknarre beharrlich ihre hölzerne Ratsche. Auch Fledermäuse waren da, ich konnte fühlen, wie sie über mir in der indigoblauen Luft hierhin und dorthin huschten, ihre Flügel machten ein winziges Geräusch, wie wenn man Seidenpapier immer wieder faltet. Mit einem Mal hievte ein riesengroßer Mond sein rundes honiggelbes Gesicht aus dem Nichts herauf und glotzte amüsiert und wissend zu mir herab. Und Sternschnuppen! – Wann haben Sie zuletzt eine Sternschnuppe gesehen? Inzwischen war Mrs Gray schon beunruhigend lange weg. War ihr etwas passiert? War sie von Wegelagerern überfallen worden? Vielleicht war sie gar nicht mehr in der Lage, mich abzuholen. Mir wurde immer kälter, und Hunger hatte ich auch und dachte reumütig an zu Hause, an meine Mutter, die in der Küche in ihrem Lehnstuhl am Fenster saß, einen Krimi aus der Leihbücherei las, auf der Nasenspitze ihre Brille, deren einer Bügel mit Heftpflaster geflickt war, und sich schläfrig blinzelnd den Daumen leckte, um die Seiten umzublättern. Aber vielleicht las sie auch gar nicht, vielleicht stand sie am Fenster und spähte sorgenvoll ins Dunkel und fragte sich, wo ich so lange blieb, wo ich bloß steckte und was ich wohl da draußen tat.

Der Arm des Eisenbahnsignals unter der Brücke ging ruckartig klackend nach unten, und ich zuckte erschrocken zusammen, das Signal war von Rot auf Grün gewechselt, und in der Ferne sah ich die Lichter des nahenden Postzugs. Bald würde Mr Gray hier sein, würde aussteigen, mit seiner Aktentasche und der zusammengerollten Zeitung unterm Arm kurz auf dem Bahnsteig stehen bleiben und blinzelnd Ausschau halten, als sei er nicht ganz sicher, ob er hier richtig war. Was sollte ich tun? Sollte ich versuchen, ihn abzulenken? Aber Mrs Gray hatte ja recht, wie sollte ich erklären, dass ich hier war, allein, so spät nachts, frierend und bibbernd? In diesem Moment erschien der Kombi oben auf der Anhöhe. Einer der Scheinwerfer war immer schief, was die grell tastenden Lichtkegel so komisch auswärts schielen ließ. Er kam heran und hielt vor dem Zauntritt. Das Fenster auf der Fahrerseite war geöffnet, und Mrs Gray rauchte eine Zigarette. Sie schaute an mir vorbei nach dem Licht des herannahenden Zuges, das inzwischen groß war und gelb wie der Mond. »Jesses«, sagte sie, »grade noch geschafft, hey?«

Ich setzte mich neben sie. Der Ledersitz war kalt und klamm. Sie griff mit der Hand rüber und strich mir kurz über die Wange. »Du Armer«, sagte sie, »du klapperst ja richtig mit den Zähnen.« Sie drosch den Schaltknüppel runter, die Reifen qualmten, und in einer Wolke von aufgewirbeltem Staub schossen wir hinaus in die Nacht.

Es tue ihr leid, dass sie so lange weg gewesen sei, sagte sie. Kitty habe nicht ins Bett gehen wollen, und Billy sei mit seinen Freunden draußen gewesen, und sie habe das Gefühl gehabt, warten zu müssen, bis er wieder da war. Seine Freunde, dachte ich, oh ja, seine neuen Freunde, die er sich, ohne Zeit zu verlieren, angeschafft hatte. Sie fing an, mir etwas von einem al-

ten Mann im Hotel zu erzählen, der den ganzen Tag am Strand
herumlungere, um heimlich den Mädchen zuzuschauen, wenn
sie ihre Badeanzüge wechselten. Beim Reden machte sie große,
weit ausholende Gesten mit ihrer Zigarette, als wäre diese ein
Stück Kreide und die Luft die Tafel, und lachte wiehernd durch
die Nase, als ob sie überhaupt gar keine Sorgen hätte, was mich
natürlich ärgerte. Sie hatte immer noch ihr Fenster offen, und
während wir durch die vom Mondlicht erhellte Landschaft ras-
ten, kroch ihr die Nacht am Ellenbogen hoch, ihr Haar schauderte im Wind, und der Stoff ihres Kleides kräuselte sich und
schlackerte an der Schulter. Ich erzählte ihr von meiner Begegnung mit Billy und seinen Freunden. Diese kleine Neuigkeit
hatte ich mir noch aufgehoben. Mrs Gray war lange still und
dachte nach. Dann zuckte sie die Achseln und sagte bloß, er sei
den ganzen Tag draußen gewesen, sie habe ihn kaum gesehen
seit heute Morgen. Das interessierte mich alles nicht. Ich fragte,
ob wir irgendwo am Straßenrand oder in einer Gasse anhalten könnten. Sie sah mich von der Seite an und schüttelte den
Kopf, tat so, als wäre sie schockiert. »Hast du eigentlich auch
noch was anderes im Kopf?«, fragte sie.« Aber sie hielt an.

Später, als wir in die Stadt kamen, bremste sie den Wagen
am anderen Ende meiner Straße. Das Haus war dunkel, wie ich
sah. Also war meine Mutter anscheinend doch schon zu Bett
gegangen – was sollte ich davon halten? Mrs Gray sagte, ich
solle reingehen, aber ich blieb sitzen. Draußen vor der Windschutzscheibe zerschnitt das Licht des Mondes die Straße in
ein Wirrwarr von scharfkantigen Würfeln und Kegeln, und alles war wie mit einer dünnen, glatten Schicht von silbergrauem
Staub überzogen. Schon wieder eine Sternschnuppe, und dann
noch eine. Mrs Gray schwieg jetzt. Dachte sie an ihre Kinder?
Überlegte sie, was sie ihrem Mann sagen würde, wenn sie nach
Hause kam, was sie ihm als Erklärung für ihre Abwesenheit an-

bieten würde? Ob er wohl aufgeblieben war und auf sie wartete, im Dunkeln auf der verglasten Veranda saß und mit anklagend blitzenden Brillengläsern mit den Fingern auf die Tischplatte trommelte? Schließlich seufzte sie, schraubte sich müde auf ihrem Sitz hoch, tätschelte mir das Knie und sagte abermals, dass es schon sehr spät sei und ich hineingehen solle. Sie gab mir keinen Gutenachtkuss. Als ich sagte, ich wolle noch mal an einem anderen Tag nach Rossmore kommen, presste sie die Lippen zu einem dünnen Strich zusammen und schüttelte rasch den Kopf, ohne die Windschutzscheibe aus den Augen zu lassen. Ich hatte es sowieso nicht ernst gemeint, ich wusste, dass ich nicht noch einmal dorthin kommen und keinen zweiten Tag wie diesen hier erleben wollte, der gerade zu Ende ging. Sie wartete, bis ich halb die Straße hoch war, eh sie losfuhr. Ich blieb stehen, drehte mich um und sah die Rücklichter des Kombis wie zwei leuchtende Juwelen entschwinden und verblassen. Ich musste daran denken, wie sie geguckt hatte, als sie mich auf der Station Road auf sie zukommen sah, wie sie am Anfang erschrocken und bestürzt gewesen war und wie sie nach einer Sekunde die Augen zusammengekniffen und nachdenklich dreingeschaut hatte. Ob das wohl eines schönen Tages noch einmal so wäre, am letzten Tag, ob ihre Augen dann genauso kalt sein würden und sie mir das Gesicht genauso hart und so verschlossen entgegenhielte, wie sehr ich auch bettelte und flehte und bitterste Tränen vergoss? Ob das am Schluss so wäre, wenn alles aus war?

Doch was, werden Sie fragen, was geschah, was ist dabei rausgekommen, wie Mrs Gray gesagt hätte, in jener Nacht in Lerici, nachdem ich dort in jenem eingeschneiten Hotel diesem mysteriösen Mann aus der Pampa begegnet war? Denn irgendwas, werden Sie sagen, irgendwas wird ja doch wohl geschehen sein. Das war schließlich nicht der Stoff, aus dem meine verschwitzten Knabenfantasien gemacht waren, völlig ungebeten ein Geschöpf wie Dawn Devonport in meinem Bett zu haben, einen Star, der Beistand brauchte, eine Göttin, die freundlich-sanfter Fürsorge bedurfte? Was waren das für Zeiten, als ich, endlich den Knabenschuhen entwachsen, in solchen Situationen ganz genau wusste, was ich zu tun hatte, und keine Sekunde lang gezögert hatte. Nicht, dass ich irgendwann im Leben tatsächlich ein Schürzenjäger gewesen wäre, nicht mal in meiner wilden, heißen Jugendzeit, was immer auch gewisse Leute sagen mögen. Doch einer Schauspielerin in Nöten hab ich noch niemals widerstehen können. Besonders auf Tourneen war nachts ganz schön was los, denn die Zimmer waren kalt, die Betten einsam in diesen trostlosen Buden und heruntergekommenen Hotels, wo unsere Truppe normalerweise abstieg, Etablissements, die mir als Sohn einer Pensionswirtin bedrückend vertraut waren. In der fieberhaften Atmosphäre, die im Anschluss an die Spätvorstellungen herrschte, bedurfte es oft nichts weiter als einer verletzenden Bemerkung in einer Morgenzeitung, damit ein Mädchen, das noch Reste von Schminke hinter den Ohrläppchen hatte, sich mir heulend und völlig aufgelöst in die Arme warf. Ich war bekannt für meine Sanftmut. Lydia war sich über diese zufälligen Kollisionen im Klaren; zumindest konnte sie sich ihr Teil denken, das weiß ich. Ob sie auch fremdging, wenn ich mich herumtrieb? Und wenn ja, wie geht's mir heute damit? Ich drücke auf der Stelle rum, die wehtun müsste, und nichts passiert. Und doch habe ich einst bewundert und wurde bewundert. So lange her, all das, ich könnte grad so gut von einer untergegangenen Epoche reden. Ach, Lydia.

Was ich vergessen habe, Ihnen zu erzählen: Dawn Devonport schnarcht. Ich hoffe, sie ist mir nicht böse, dass ich diesen unschmeichelhaften Umstand hier erwähne. Das wird ihr ganz bestimmt nicht schaden – es ist uns doch ganz recht, wenn unsere Götter ein paar menschliche Makel haben. Und außerdem finde ich es schön, Frauen schnarchen zu hören; ich finde das beruhigend. Wenn ich im Dunkeln so daliege mit diesem sonoren Rhythmus neben mir, dann fühle ich mich, als wäre ich des Nachts draußen auf einem stillen Meer, als läge ich in einer kleinen Barke und würde sanft hin und her geschaukelt; vielleicht eine Erinnerung an die Reise im Amnion. Als ich mich in jener Nacht endlich wieder in mein Zimmer schlich, warf die Straßenlaterne immer noch ihr erdiges Licht durchs Fenster, und unablässig fiel der Schnee. Haben Sie schon mal darüber nachgedacht, wie merkwürdig es ist, dass alle Hotelzimmer Schlafzimmer sind? Sogar bei den Suiten, selbst bei den allerelegantesten, sind die anderen Zimmer nur Vorzimmer des zentralen Heiligtums, in dem in seiner ganzen schmucken, baldachinüberwölbten Majestät, geradezu wie ein Opferaltar, das Bett steht. Und in dem meinen lag nun immer noch Dawn Devonport und schlief. Ich überlegte, was ich für Optionen hatte. Was also sollte ich machen, ein paar unbequeme Stunden – inzwischen war es schon sehr spät und nicht mehr lange, bis der

Morgen graute – angezogen auf dem Van-Gogh-Stuhl mit dem Sitz aus Stroh hocken oder mir auf dem genauso wenig einladenden Sofa an der Wand vis-à-vis einen steifen Hals holen? Ich besah mir den Stuhl, ich besah mir das Sofa. Ersterer schien unter meinem Blick zu schrumpfen, während sich Letzteres mit seiner geraden, hohen Rückenlehne und den bis auf den Boden reichenden gepolsterten Seitenteilen an die Wand drückte und mit schwelendem Argwohn durch die Dunkelheit zu mir herüberschaute. Ich merke, wie ich mich in wachsendem Maße durch vermutlich unbelebte Gegenstände abgelehnt fühle. Vielleicht ist dies die Art, wie mich die freundliche Welt dadurch, dass ich mich zwischen ihren Möbeln zunehmend unwillkommen fühle, hinführt zur letzten Tür, der Tür, durch die sie mich dereinst zum letzten Mal hinausgeleiten wird.

Zu guter Letzt entschied ich mich dafür, es mit dem Bett zu riskieren. Leise tappte ich auf die andere Seite, nahm, wie gewohnt, meine Armbanduhr ab und legte sie dort auf den kleinen, mit einer Glasplatte versehenen Tisch. Das Klirren, mit dem Metall und Glas zusammentrafen, brachte mit einem Mal die Erinnerung an all die durchwachten Nächte zurück, die ich, als Cass klein war, an ihrem Krankenbett verbracht hatte, an die unruhige Dunkelheit und die abgestandene Luft und das Kind, das dort lag wie gefällt und nicht zu schlafen, sondern weit weg zu sein schien in einer qualdurchsetzten Trance. Lautlos streifte ich meine Schuhe ab und legte mich, immer noch voll angezogen – selbst das Jackett war sittsam zugeknöpft – mit aller Vorsicht hin, streckte mich neben der schlafenden Frau rücklings aus und faltete die Hände über der Brust, und obwohl ich nicht einmal die Decke zurückgeschlagen hatte, schnurrten trotzdem ein paar Federn tief im Innern der Matratze höhnisch triumphierend, jedenfalls hörte es sich so an. Sie regte sich und schniefte ein bisschen, wachte aber nicht auf. Was für ein Schock für sie, wäre sie aufgewacht und hätte mich hier neben sich liegen sehen; bestimmt hätte sie gedacht, dass man einen fein säuberlich in seinen Begräbnisanzug verpackten Leichnam neben ihr abgelegt hätte, während sie schlief. Sie ruhte auf der Seite, das Gesicht mir abgewandt. Vor der Kulisse des dämmrig erleuchteten Fensters wirkte die hohe Wölbung ihrer Hüfte wie die Silhouette eines anmutigen Hügels, der in der Ferne vor einem fahl schimmernden Himmel im Dunkel auftaucht; ich habe diese Perspektive auf die weibliche Figur seit jeher bewundert, monumental und vertraut zugleich. Ihr Schnarchen war ein zartes Rasseln in den Nasengängen. Ich war schon immer der Meinung, dass der Schlaf unheimlich ist, eine nächtliche Kostümprobe fürs Totsein. Ich fragte mich, wovon Dawn Devonport wohl träumen mochte, obwohl ich die auf nichts basierende Theorie habe, dass Schnarchen und Träumen einander ausschließen. Ich für mein Teil war in jenem Zustand spätnächtlicher halluzinierter Wachheit, die allein schon den Gedanken an Schlaf absurd erscheinen lässt, und dennoch hatte ich gerade das Gefühl, jäh ins Leere zu treten, und fuhr mit einem Ruck, der das ganze Bett erzittern ließ, hoch und merkte, dass ich endlich doch irgendwie eingeschlafen sein musste.

Auch Dawn Devonport war aufgewacht. Sie lag noch genauso auf der Seite wie vorhin und bewegte sich nicht, hatte aber aufgehört zu schnarchen, und ihre Reglosigkeit war die eines Menschen, der wach ist und angestrengt lauscht. Sie war so still, dass ich dachte, sie sei vor Angst erstarrt – es war durchaus möglich, dass sie sich nicht erinnern konnte, wie sie hierhergekommen war, in ein fremdes Bett, mitten in der Nacht, mit diesem gespenstischen Licht im Fenster und dem Schnee da draußen. Ich räusperte mich diskret. Sollte ich vom Bett gleiten, mich aus dem Zimmer schleichen und wieder nach unten verschwinden – Señor Sorrán war vielleicht noch in der Bar und riss die nächste Flasche von dem argentinischen Roten an –, damit sie mich für eine Traumerscheinung hielte und, dergestalt beruhigt, getrost wieder einschlafen konnte? Während ich noch mit diesen Alternativen herumjonglierte, von denen keine wirklich überzeugend war, merkte ich auf einmal, wie das Bett zu zittern anfing, ja regelrecht bebte, und das auf eine Weise, die ich mir zunächst gar nicht erklären konnte. Dann aber verstand ich die Ursache. Dawn Devonport weinte, sie schluchzte heftig, aber unterdrückt, und machte kaum einen Laut. Ich war schockiert, und meine über der Brust gefalteten Hände umkrallten einander in krampfhaftem Entsetzen. Es ist furchtbar, eine Frau im Dunkeln leise schluchzen zu hören. Was sollte ich machen? Wie sollte ich sie trösten – musste ich sie trösten? Wurde überhaupt irgendwas von mir erwartet? Ich versuchte, mir den Text eines albernen kleinen Liedchens ins Gedächtnis zu rufen, das ich immer mit Cass gesungen hatte, als sie klein war, irgendwas mit im Bett liegen und Tränen in die Ohren kriegen – wie Cass immer gelacht hatte – und ich glaube gar, in meiner Verzweiflung hätte ich auch noch angefangen zu weinen, hätte sich Dawn Devonport nicht plötzlich aufgerichtet, mit aller Macht das Leintuch und die Decke zurückgeschlagen, sich mit einem wortlosen Wutschrei, so jedenfalls hörte es sich an, förmlich aus dem Bett katapultiert und wäre aus dem Zimmer gerannt, wobei sie die Tür weit offen stehen ließ.

Ich knipste die Lampe an und richtete mich auf, blinzelte, schwang die Beine über die Bettkante und setzte meine in Socken steckenden Füße auf den Boden. Sogleich ließ sich die Müdigkeit auf meinen gebeugten Schultern nieder wie das Gewicht des ganzen Schnees da draußen oder der Nacht selbst, das große Gewölbe der Dunkelheit über mir. Meine Füße waren kalt. Ich schob sie mühsam in die Schuhe und beugte mich vor, blieb dann aber so sitzen, nach vorn gebeugt, mit hängenden Armen, außerstande, auch nur die Schnürsenkel zuzubinden. Es gibt Momente, seltene und ganz besondere Momente, da habe ich den Eindruck, auf einmal, durch eine winzige Verschiebung oder Verwerfung der Zeit, irgendwie in der falschen Spur zu sein, als hätte ich mich selbst überholt oder liefe mir selbst hinterher. Nicht, dass ich das Gefühl hätte, verloren gegangen zu sein oder mich verlaufen zu haben, oder gar, mich an einem unpassenden Ort zu befinden. Es ist einfach so, dass ich irgendwie an einem Ort bin, ich meine, an einem Ort in der Zeit – wie komisch doch die Sprache Dinge ausdrückt –, an den ich nicht aus freien Stücken gelangt bin. Und für diesen Moment bin ich hilflos, so sehr, dass ich mir vorstelle, ich wäre nicht in der Lage, mich an die nächste Stelle zu bewegen oder wieder dorthin zurückzugehen, wo ich zuvor gewesen war – ich wäre überhaupt nicht in der Lage, mich zu rühren, sondern müsste dort bleiben, zutiefst verwirrt, eingemauert in diesem unbegreiflichen Ruhepunkt. Aber natürlich geht der Moment jedes Mal vorüber, so wie er jetzt vorüberging, und ich kam wieder auf die Beine, schlüpfte in meine Schuhe und schlurfte mit über den Boden schleifenden Schnürsenkeln zur Tür hin, die Dawn Devonport offen gelassen hatte, schloss sie, ging zurück, um die Lampe auszuknipsen, legte mich wieder hin, immer noch vollständig angezogen, auch die Krawatte immer noch gebunden, und sank augenblicklich in gnädiges Vergessen, als hätte in der Wand der Nacht sich ein Panel geöffnet, als hätte man auf einer Plattform mich ins Dunkel gleiten lassen und dort weggesperrt.

Wir haben die Überfahrt nach Portovenere nie geschafft, Dawn Devonport und ich. Vielleicht hatte ich es ja auch nie wirklich vorgehabt. Wir hätten fahren können, nichts hätte uns gehindert, nichts oder eben alles, denn trotz der Winterstürme lief der Fährverkehr normal, und auch die Straßen waren frei. Wie sich zeigen sollte, hatte sie die ganze Zeit gewusst, dass meine Tochter in dem kleinen Hafen jenseits der Bucht gestorben war – sie hatte es wahrscheinlich von Billie Stryker gehört oder von Toby Taggart, es war ja schließlich kein Geheimnis. Sie fragte nicht, warum ich mich entschlossen hatte, es ihr nicht von selbst zu sagen, warum ich so getan hatte, als wäre die Wahl unseres Reiseziels Zufall gewesen. Ich nehme an, sie dachte, ich hätte einen Plan, ein Programm, eine eigene Vorstellung von den Abläufen, der sie sich in Ermanglung von etwas Besserem anschließen konnte. Vielleicht hat sie auch überhaupt nicht gedacht, sondern ließ sich einfach treiben, als ob sie keine andere Wahl gehabt hätte und froh darüber sei. »Hier ist Keats gestorben«, sagte sie, »ist der nicht irgendwie ertrunken?« Wir gingen, eingepackt in Mantel und Schal, am Strand unterhalb des Hotels entlang. Nein, erklärte ich ihr, das sei Shelley gewesen. Sie zeigte kein Interesse. »Ich bin wie er, wie Keats«, sagte sie und sah mit zusammengekniffenen Augen zum turbulenten Horizont. »Ich lebe eine postume Existenz – hat er das nicht irgendwo über sich selbst gesagt?« Sie lachte kurz und sichtlich selbstzufrieden auf.

Es war Morgen, und nach all den Aufregungen und Schlafunterbrechungen fühlte ich mich ganz aufgerieben und zittrig und roh wie ein Stock, dem man gerade die Rinde abgeschält hat. Dawn Devonport hingegen war unnatürlich ruhig, fast wie betäubt. Offenbar hatte man ihr im Krankenhaus Beruhigungsmittel für die Reise mitgegeben – ihr Arzt, der nette Inder, wollte sie gar nicht fahren lassen –, und sie war abwesend und ein bisschen vertrieft und betrachtete alles um sich herum mit skeptischer Miene, als wäre sie sich sicher, dass das alles nur veranstaltet wurde, um sie zu täuschen. Immer wieder kam es vor, dass ihre Aufmerksamkeit sich plötzlich auf etwas Bestimmtes richtete und sie auf die Armbanduhr sah, die Augen zusammenkniff und die Stirn runzelte, als wäre etwas Entscheidendes, das eigentlich hätte passieren sollen, unerklärlicherweise verschoben worden. Ich erzählte ihr von meiner Begegnung mit Fedrigo Sorrán, und dabei war ich mir, so müde und so reisefiebrig, wie ich war, noch nicht mal sicher, ob ich den Mann nicht nur geträumt oder erfunden hatte, und ich habe da, ehrlich gesagt, immer noch meine Zweifel. Am Morgen im Hotel war nichts von ihm zu sehen gewesen, und ich war überzeugt, dass er nicht mehr da war, falls er überhaupt je dort gewesen war. Darüber, wie sie in mein Zimmer gekommen war, über ihren keuschen Beischlaf, ihre Tränen und ihren anschließenden abrupten und gewaltsamen Abgang redeten wir nicht. Heute waren wir wie zwei Fremde, die sich die Nacht zuvor in einer Hafenbar getroffen und sich in beschwipster Kumpelhaftigkeit gemeinsam gelangweilt hatten, und nun war das Schiff weg und wir hatten einen Kater, und die ganze grauenhafte Reise lag immer noch vor uns.

Er sei in Leghorn gewesen, erzählte ich ihr, und auf dem Rückweg sei sein Schiff in einem Sturm gesunken. Sie sah mich an. »Shelley«, sagte ich. Bei ihm waren sein Freund Edward Williams und ein Knabe, dessen Namen mir nicht einfiel. Ihr Schiff hieß Ariel. Manche sagen, der Dichter habe es selbst zum Kentern gebracht. Er schrieb gerade am *Triumph des Lebens*. Sie sah mich nicht mehr an, und ich war nicht sicher, ob sie mir zuhörte. Wir blieben stehen und schauten über die Bucht. Dort drüben war Portovenere. Wir hätten wirklich am Heck eines Schiffs stehen können, das sich stetig weiter fortbewegte von dem Ort, der unser Ziel gewesen wäre. Die See war hoch und ungeheuer blau, und ich konnte eben noch das schäumende weiße Wasser am Fuße jener fernen Landzunge erkennen.

»Was hat sie denn dort gemacht, Ihre Tochter?«, fragte Dawn Devonport. »Warum gerade dort?«

Ja, warum?

Wir gingen weiter. Erstaunlich, unglaublich, der Schnee von heute Nacht war vollkommen weg, als hätte der Bühnenbildner beschlossen, dass die Idee nichts taugte, und angeordnet, ihn wegzufegen und durch ein paar minimalistische, schmutzig schlammige Pfützen zu ersetzen. Der Himmel war hart und blass wie Glas, und in dem klaren Sonnenlicht erschien die kleine Stadt über uns wie mit spitzer Nadel in den Hang radiert, ein wirres Arrangement aus eckigen Flächen in Schattierungen von Ockergelb, Gessoweiß und welkem Rosa. Dawn Devonport schritt mit gesenktem Kopf, die Hände in den Taschen ihres wadenlangen pelzbesetzten Mantels vergraben, neben mir über die Gehwegplatten. Sie hatte ihre Tarnung angelegt: die riesengroße Sonnenbrille und den breiten Pelzhut. »Ich hab gedacht«, sagte sie, »als ich's getan hab – besser gesagt, versucht – ich meine, als ich die Pillen schluckte –, da dachte ich, ich komme an einen Ort, der mir bekannt ist, einen Ort, wo ich willkommen bin.« Das Sprechen fiel ihr schwer, als wäre ihre Zunge irgendwie geschwollen und ließe sich nicht richtig steuern. »Ich dachte, ich komme nach Hause.«

Ja, sagte ich, oder nach Amerika, wie Swidrigailow, bevor er sich die Pistole an den Kopf gesetzt und abgedrückt hat.

Sie sagte, ihr sei kalt. Wir gingen in ein Café am Hafen und hockten uns an einen kleinen runden Tisch, wo sie, die Tasse mit ihren großen Händen festhaltend, eine heiße Schokolade trank. Eine Merkwürdigkeit dieser kleinen Cafés im Süden ist, dass sie, jedenfalls für mich, immer irgendwie so aussehen, als ob sie ursprünglich etwas anderes waren, Apotheken oder kleine Büros oder sogar private Wohnzimmer, die sich ihrem neuen

Verwendungszweck erst nach und nach und wie unbeabsichtigt angepasst hatten. Diese Theken haben so was an sich, so hoch und schmal, und die Art, wie die kleinen Tische und Stühle dort hineingezwängt sind, gibt ihnen etwas Provisorisches, Improvisiertes. Auch die Angestellten mit ihrem gelangweilten, lakonischen Habitus haben etwas Vorübergehendes, als wären sie nur befristet eingestellt, um einem zeitweiligen Engpass abzuhelfen, und haben es irritierend eilig, davonzukommen und sich wieder ihrer weitaus interessanteren Betätigung zuzuwenden, mit der sie vorher befasst waren, worin diese auch immer bestehen mag. Und sehen Sie doch nur die ganzen Flyer und Theaterplakate um die Kasse herum, die Postkarten und signierten Fotos und all die Zettelchen mit Nachrichten, die hinter der Theke im Spiegelrahmen stecken, lauter Sachen, die bewirken, dass der fette Eigentümer dort – speckige graue Strähnen über die Glatze gekämmt, abgekauter Schnurrbart, am dicken kleinen Finger ein großer goldner Ring – wie der Mann an der Kasse eines Varietés aussieht, der es sich hinter seinem Schalter inmitten der ganzen Zettel und Memorabilien seines Gewerbes bequem gemacht hat.

Du wirst sie nicht wieder zurückbringen, weißt du, hatte Lydia gesagt, *nicht so.* Und sie hatte natürlich recht. Weder so noch anders.

Wer Swidrigailow sei, wollte Dawn Devonport mit konzentrierter Miene und gerunzelter Stirn wissen. Das war, erzählte ich ihr abermals geduldig, der Name, den meine Tochter demjenigen gegeben hatte, mit dem sie hierhergekommen war und dessen Kind sie trug. Durch die Glastür des Cafés sah ich weit draußen in der Bucht ein schmuckes weißes Schiff, tief am Heck und hoch am Bug, das sich seinen Weg durch die purpurnen Wogen bahnte und bereit schien, jeden Moment abzuheben und hinauf in den Himmel zu fliegen, ein Zauberschiff, das sich der Luft entgegenstemmte. Dawn Devonport zündete sich mit zitternder Hand eine Zigarette an. Ich erzählte ihr, was mir Billie Stryker erzählt hatte, dass Axel Vander zur selben Zeit wie meine Tochter hier vor Ort oder zumindest hier in der Gegend gewesen war. Sie nickte bloß; vielleicht wusste sie das bereits, vielleicht hatte Billie Stryker ihr auch das erzählt. Sie nahm die Sonnenbrille ab, klappte sie zusammen und legte sie neben ihrer Tasse auf den Tisch. »Und jetzt sind wir hier, Sie und ich«, sagte sie, »wo der Dichter ertrunken ist.«

Wir verließen das Café und gingen wieder hinauf durch die engen Gassen der Stadt. Die Hotellounge war verlassen, wir traten ein. Diese Lounge war hoch und vollgestopft und ähnelte sehr dem Salon in der Pension meiner Mutter mit seinen Schatten und der Stille und der fortwährend missvergnügten Atmosphäre, die dort herrschten. Ich nahm auf einer Art Sofa mit niedriger Rückenlehne und hoch gefederter Sitzfläche Platz; die Polster rochen stark nach uraltem Zigarettenrauch. In einer Ecke stand, kerzengerade wie ein Wachsoldat, eine Standuhr, deren hart schuftendes Innenleben durch eine ovale Glasscheibe an der Vorderseite zu sehen war, sie tickte und tackte schwerfällig und betulich vor sich hin und schien vor jedem neuen Tick und Tack immer erst einen Augenblick zu zögern. Die Mitte des Raumes nahm ein hoher, irgendwie großspurig wirkender, auf kräftigen geschnitzten Beinen stehender Esstisch aus schwarzem Holz ein, über den eine schwere Brokatdecke gebreitet war, die tief über die Seiten hinabhing und an den Säumen Fransen hatte. Auf dieses gute Stück hatte der geschäftige Bühnenbildner ausgerechnet und scheinbar ganz von ungefähr einen Band mit Gedichten von Leopardi gelegt, ein schönes altes Buch mit marmoriertem Schnitt und punziertem Lederrücken, in dem ich zu lesen versuchte –

Dove vai? chi ti chiama
Lunge dai cari tuoi,
Belissima donzella?
Sola, peregrinando, il patrio tetto
Sì per tempo abbandoni? ...

– doch bald schon hatte mich die Poesie mit ihrem erhabenen Klang und ihren schluchzenden Kadenzen in die Flucht geschlagen, und ich legte das Buch wieder dahin, wo ich es hergenommen hatte, und kehrte wie ein gescholtener Schulbub auf quietschenden Sohlen an meinen Platz zurück. Dawn Devonport saß angespannt mit übergeschlagenen Beinen vornübergebeugt in einem schmalen Sessel in einer Ecke gegenüber der Standuhr und blätterte rasch und scheinbar angewidert in einem Hochglanzmagazin, das sie auf dem Schoß liegen hatte. Sie rauchte eine Zigarette, spitzte, ohne den Kopf zu drehen, nach jedem Zug die Lippen wie zum Pfiff und blies einen dünnen Rauchstreifen seitwärts aus. Ich musterte sie. Ich habe oft das Gefühl, je näher ich jemandem komme, desto weiter entferne ich mich von ihm. Wie kann das sein, frage ich mich. Mrs Gray habe ich auch jedes Mal so angeschaut, wenn wir zusammen im Bett waren, und gespürt, wie sie immer weiter wegrückte, obwohl sie ja neben mir lag, genauso wie sich mitunter ein Wort von seinem Gegenstand loslöst und irritierenderweise einfach fortschwebt, schwerelos und irisierend wie eine Seifenblase.

Dawn Devonport knallte abrupt das Magazin auf den Tisch – wie schlaff die schweren Seiten aufschlugen – und erhob sich; sie wolle auf ihr Zimmer, sagte sie, sich hinlegen. Sie verharrte einen Moment und sah mich merkwürdig an, als ob sie irgendeine merkwürdige Vermutung hegte. »Ich nehme an, Sie denken, dass *er* Swidrigailow war«, sagte sie, »Axel Vander – Sie denken, dass er da war.« Sie schüttelte sich ein wenig, zuckte zusammen, als hätte sie auf etwas Saures gebissen, und ging hinaus.

Ich blieb dann noch eine ganze Weile alleine dort sitzen. Ich erinnerte mich – oder erinnere mich jetzt, das spielt keine Rolle – daran, wie Mrs Gray eines Tages mit mir über das Sterben sprach. Wo waren wir da? In Cotters Haus? Nein, irgendwo anders. Aber wo sonst hätte das sein können? Bizarrerweise versetzt mein Gedächtnis uns in dieses Wohnzimmer oben in ihrem Haus, wo Billy und ich den Whiskey seines Vaters getrunken hatten. Das kann natürlich gar nicht sein, und trotzdem sehe ich uns dort. Aber wie hätte sie es denn schaffen sollen, mich ins Haus zu schmuggeln, unter welchem Vorwand und zu welchem Zweck? – Doch gewiss nicht zu dem üblichen, denn schließlich waren wir im Wohnzimmer und voll bekleidet und nicht unten in der Wäschekammer. Ich habe ein Bild von uns beiden im Kopf, wie wir sehr anständig in zwei Sesseln sitzen, die schräg zueinander gegenüber dem rechteckigen Fenster mit den metallgerahmten Scheiben stehen. Es war ein Sonntagmorgen, glaube ich, ein Sonntagmorgen im Spätsommer, und ich trug einen kratzigen Tweedanzug, in dem mir heiß war und ich mir lächerlich vorkam, eher fast nackt als angezogen, wie immer, wenn ich meinen Sonntagsstaat tragen musste. Wo waren die anderen, Billy und seine Schwester und Mr Gray? Was mag da los gewesen sein? Es muss doch einen Grund gehabt haben, dass ich dort war; mag sein, dass Billy und ich irgendwo hingehen wollten, zu einem Schulausflug vielleicht, und er wieder mal spät dran war und ich auf ihn gewartet habe. Aber wäre ich ihn denn abholen gekommen, wo ich doch jetzt so viel Energie und Einfallsreichtum darauf verwendete, ihm aus dem Weg zu gehen? Wie dem auch sei, ich war dort, und mehr gibt es dazu nicht zu sagen. Unten lag der Platz im prallen Sonnenlicht, alles dort draußen sah aus, als wäre es aus buntem Glas gemacht, und eine spielerische Brise bauschte die Spitzengardine am offenen Fenster, wehte sie in unentwegt wallender Verträumtheit herein und ließ sie aufwärts flattern. An solchen Sonntagvormittagen hatte ich immer ein starkes Gefühl von Entfremdung, als ich jung war – der Hemdkragen, der wie eine Schlinge war, die Vögel in ihrer aufgeregten Geschäftigkeit, die fernen Kirchenglocken –, und stets war da ein Luftzug, der gleichsam aus dem Süden kam, ja, aus dem Süden, mit seinem löwenfarbenen Staub und seinem grellen Zitronengelb. Kein Zweifel, es war die Zukunft, die ich da vorwegnahm, ihre schimmernde Verheißung, denn die Zukunft hat für mich seit jeher etwas Südliches, was ein merkwürdiger Gedanke ist, jetzt, wo die Zukunft da ist, hier oben in Ultima Thule, da ist und beständig durch das Nadelöhr der Gegenwart rinnt, hinein in die Vergangenheit.

Mrs Gray war mit einem ziemlich herben Ensemble aus Rock und Jacke bekleidet – einem Kostüm, wie sie es genannt hätte – und trug schwarze Schuhe mit hohen Absätzen, Strümpfe mit Naht und um den Hals eine Perlenkette. Das Haar war anders als sonst frisiert, irgendwie lose nach hinten, wodurch sogar die widerspenstige Locke vor ihrem Ohr vorerst gebändigt war, und sie roch wie meine Mutter, wie vermutlich jede Mutter an einem Sommersonntagmorgen – nach Parfum und Coldcreme und Gesichtspuder, nach Schweiß und ein klein wenig nach fleischwarmem Nylon und ganz leicht nach Wolle mit Mottenkugeln darin und auch nach etwas, das vage an Asche erinnerte und das ich nie klar definieren konnte. Ihre Kostümjacke hatte diese hohen Schultern, die damals modern waren, und die schmale Taille – offenbar trug sie ein Korsett –, und der wadenlange Rock war eng und hatte hinten einen Schlitz. So förmlich hatte ich sie noch nie angezogen gesehen, so streng, alles sehr interessant verpackt und verstaut, und ich saß da und fasste sie mit schamlosem, fast schon gattenhaftem Besitzerstolz ins Auge.

Das ist natürlich eine Szene aus einem dieser Frauenfilme, die damals im Schwang waren und für die Mrs Gray nicht viel übrighatte, denn ich sehe das Ganze in Schwarz-Weiß oder eher in Kohle und Silber, sie in der Rolle der »Älteren Frau«, während ich gespielt werde von, ähm, von irgend so einem Wunderknaben mit frechem Grinsen und mächtig kesser Tolle, in meinem ordentlichen Tweedanzug mit gestärktem weißem Hemd und gestreiftem Fertigbinder.

Zuerst kriegte ich gar nicht mit, wovon sie redete, war viel zu sehr damit beschäftigt, das komplizierte System von Nähten – Abnäher sagt man, glaube ich, dazu – am herrlich vollen Busen ihrer Jacke zu studieren, deren spröder blauer Stoff so einen aufregend metallischen Schimmer hatte und bei jedem ihrer Atemzüge leise knisterte. Sie hatte den Kopf weggedreht und schaute versonnen hinüber zum Fenster und dem Platz, der im Sonnenschein lag, und sagte, die Wange auf einen Finger gestützt, sie frage sich mitunter, wie es wohl sei, wenn man nicht mehr da sei – ob das vielleicht wie so eine Art Narkose wäre, wo man nichts mehr spürt, nicht einmal, wie die Zeit vergeht? –, und wie schwer es sei, sich vorzustellen, dass man irgendwo anders ist, viel schwerer noch sei aber der Gedanke, überhaupt nirgendwo zu sein. Langsam sickerten ihre Worte ins unerhellbare Dunkel meines in die Betrachtung seiner selbst versunkenen Bewusstseins durch, bis es plötzlich irgendwie Klick machte und ich verstand oder zumindest zu verstehen glaubte, was sie da eigentlich sagte, und nun war ich mit einem Mal ganz Ohr. Nicht da zu sein? Irgendwo anders zu sein? Was sonst konnte das heißen, als dass sie mir, gewissermaßen durch die Blume, mitteilen wollte, dass sie im Begriff war, mit mir Schluss zu machen? Nun hätte ich zu jeder anderen Zeit, wenn mir auch nur der leiseste Verdacht in den Sinn gekommen wäre, dass sie so etwas vorhaben könnte, auf der Stelle losgewinselt und aufgeheult und die Fäuste geschwungen, denn Sie dürfen nicht vergessen, dass ich ja noch ein Kind war und eben auch wie ein Kind zutiefst der Überzeugung, dass selbst die allerzarteste Andeutung, mein eigenes Wohlbefinden könne in Gefahr sein, einer sofortigen ebenso tränenreichen wie lautstarken Reaktion bedurfte. An diesem Tage aber nahm ich mich, aus welchem Grund auch immer, zusammen, vorsichtig, wachsam, und ließ sie weiterreden, bis sie, vielleicht, weil sie die hellwache Angespanntheit meiner Aufmerksamkeit spürte, innehielt, sich zu mir herumdrehte und auf die ihr eigene konzentrierte Art ein unsichtbares Teleskop auszufahren und auf mich zu richten schien. »Denkst du eigentlich auch manchmal daran«, fragte sie, »ans Sterben?« Ehe ich noch etwas erwidern konnte, lachte sie wegwerfend auf und schüttelte den Kopf. »Natürlich nicht«, sagte sie. »Wieso auch?«

Nun sprang mein Interesse auf eine andere Schiene über. Wenn sie wirklich den Tod als Tod meinte und nicht als Hinweis darauf, dass sie mich verlassen wollte, dann redete sie bestimmt von Mr Gray. In meine Fantasie hatte sich längst schon die Möglichkeit eingenistet, dass ihr Mann todkrank sein könnte, und hatte konsequenterweise meine Hoffnung untermauert, mir Mrs Gray langfristig sichern zu können. Wenn der alte Knabe am Abkratzen war, würde ich – oh, wie herrlich! – endlich meine Chance bekommen. Natürlich durfte ich nicht überstürzt vorgehen. Wir würden warten müssen, alle beide, bis ich volljährig wäre, und selbst dann würde es noch Hindernisse geben, nicht zuletzt Kitty und meine Mutter, und auch Billy würde sich wohl kaum für die groteske Aussicht erwärmen können, einen Jungen seines Alters, der noch dazu sein bester Freund war, zum Stiefvater zu haben. In der Zwischenzeit jedoch, während wir meiner Volljährigkeit entgegensähen, welche Gelegenheiten würden sich mir bieten, mir meinen Kindheitstraum zu erfüllen, nicht nur eine glatzköpfige, ungestalte

Puppe zu haben, mit der ich kuscheln, um die ich mich kümmern und an der ich herumdoktern konnte, sondern eine lebensgroße, warmblütige, sicher verwitwete Frau ganz für mich allein, mir immer zugänglich, jeden Tag, zu jeder Tageszeit und, was noch wichtiger war, auch jede Nacht, ein kostbarer Besitz, mit dem ich kühn vor aller Welt angeben könnte, wann und wo es mir gefiel. Also spitzte ich nun die Ohren und hörte aufmerksam zu, was sie noch weiter zu dem zu erwartenden Hinscheiden ihres Mannes zu sagen haben würde. Doch leider sagte sie nichts mehr weiter, sondern schien sich doch tatsächlich beinah für das zu schämen, was sie bereits gesagt hatte, und da ich sie ja schlecht geradeheraus fragen konnte, wie lange denn die Ärzte dem kurzsichtigen Optiker noch gaben, kriegte ich auch weiter nichts mehr aus ihr heraus.

Aber was tat ich dort in ihrem Wohnzimmer, in meinem kratzigen Anzug, an einem Sonntag gegen Ende jenes allmählich ersterbenden Sommers – was? So oft erscheint einem die Vergangenheit wie ein Puzzle, bei dem die wichtigsten Teile fehlen.

Obwohl ich selbst in jener Welt der Vergänglichkeit und der verborgenen Anwesenheiten aufgewachsen bin und eine Frau geheiratet habe, die ebenfalls aus dieser Welt kommt, finde ich Hotels unheimlich, nicht nur in der Stille ihrer Nächte, sondern genauso auch am Tage. Besonders am Vormittag hat es immer den Anschein, als sei unter der Oberfläche dieser falschen, gewächshausartigen Stille etwas Unheilvolles im Gange. Der Mann, der am Empfang hinter dem Tresen steht, ist einer, den ich hier noch nicht gesehen habe; er mustert mich mit leerem Blick, als ich vorübergehe, und lächelt nicht und grüßt mich auch mit keinem Wort. In dem verlassenen Speisesaal sind alle Tische gedeckt, die blitzenden Bestecke und die strahlend weiße

Tischwäsche, alles liegt bereit, wie in einem OP, wo demnächst allerlei chirurgische Prozeduren vorgenommen werden. Auf der oberen Etage schwirrt der Korridor vor atemloser, schmallippiger Spannung. Lautlos gleite ich dort entlang, ein entkörperlichtes Auge, eine sich bewegende Linse. Die Türen, alle identisch, eine zurückweichende Doppelprozession von Türen, sehen aus, als wären sie eine Sekunde, bevor ich aus dem Lift gestiegen war, geschickt, eine nach der andern, zugeschlagen worden. Was mag wohl hinter ihnen vor sich gehen? Die Geräusche, die dort heraussickern, ein nörgelndes Wort, ein Husten, ein abgerissenes leises Lachen, sie alle kommen einem vor wie der Anfang einer Ausrede oder einer Tirade, die augenblicklich zum Verstummen gebracht wird durch einen unhörbaren Klaps oder eine vor den Mund geschlagene Hand. Es riecht nach den gerauchten Zigaretten von vergangener Nacht, nach kaltem Frühstückskaffee, nach Fäkalien, Duschseife und Aftershave. Und dieser große Wagen, der hier verlassen herumsteht, bis oben hin voll mit zusammengefalteten Betttüchern und Kopfkissenbezügen, und hintendran hängen ein Eimer und ein Schrubber, wo ist das Zimmermädchen, das ihn in seiner Obhut haben müsste, was ist aus ihr geworden?

Eine volle Minute stand ich draußen vor Dawn Devonports Tür, bevor ich anklopfte, und auch das war kaum mehr als ein leichtes Streichen mit den Fingerknöcheln übers Holz. Von drinnen kam keine Antwort. Schlief sie wieder? Ich drehte am Türknauf. Die Tür war nicht abgeschlossen. Ich machte sie auf, wartete abermals, horchte und betrat schließlich den Raum, besser gesagt, ich zwängte mich hinein, wand mich geräuschlos seitlich durch den Spalt und zog die Tür behutsam, mit angehaltenem Atem, hinter mir ins Schloss. Die Vorhänge waren nicht zugezogen, und trotz der im Zimmer herrschenden Kühle war es heller, als ich erwartet hatte, ein beinah sommerliches Leuchten, ausgehend von einem breiten Sonnenstrahl, der wie ein Scheinwerfer schräg von einer Ecke des Fensters aus herabfiel, und von den hauchdünnen Stores, deren Weiß so grell war, dass es mich regelrecht blendete. Alles war aufgeräumt und ordentlich – hier war das fehlende Zimmermädchen jedenfalls gewesen –, und das Bett sah aus, als hätte niemand darin geschlafen. Darauf lag Dawn Devonport, abermals auf der Seite, die Hand unter der Wange und mit angezogenen Knien. Mir fiel auf, wie flach die Delle war, die ihr Körper in der Matratze machte, so leicht ist sie, so wenig da. Sie hatte noch ihren Mantel an, der Pelzkragen bildete einen ovalen Rahmen um ihr Gesicht. Sie lag da und sah mich an, blickte zu mir hoch mit ihren grauen Augen, die größer und weiter waren denn je. Hatte sie Angst, hatte ich sie erschreckt, als ich mich auf diese verstohlene, unheimliche Weise hier hereingeschlichen hatte? Oder stand sie bloß unter Medikamenten? Ohne den Kopf zu heben, streckte sie mir ihre freie Hand entgegen. Ich kletterte mit Schuhen und allem Drum und Dran aufs Bett und legte mich neben sie, sodass mein Gesicht an ihrem lag und unsere Knie sich berührten; ihre Augen schienen noch größer als sonst. »Halt mich fest«, murmelte sie, »ich hab so ein Gefühl, als ob ich falle, die ganze Zeit.« Sie schlug ihren Mantelschoß zurück, und ich rutschte näher heran und legte unterm Mantel meinen Arm auf ihren. Ihr kühler Atem streifte mein Gesicht, und ihre Augen waren alles, was ich jetzt noch von ihr sah. Unter meinem Handgelenk spürte ich ihre Rippen und fühlte ihr Herz schlagen. »Stell dir vor, ich bin deine Tochter«, sagte sie. »Tu einfach so, als ob ich sie bin.«

Wir blieben eine Weile so liegen, dort auf dem Bett, in dem kalten, sonnigen Zimmer. Es kam mir vor, als schaute ich in einen Spiegel. Ihre Hand lag leicht wie eine Vogelkralle auf meinem Arm. Sie sprach von ihrem Vater, wie gut er gewesen war, wie lustig, und wie er ihr immer Lieder vorgesungen hatte, als sie klein war. »Spaßlieder hat er gesungen«, sagte sie, *Ausgerechnet Bananen,* die Bierpolka *Roll Out The Barrel* und so was. Einmal war er von den Cockneys zum Perlmutterkönig gewählt worden. »Hast du schon mal den Perlmutterkönig gesehen? Er war so stolz auf sich, in diesem lächerlichen Aufzug – sogar am Hut hatte er Perlmutterknöpfe –, und ich hab mich so geschämt, hab mich im Geschirrschrank unter der Treppe versteckt und wollte gar nicht mehr rauskommen. Und Mama war die Perlmutterkönigin.« Sie weinte ein bisschen und wischte sich dann ungeduldig die Tränen mit dem Handballen ab. »So ein Quatsch«, sagte sie, »so ein Quatsch.«

Ich zog den Arm zurück, und wir richteten uns auf. Sie schwang die Beine über die Bettkante, blieb aber noch sitzen, mit dem Rücken zu mir, und zündete sich eine Zigarette an. Ich legte mich wieder hin, stützte mich auf einen Ellbogen und sah zu, wie der lavendelfarbene Rauch kräuselnd hochstieg und sich in den Sonnenstrahl am Fenster hineinschraubte. Jetzt saß sie in sich zusammengekauert und nach vorn gebeugt da, mit übergeschlagenen Beinen, einen Ellbogen aufs Knie und das Kinn in die Hand gestützt. Ich musterte sie, die abfallende Linie ihres Rückens, die Schultern, die Kontur der Schulterblätter, die zusammengefalteten Flügeln glichen, und ihr von Rauch umkränztes Haar. Ein Schauspiellehrer, bei dem ich früher Unterricht hatte, hat mir einmal gesagt, ein guter Schauspieler müsse mit dem Hinterkopf spielen können. »*Roll out the barrel*«, sang sie leise, mit heiserer Stimme, »*we'll have a barrel of fun.*«

Ob sie sich wirklich habe umbringen wollen, fragte ich sie. Ob sie wirklich sterben wollte? Sie antwortete lange nicht, dann zog sie die Schultern hoch und ließ sie erschöpft wieder fallen. Und als sie endlich sprach, tat sie es, ohne sich zu mir umzudrehen. »Ich weiß nicht«, sagte sie. »Heißt es nicht immer, bei wem's nicht klappt, der hat es auch nicht ernst gemeint? Vielleicht war es ja einfach das, was wir halt immer machen, weißt du, wir beide.« Jetzt drehte sie den Kopf in einem harten Winkel und sah mich über die Schulter hinweg an. »Einfach Schauspielerei.«

Ich sagte, wir sollten zurückfahren, sollten wieder heimfahren. Sie sah mich immer noch unter ihren Haaren hindurch an, hatte den Kopf zur Seite geneigt und das Kinn auf die Schulter gestützt. »Heim«, sagte sie. »Ja«, sagte ich, »heim.«

Irgendwie kommt es mir vor, als ob der Donnerschlag der Anfang war, ich meine, dass das, gleichsam wie durch einen dunklen Zauber, für uns der Anfang vom Ende war. Jedenfalls hat er mit Sicherheit das Ende angekündigt. Wir waren gerade in Cotters Haus, als uns das Gewitter überraschte. Ein Regen dieser Art hat etwas Strafendes, etwas von einer Rache, die von oben kommt. Wie gnadenlos es durch die Bäume pladderte an jenem Tag, wie Artilleriebeschuss, der auf ein wehrlos geducktes Dorf herniedergeht. Geregnet hatte es schon öfter; das hatte uns nie etwas ausgemacht, aber sonst war der Regen ja auch eher sanft gewesen, nur ein paar leichte Kartätschen im Vergleich zu diesem Sperrfeuer. In Cotters Haus hatten wir daraus sogar ein Spiel gemacht und waren hin und her gerannt, um unter jedes neue Loch, das sich im Dach auftat, ein Marmeladenglas zu stellen. Wie Mrs Gray immer gequiekt hatte, wenn ein kalter Tropfen ihr in den Nacken plumpste und unter dem geblümten Kleid die nackte Haut hinunterlief! Ein glücklicher Zufall hatte es so gewollt, dass die Ecke, in der wir unsere Matratze ausgebreitet hatten, eine der wenigen trockenen Stellen im ganzen Hause war. Da saßen wir dann zufrieden nebeneinander, lauschten dem Rascheln des Regens in den Blättern, sie rauchte eine von ihren *Sweet Aftons,* und ich spielte Astragaloi mit den Perlen einer Halskette, die ich einmal an einem Nachmittag, als wir uns besonders heftig liebten, aus Versehen zerrissen hatte. »Wir sind wie Hänsel und Gretel«, sagte Mrs Gray und lächelte mir zu, wobei sie ihre zwei entzückend vorstehenden Vorderzähne entblößte.

Wie sich herausstellte, hatte sie furchtbare Angst vor Gewittern. Als es zum ersten Mal krachte, direkt über uns und, wie es schien, auf gleicher Höhe mit unserem Dach, wurde ihr Gesicht von einer Sekunde zur anderen aschfahl und sie bekreuzigte sich rasch. Wir waren kurz vorm Haus gewesen, als der Regen losging, als er mit einem durch die Bäume gedämpften Tosen über uns hereinbrach, und obwohl wir die letzten paar Meter gerannt waren, kamen wir völlig durchnässt an der Haustür an. Mrs Grays Haare waren am Kopf angeklatscht, bis auf die widerspenstige Locke vorm Ohr, und ihr Kleid klebte vorne an den Schenkeln und zeichnete die Kurven ihres Bauchs und ihrer Brüste nach. Sie stand plattfüßig mitten im Raum, hatte die Arme zu beiden Seiten ausgebreitet und wedelte mit den Händen, um die Tropfen von den Fingerspitzen abzuschütteln. »Was machen wir denn jetzt?«, jammerte sie. »Wir holen uns doch hier den Tod!«

Der Sommer war fast schon zu Ende, ohne dass wir es gemerkt hatten – dieses Gewitter sollte uns deutlich genug daran erinnern –, und ich ging wieder zur Schule. Am ersten Morgen des neuen Schuljahrs hatte ich Billy nicht abgeholt und tat es auch an keinem der nächsten Tage. Es war verdammt schwer, ihm jetzt in die Augen zu schauen, nicht zuletzt, weil diese Augen denen seiner Mutter so ähnlich sahen. Was er wohl dachte, was passiert sei, dass ich ihm neuerdings so aus dem Wege ging? Vielleicht dachte er an jenen Tag in Rossmore, als ich ihn mit seinen Tennisfreunden getroffen hatte und mit seinen beiden Schlägern in den schicken, nagelneuen Holzpressen. Auf dem Schulhof mieden wir einander und gingen auch auf getrennten Wegen nach Hause.

Probleme hatte ich auch noch woanders. Bei meinen Prüfungen hatte ich schlecht abgeschnitten, was alle überraschte; mich selbst freilich nicht, denn schließlich hatte mich den ganzen letzten Frühling über, als ich eigentlich hätte lernen sollen, die Liebe in Atem gehalten. Ich war ein helles Bürschchen, weshalb man viel von mir erwartete, und meine Mutter war schwer von mir enttäuscht. Sie halbierte mein Taschengeld, allerdings nur für ein, zwei Wochen – kein moralisches Stehvermögen, die Frau –, und drohte, was viel ernster war, dafür zu sorgen, dass ich ab jetzt zu Hause blieb und mich um meine Schularbeiten kümmerte. Als ich Mrs Gray von diesen Strafmaßnahmen erzählte, nahm sie zu meinem Erstaunen gegen mich Partei und sagte, meine Mutter habe ganz recht, ich solle mich schämen, dass ich mich nicht mehr angestrengt und solche erbärmlichen schulischen Leistungen abgeliefert hätte. Das führte augenblicklich zu unserem ersten richtigen Streit, ich meine, dem ersten, der durch etwas anderes als meine unablässige Eifersucht und ihre amüsierte Nichtbeachtung derselben verursacht war, und ich ging auf sie los, blindlings, hätte sie gesagt, was heißt, wie ein Erwachsener, denn ich war ja inzwischen wesentlich älter als am Anfang jenes Sommers. Wie finster sie mich angesehen hat, wie trotzig unter den gesenkten Augenbrauen, als ich mein Gesicht hochreckte, ganz nah an ihres, und greinte und knurrte. Einen Streit wie diesen vergisst man nicht, der blutet weiter, unsichtbar, unter den spröden Narben, die er hinterlässt. Aber wie zärtlich haben wir das nachher alles wiedergutgemacht, wie liebevoll hat sie mich in den Arm genommen und gewiegt.

Im goldenen Glanze jenes langen Sommers war uns gar nicht in den Sinn gekommen, dass wir uns früher oder später nach etwas würden umsehen müssen, das den Elementen mehr Widerstand bot als das alte Haus im Wald. Schon lag eine herbstliche Kühle in der Luft, besonders spät am Nachmittag, wenn die

Sonne abrupt von ihrem Zenit herniederstieg, und jetzt, wo es so häufig regnete, war es sogar noch kühler – »Nicht mehr lange, und wir müssen's im Mantel machen«, sagte Mrs Gray missmutig –, und von den Dielenbrettern und den Wänden ging ein trostloser Geruch nach Feuchtigkeit und Fäulnis aus. Dann kam der Donnerschlag. »Also das hier«, erklärte Mrs Gray, und ihre Stimme zitterte und Regentropfen troffen von ihren Fingerspitzen, »das schlägt dem Fass die Krone ins Gesicht.« Doch wo sonst sollten wir Unterschlupf finden? Verzweifeltes Rätselraten. Ich spielte sogar mit dem Gedanken, eine der unbenutzten Bodenkammern im Haus meiner Mutter zu beschlagnahmen; wir könnten hinten durch den Garten kommen, sagte ich eifrig, würden uns dort schon sehen und dann zur Hintertür ins Haus hinein und hinten bei der Spülküche die Stiege hoch, und niemand würde etwas mitbekommen. Mrs Gray sah mich bloß an. Na schön, sagte ich mürrisch, ob sie denn etwa einen besseren Vorschlag habe.

Es stellte sich schon bald heraus, dass unsere Sorgen überflüssig waren. Ich meine, nicht die Sorgen an sich, wohl aber die, wo wir ein neues Liebesnest finden sollten. An jenem Tag, sogar noch vor dem letzten Donnergrollen, war Mrs Gray in ihrer Angst auf einmal losgerannt, den Pfad runter durch den strömenden Wald, die Schuhe in der Hand und die Strickjacke als wenig wirksame Kapuze über den Kopf gezogen, und saß im Kombi und hatte den Motor angelassen und fuhr bereits an, bevor ich sie noch eingeholt hatte und neben sie auf den Beifahrersitz geklettert war. Inzwischen waren wir beide klatschnass. Und wo fuhren wir hin? Der Regen trommelte auf das metallene Dach, und die tapfer arbeitenden Scheibenwischer schoben eimerweise Wasser über die Windschutzscheibe hin und her. Mrs Gray, die weißknöcheligen Hände am Lenkrad, fuhr mit vorgerecktem Gesicht, das Weiße in ihren Augen funkelte grell, und ihre Nüstern bebten vor Angst. »Wir fahren nach Hause«, sagte sie oder dachte es eher laut, »da ist jetzt niemand, keine Bange.« Das Fenster an meiner Seite war überflutet, wabernde Bäume, glasig grün im elektrischen Blitzlicht, ragten auf und waren im nächsten Moment wieder weg, gleichsam im Vorüberfahren von uns gefällt. Unvorstellbar, aber irgendwo schaffte es die Sonne zu scheinen, und nun waren die Regenschwälle auf der Windschutzscheibe auf einmal nur noch Feuer und flüssige Funken. »Ja«, sagte Mrs Gray wieder und nickte rasch vor sich hin, »ja, wir fahren nach Hause.«

Und wir fuhren tatsächlich nach Hause, also zu ihr nach Hause. Als wir auf den Platz einbogen, gab es ein fast hörbares Schwirren, der Regen hörte auf der Stelle auf, als sei ein silberner Perlenvorhang gebieterisch beiseitegezogen worden, und das durchnässte Sonnenlicht kam angekrochen, um, zittrig noch, von Neuem seinen Anspruch auf die Kirschbäume, den funkelnden Kies und das Pflaster, das bereits zu dampfen anfing, geltend zu machen. Die Luft im Haus war klamm und roch abgestanden und irgendwie grau, und das Licht in den Zimmern schien unsicher zu sein, ebenso unsicher wie die Stille, als hätten die Möbel gerade irgendwas anstellen wollen, ein Tänzchen machen oder ein bisschen herumtoben, und hätten sofort aufgehört, als wir hereingekommen waren. Mrs Gray ließ mich in der Küche stehen und ging weg, um eine Minute später in einem wollenen Morgenrock zurückzukommen, der ihr zu groß war – war es der von Mr Gray? – und unter dem sie – das war unverkennbar, zumindest für mein begieriges Auge – nackt war. »Du riechst wie ein Schaf«, sagte sie fröhlich und führte mich hinunter – ja! – führte mich hinunter in die Wäschekammer.

Ich habe den Verdacht, dass sie sich nicht an unsere vormalige Begegnung dort erinnerte. Will sagen, ich glaube, es ist ihr gar nicht eingefallen, sich bei dieser Gelegenheit daran zu erinnern. Ist das möglich? Für mich war dieser enge Raum mit seiner merkwürdig hohen Decke und dem einzelnen, hoch oben in die Wand eingelassenen Fenster eine heilige Stätte, eine Art Allerheiligstes, in dem eine geweihte Erinnerung aufbewahrt lag, für sie hingegen, nehme ich an, hatte er sich wieder in den Ort zurückverwandelt, in dem sie sich um die Wäsche der Familie kümmerte. Das flache Bett beziehungsweise die Matratze, das fiel mir sofort auf, lag nicht mehr unterm Fenster. Wer mochte sie wohl weggenommen haben, und warum? Doch andererseits, wer hatte sie wohl erst einmal dort hingelegt?

Mrs Gray rubbelte mir summend mit einem Handtuch die nassen Haare ab. Sie habe keine Ahnung, was sie mit meinen Sachen machen solle, sagte sie. Ob ich ein Hemd von Billy anziehen wolle? Oder nein, sagte sie nachdenklich, das wäre vielleicht keine so gute Idee. Aber was würde meine Mutter sagen, fragte sie sich, wenn ich nass bis auf die Haut nach Hause käme? Sie schien gar nicht bemerkt zu haben, dass ich im Schutz des Handtuchs, mit dem sie so kräftig meinen Kopf bearbeitete – wie viele Male hatte sie in ihrem Leben schon einem Kind das Haar getrocknet? – immer näher an sie herangekommen war, und nun langte ich blindlings hin und bekam sie an den Hüften zu fassen. Sie lachte und trat einen Schritt zurück. Ich folgte ihr, und diesmal kriegte ich die Hände unter ihren Morgenrock. Ihre Haut war immer noch ein wenig feucht und auch ein wenig kühl, was ihre Nacktheit irgendwie noch deutlicher und noch erregender machte. »Lass das!«, sagte sie, abermals lachend, und trat noch einen Schritt weiter zurück. Ich hatte das Handtuch abgeschüttelt, sie knautschte es zusammen und stieß mir damit – ein halbherziger Versuch, mich abzuwehren – gegen die Brust. Noch weiter zurückweichen konnte sie nicht, denn mit den Schulterblättern war sie bereits an der Wand. Der nur von einem Gürtel zusammengehaltene Morgenrock klaffte oben, wo ich daran gefummelt hatte, auseinander, und auch die Schöße waren offen und entblößten ihre nackten Beine bis zum Ansatz, sodass sie einen Augenblick lang die lebensechte Kayser-Bondor-Dame war, genauso provozierend aufgelöst wie bei dem kunstvoll arrangierten Original. Ich legte ihr die Hände auf die Schultern. Die breite Kerbe zwischen ihren Brüsten glänzte silbrig. Sie machte Anstalten, irgendwas zu sagen, unterbrach sich aber, und dann – das war das Allersonderbarste – dann sah ich uns plötzlich beide dort, sah uns buchstäblich, als würde ich in der Tür stehen und in den Raum hineinschauen, sah mich, wie ich mich, leicht nach links geneigt, die rechte Schulter etwas hochgezogen, mit krummem Rücken an sie drückte, und sah das nasse Hemd, das zwischen meinen Schulterblättern klebte, und meinen hängenden Hosenboden, sah meine Hände auf ihr liegen und eines ihrer glänzenden Knie angewinkelt, und sah, wie über meiner linken Schulter ihr Gesicht erblasste und ihre Augen starr geradeaus blickten.

Sie stieß mich weg. Von allem, was an diesem Tage seinen Anfang nehmen sollte, war, glaub ich, dieser Stoß, der Schock darüber, obwohl er weder hart noch unsanft war, doch das, woran ich mich am klarsten und am deutlichsten und auch am schmerzlichsten und qualvollsten erinnere. So muss sich eine Marionette fühlen, wenn dem Puppenspieler am Schluss der Vorstellung die Fäden durch die Finger gleiten und er sich duckt und pfeifend sein Kabuff verlässt. Es war, als wäre sie in diesem Augenblick aus einem Ich herausgetreten, aus dem Ich, das ich kannte, und wäre plötzlich neben sich getreten – als eine Fremde.

Wer war das, der da in der Tür stand? Ja, ja, ich muss es Ihnen nicht erst sagen, Sie wissen selbst, wer es war. Die schlaffen Zöpfe, die dicke Brille, die X-Beine. Sie hatte so ein Kleid an, wie es kleine Mädchen damals trugen, vage dirndlartig,

Streublümchen, Falten, das Oberteil mit Gummizug gesmokt. Sie hatte etwas in der Hand, ich weiß nicht mehr, was – ein feuriges Schwert vielleicht. Marge war auch da, ihre dicke Freundin, die sich auf der Geburtstagsparty in mich verguckt und die ich kaum beachtet hatte. Sie standen einfach da, die zwei, und guckten zu uns rüber, neugierig, wie es schien, vor allem neugierig, dann wandten sie sich ab, nicht hastig, sondern auf so eine tumbe, ausdruckslose Weise, wie Schaulustige sich von einem Unfall abwenden, wenn der Krankenwagen weggefahren ist. Ich hörte ihre derben Schulschuhe auf den Holzstufen zur Küche hinauf poltern. Hörte ich Kitty kichern? Mrs Gray ging zur Tür und steckte den Kopf durch den Spalt, sah auf den Korridor hinaus, rief aber nicht nach ihrer Tochter, sagte nichts und kam nach kurzem Warten zurück, kam wieder in den Raum, zu mir. Sie runzelte die Brauen und kaute an ihrer Oberlippe herum. Sie sah aus, als ob sie irgendwas verlegt hätte und angestrengt nachdachte, wo sie es wohl gelassen hatte. Was habe ich getan? Hab ich geredet? Ich kann mich noch erinnern, dass sie mich eine Sekunde lang ziemlich ratlos ansah und dann lächelte, zerstreut, und mir die Hand auf die Wange legte. »Ich glaube«, sagte sie, »du solltest jetzt nach Hause gehen.« Wie sonderbar, die schlichte, äußerste, unanfechtbare Endgültigkeit des Ganzen. Es war wie das Ende eines Orchesterstücks. Alles, was uns so lange hatte schweben lassen, was uns verzückt hatte, all diese heftige Energie, diese Anspannung und Konzentration, all dieser herrliche Radau, plötzlich, in diesem Moment, war alles vorbei, und zurück blieb nichts als der Schimmer eines verebbenden Tons in der Luft. Ich dachte nicht daran zu protestieren, zu weinen, zu flehen oder zu schreien, sondern tat, wie sie mich geheißen hatte, ging demütig an ihr vorbei, ohne ein Wort, und trollte mich nach Hause.

Was dann geschah, geschah mit bestürzender Schnelligkeit und Promptheit. Noch am selben Abend war Mrs Gray auf und davon. Ich hörte – von wem eigentlich? –, sie sei zurückgegangen in die Stadt, aus der sie und Mr Gray gekommen waren, zu den eleganten Boulevards und den weltgewandten Snobs, mit denen sie mich so gerne aufgezogen hatte. Sie musste wohl auch dort geboren sein, denn wie es hieß, war sie dort in der Obhut ihrer Mutter. Dass Mrs Gray eine Mutter hatte, verblüffte mich dermaßen, dass ich darüber sogar einen Moment lang meine Qualen vergaß. Mir gegenüber hatte sie jedenfalls nie etwas von einer Mutter gesagt, es sei denn, ich hätte nicht hingehört, das ist immerhin möglich, aber dermaßen unaufmerksam kann eigentlich nicht einmal ich gewesen sein. Ich versuchte, mir diese sagenhafte Person vorzustellen, und sah eine ungemein gealterte Version von Mrs Gray vor mir, die, faltig, gebeugt und aus irgendeinem Grunde blind, in einem sonnigen Landhausgarten mit sommerlicher Flora an einem Lattenzaun lehnt, traurig und nachsichtig lächelt und auf jene unbestimmt flehende Art, wie es die Blinden tun, die Hände ausstreckt, um die in Schande geratene reuige Tochter zu Hause willkommen zu heißen. So seltsam, so seltsam sogar heute noch dieser Gedanke an eine vorangegangene Mrs Gray – doch nein, sie wäre ja eine Mrs Sonstwie gewesen. Auch etwas, das ich nie gewusst hab, den Mädchennamen meines Mädchens.

Am nächsten Tag schon prangten an dem Haus am Platz und ebenso im Fenster des Geschäfts am Haymarket die Auktionsschilder, und die Nasenlöcher und Augenränder von Miss Flushing waren noch stärker gerötet als sonst. Erinnere ich mich daran, wie der Kombi über den Platz davonfuhr, vollgepackt mit Haushaltsdingen, und Mr Gray, Billy und Billys Schwester sich auf den Vordersitzen drängten, auf denen Mrs Gray und ich so oft zusammen auf und ab gehüpft waren wie auf einem

Zaubertrampolin, Mr Gray zwar mit gequältem Blick, das Kinn jedoch entschlossen vorgereckt, wie Gary Fonda in *The Grapes of Noon?* Das habe ich doch sicher wieder frei erfunden, wie so vieles.

Doch wenn ich jetzt so darüber nachdenke – gar so überstürzt kann ihr Verschwinden nicht gewesen sein, denn es vergingen noch mehrere Tage, eine ganze Woche sogar oder über eine Woche, bis ich Billy Gray zum letzten Mal begegnete. In meiner Erinnerung haben sich die Jahreszeiten wieder mal verschoben, denn obwohl es noch September war, sehe ich unser Aufeinandertreffen bei rauem Winterwetter vor mir. Der Ort, den man die Schmiede nannte, war nicht weit weg von dem Platz, an dem die Grays wohnten; vor langer Zeit hatte dort wohl ein Schmied seine Werkstatt gehabt. Es war die passende Kulisse, denn die Schmiede verbindet sich für mich seit jeher und noch heute mit einer nicht zu beschreibenden Unruhe. Und doch war es ein ziemlich unauffälliger Ort mit einer ansteigenden Straße, die zum Platz hochführte, wo sie breiter wurde und in einen eigenartig schiefen Weg mündete, und wo dann eine weitere, noch engere, wenig frequentierte Straße scharf abbog und hinausführte aufs Land. Am Anfang dieser Straße gab es eine mit schweren dunklen Bäumen bestandene Auskragung, unter der sich ein Brunnen befand oder nein, kein Brunnen, eher ein breitmäuliges Metallrohr, das aus der Wand ragte und durch das ständig Wasser lief und sich, glatt und glänzend wie Zinkblech und dick wie ein Männerarm, in eine bemooste Betonwanne ergoss, die permanent voll war, doch niemals überlief. Ich habe mich immer gefragt, wo das viele Wasser nur herkam, denn der Strom nahm niemals ab, nicht einmal in den trockensten Sommermonaten, und diese unerbittliche Hingabe, mit der er seine monotone Pflicht erfüllte, war mir irgendwie unheimlich. Und wohin floss es überhaupt, das ganze

Wasser? Muss ja wohl unterirdisch in den Sow River gegangen sein – hieß der tatsächlich so? –, ein mageres, schmutziges Flüsschen, dessen Bett ein Graben war unten am Fuß des Hügels. Was spielen sie für eine Rolle, diese Einzelheiten? Wen kümmert's, wo das Wasser herkam, wo es hinfloss, welche Jahreszeit es war und wie der Himmel aussah oder ob der Wind blies – wen kümmert das? Doch irgendwen muss es ja kümmern – irgendeiner muss sich dafür interessieren. Vermutlich ich.

Billy ging bergauf und ich bergab. Ich weiß nicht mehr, warum ich dort war oder wo ich herkam. Ich war wohl auf dem Platz gewesen, obwohl ich mich noch ganz genau erinnere, dass ich mir die größte Mühe gab, dieses Pappschild mit der Aufschrift ZU VERKAUFEN nicht sehen zu müssen, das wie die Flagge an einem Pestschiff draußen an Mrs Grays Schlafzimmerfenster hing. Ich hätte auf die andere Straßenseite gehen können, genauso Billy, doch weder er noch ich taten es. Mein Gedächtnis mit seiner bedauerlichen Vorliebe für pathetische Täuschungen lässt einen rauen Wind wehen, der an uns reißt und rupft, und es gibt totes Laub, natürlich, das übers Pflaster schrappt, und diese dunklen Bäume, die schwanken und sich schütteln. Schon wieder Einzelheiten, sehen Sie, immerzu diese Einzelheiten, präzise und unmöglich. Aber was Billy zu mir sagte, daran erinnere ich mich nicht, nur noch daran, dass er mich ein verdammtes Dreckschwein nannte und dergleichen, aber ich sehe seine Tränen und höre sein Schluchzen, in dem sich Wut und Scham und bitterer Kummer mischten. Er hat auch versucht, mich zu schlagen, hat wie wild seine Garbenbinderarme geschwenkt, während ich rückwärts hüpfte und hopste, hintenübergebeugt wie ein Schlangenmensch. Und ich, was habe ich gesagt? Habe ich versucht, mich zu entschuldigen, habe ich versucht, mich herauszureden und meinen niederträchtigen Verrat an unserer Freundschaft zu erklären? Was hätte ich ihm denn als Erklärung anbieten können? Von diesem Augenblick an empfand ich eine merkwürdige Gleichgültigkeit. Es war, als wäre das, was da geschah, etwas, das mir gezeigt wurde, eine besonders heftige Sequenz aus einem Lehrstück, das die unausweichlichen Folgen von Unzucht, Wollust und Lüsternheit illustrieren sollte. Und gleichzeitig habe ich, und ich weiß wohl, dass ich damit verächtliches und ungläubiges Hohngelächter heraufbeschwöre, gleichzeitig habe ich nie solche Zuneigung, solches Mitgefühl, solche Zärtlichkeit – solche, ja, solche Liebe für Billy empfunden wie dort auf jener Bergstraße, als er um sich schlug und schluchzte und ich zurücktänzelte, mich duckte und wand und der kalte Wind blies und die toten Blätter raschelten und jener dicke Wasserschwall in die bodenlose Wanne krachte und krachte. Hätte ich angenommen, dass er es mir gestatten würde, ich glaub, ich hätte ihn umarmt. Was dort gespielt wurde, in Schmerzensschreien und blind gezielten Schlägen, das war, vermute ich, eine Version, für mich zumindest, jener Abschiedsszene, die sich zwischen mir und Mrs Gray nie abgespielt hat, weshalb mir selbst diese klägliche Nachahmung dessen willkommen war, was unterlassen blieb und was ich so brennend vermisste.

Ich glaube, in den Tagen unmittelbar nach Mrs Grays Flucht war mein stärkstes Gefühl die Angst. Ich fühlte mich verlassen und verloren an einem Ort, der mir fremd war, einem Ort, von dessen Existenz ich nichts gewusst hatte, und ich hatte die Befürchtung, dass ich weder die Erfahrung noch die Seelenstärke besaß, derer es bedurfte, um dort zu überleben, ohne schweren Schaden zu nehmen. Das hier war das Terrain der Erwachsenen, auf dem ich eigentlich nichts zu suchen hatte. Wer würde mich erretten, wer würde mir nachgehen, mich finden und mich wieder zurückgeleiten in meine alten Kreise und in die Sicherheit, in der ich vor jenem verhexten Sommer gelebt hatte? Wie seit meiner frühen Kindheit nicht mehr, klammerte ich mich jetzt an meine Mutter. Übrigens, das muss ich hier noch hinzufügen, obwohl ich es für ausgeschlossen hielt, dass die Skandalnachrichten von Mrs Gray und mir nicht bis zu ihr durchgedrungen sein sollten – Tempo und Umfang des Geredes, das von den Straßenecken zu den Kirchentüren sowie in jeden Küchenwinkel und wieder zurückflog, hätten nicht größer sein können, wäre die Sache durch einen städtischen Ausrufer verbreitet worden –, übrigens hat meine Mutter sich mit keinem Wort dazu geäußert, jedenfalls nicht zu mir und mit Sicherheit erst recht zu niemand anders. Vielleicht hatte sie auch Angst, vielleicht war das Terrain, auf dem sie wegen meiner Unanständigkeit gelandet war, auch für sie fremd und beängstigend.

Aber was war ich jetzt doch für ein braver Sohn, aufmerksam, ernsthaft, fleißig in der Schule, pflichtbewusst weit über das normale Maß hinaus. Wie prompt rannte ich los, um für meine Mutter allerlei Besorgungen im Haushalt zu machen, wie geduldig und mit wie viel Mitgefühl hörte ich mir ihre Klagen an, ihre Kümmernisse, ihre Beschwerden über die Faulheit, Bestechlichkeit und mangelnde persönliche Hygiene unserer Pensionsgäste. Das war natürlich alles Mache. Wenn es Mrs Gray eingefallen wäre, genauso plötzlich wieder zurückzukommen, wie sie verschwunden war, und das erschien mir gar nicht einmal so unmöglich, ich hätte mich doch mit der ganzen alten Glut, der ganzen alten Rücksichtslosigkeit auf sie gestürzt. Denn das, was mich vor Angst erzittern ließ, war nicht, dass sie uns draufgekommen waren, und nicht die Schande, nicht das Gerede in der Stadt und auch nicht die unausgesprochenen Vorwürfe meiner Mutter. Das, wovor ich Angst hatte, war mein eigener Schmerz, seine Schwere, seine unentrinnbare zersetzende Kraft; das und jenes glasklare Bewusstsein, das ich hatte, zum ersten Mal im Leben ganz und gar allein zu sein,

ein schiffbrüchiger Robinson Crusoe, gestrandet in den grenzenlosen Weiten eines unermesslich großen Ozeans, dem ich gleichgültig war. Oder sagen wir eher, ein Theseus, verlassen auf Naxos, derweil Ariadne hastig davongelaufen ist, um ihren sorglosen Geschäften nachzugehen.

Was ebenfalls verblüffend war, war diese Stille rings um mich herum, die ich jetzt wahrnahm. Die ganze Stadt summte von Klatsch und Tratsch, nur mit mir redete keiner. Billys Attacke an dem Tag dort in der Schmiede war mir willkommen, weil sie ein Geräusch machte, wenigstens das, und ganz allein auf mich gerichtet war. Es wird ja in der Stadt auch welche gegeben haben, die ehrlich schockiert und aufgebracht gewesen sind, aber auch sie dürften Mrs Gray und mich insgeheim beneidet haben, schließt doch das eine das andere nicht unbedingt aus. Und garantiert haben sie alle, sogar die paar, die vielleicht mit uns sympathisierten, sich prächtig auf unsere Kosten unterhalten, so entehrt, verlassen und verwundet, wie wir waren. Ich war voll und ganz darauf gefasst, dass der Priester noch mal bei uns vorbeikam, diesmal, um zu empfehlen, dass man mich an irgendeinem mit Schafen getüpfelten Hang, weit weg in den allerfernsten Bergen, bei den Trappisten einsperren sollte, doch selbst der blieb auf Abstand – und bewahrte sich seinen Frieden. Vielleicht war es ihm peinlich. Vielleicht, so fragte ich mich voller Unbehagen, war es ihnen allen peinlich, so genüsslich sie sich auch die Hände rieben und den Skandal auskosteten. Diese Sorte wäre mir immer noch lieber gewesen als die Empörten. Es wäre mir irgendwie so vorgekommen, als ob sie – wie soll ich sagen – als zollten sie dem Großartigen, das Mrs Gray und ich uns miteinander geschaffen hatten, und das nun nicht mehr da war, doch einen größeren Respekt.

Ich wartete, anfangs zuversichtlich, dann mit wachsender Verbitterung darauf, dass Mrs Gray mir irgendetwas zukommen ließe, ein Wort, einen Abschiedsgruß aus der Ferne, doch es kam nichts. Wie hätte sie auch mit mir in Verbindung treten sollen? Sie konnte mir ja schwerlich mit der Post einen Brief schicken, an die Adresse meiner Mutter. Aber Moment mal – wie hatten wir uns eigentlich vorher verständigt, als unsere Affäre noch im Gange war? In dem vollgestopften Kabuff neben der Küche, das meine Mutter ihr Büro nannte, gab es ein Telefon, ein altertümliches Modell mit einer Kurbel an der Seite, die man drehen musste, um ein Amt zu kriegen, aber ich hätte Mrs Gray doch nie und nimmer von dort aus angerufen, und sie wäre nicht im Traum auf die Idee gekommen, mich anzurufen, denn von allem anderen mal ganz abgesehen, hörte das Fräulein vom Amt ja stets mit, was man an dem leisen Knacken und dem maushaften Geraschel in der Leitung merkte. Wir müssen einander irgendwo Zettelchen hinterlegt haben, vielleicht in Cotters Haus – doch nein, allein ging Mrs Gray dort niemals hin, sie fürchtete sich ja im Wald, und wenn sie mitunter einmal vor mir dort war, fand ich sie stets verängstigt vor der Türe kauernd vor, jeden Moment bereit davonzulaufen. Wie also haben wir das hingekriegt? Ich weiß es nicht. Auch so ein ungelöstes Rätsel, eins von vielen. Einmal war sie wegen irgendeiner Verwechslung nicht gekommen, als sie eigentlich kommen sollte, und ich wartete einen qualvollen Nachmittag lang auf sie, zunehmend überzeugt, dass sie nicht mehr erscheinen würde und dass ich sie für alle Zeit verloren hätte. Das war, soweit ich mich erinnern kann, das einzige Mal, dass unsere Verbindung abgerissen war – aber auf welchen Wegen funktionierte die Verbindung, und was für Wege waren das?

Ich habe nicht von ihr geträumt, nachdem sie weg war, falls doch, hab ich vergessen, was ich träumte. Mein schlafender Verstand hatte mehr Erbarmen als der wache, der niemals müde wurde, mich zu martern. Nun ja, zu guter Letzt war er des

Spielchens dann doch überdrüssig. Etwas dermaßen Intensives konnte nicht lange anhalten. Oder vielleicht doch, wenn ich sie wirklich geliebt hätte, mit selbstloser Leidenschaft, wie man so sagt, dass die Menschen, heißt es, einst, in früheren Zeiten, liebten? So eine Liebe hätte mich gewiss vernichtet, genauso wie sie die Helden und Heldinnen in den alten Büchern vernichtet hat. Doch was für eine hübsche Leiche wäre ich gewesen, marmorn auf meiner Bahre, mit den Fingern zum Gedenken eine Marmorlilie fest umklammernd.

Oje, wenn man vom Teufel spricht. Marcy Meriwether sagt, sie wird mich verklagen. Sie ruft ein halbes Dutzend Mal am Tag an und will wissen, was ich mit Dawn Devonport gemacht hab, wo ich sie versteckt halte; ihre wutschnaubende Stimme in der Leitung wechselt in einem fort die Tonlage und springt von operndivenhaftem Tirilieren und Geträller über zu kehligem Gangsterknurren. Ich stelle sie mir als ein entkörperlichtes Medusenhaupt vor, das drohend, rempelnd und beschwatzend im Äther schwebt. Ich beteuere wiederholt, dass ich nicht weiß, wo sich ihr Star aufhält. Was sie mit ihrem harschen, verschleimten Lachen quittiert, um sich nach einer kleinen, mit einer Serie schwer keuchender Atemstöße ausgefüllten Pause die nächste Zigarette anzuzünden. Sie weiß, dass ich lüge. Wenn der Dreh noch einen weiteren Tag unterbrochen bleibt, noch einen weiteren Tag, wird sie mir meinen Vertrag kündigen und mir ihre Anwälte auf den Hals hetzen. Das sagt sie jeden Tag, schon seit einer Woche. Dann kriege ich keinen Cent mehr, krächzt sie mich an, keinen roten Heller, und außerdem wird sie Schritte einleiten, damit mir das, was ich bereits bezahlt bekommen habe, wieder weggenommen wird. Mir scheint, dass hinter all der Blafferei und ihrem ganzen Aufgepluster auch eine Spur von Wohlgefallen steckt, denn sie liebt es zu kämpfen, das ist nicht zu übersehen. Wenn sie den Hörer aufknallt, hab ich danach immer noch ein paar Sekunden lang so ein komisches Schwirren im Ohr.

Am Tag nach meiner Rückkehr aus Italien lud Toby Taggart mich zum Lunch ins Ostentation Towers ein. Ich fand ihn dort in den Räumen des Corinthian Club in einer plüschigen Nische; er wand sich, seufzte und saß auf seinen Händen, damit er nicht an seinen Nägeln kauen konnte. Wie tief betrübt und waidwund war der Blick, mit dem er mich begrüßte. Er trank einen Martini mit einer Olive darin, seinen dritten, wie er sagte; ich hatte ihn bis dahin niemals trinken sehen, was zeigt, wie groß seine Verzweiflung war. »Schauen Sie, Alex«, sagte er leise und geduldig, »das ist eine ernste Sache«, den Strubbelkopf gesenkt, die breiten, eckigen Hände über dem vor ihm auf dem Tisch stehenden Martini gefaltet, als wolle er ihn segnen – »das kann den ganzen Film gefährden, nicht wahr, Alex, das verstehen Sie doch?« Toby erinnert mich an einen Jungen, den ich in der Schule kannte, einen watschelnden Burschen mit riesigem Kopf, der durch das glänzende schwarze Haar, das ihm in dicht gekräuselten, drahtigen Locken in die Stirn und über die Ohren fiel, noch größer wirkte. Ambrose hieß er. Ambrose Abbott, Spitzname natürlich Bud oder manchmal auch, sinnreicherweise, Lou – ja, nicht mal bei den Namen hat er Glück gehabt, dieser Pechvogel –, armer Kerl. Man hörte Ambrose schon von Weitem kommen, denn er war ein begeisterter Sammler von Gegenständen aus Metall – stumpfen Taschenmessern, Schlüsseln ohne Schloss, angelaufenen Münzen, die nicht mehr in Umlauf waren, und notfalls sogar Flaschendeckeln, sodass er beim Laufen immer klirrte und klimperte wie ein schwer beladenes beduinisches Lastkamel. Außerdem hatte er Asthma, weshalb er permanent von einem Medley aus Seufzen, gedämpftem Keuchen und leisen, rasselnden Pfeiftönen begleitet wurde. Er war unerhört gescheit und landete bei jeder Prüfung in der Schule, jedem staatlichen Examen immer auf dem ersten Platz. Im Rückblick denke ich, dass er eine Schwäche für mich hatte. Ich könnte mir vorstellen, dass er mich um meine Pose des dreisten Draufgängers – ich übte ja bereits für meine künftigen Rollen als verwegener Hauptdarsteller – und meine zur Schau getragene Geringschätzung für fleißiges Lernen und hartes Arbeiten beneidet hat. Vielleicht hat er auch die mich umgebende Moschusaura von Mrs Gray gespürt, denn unsere enge – oder engere – Bekanntschaft fiel eben in meine Zeit mit Mrs Gray. Er war eine zarte Seele. Ständig drängte er mir Geschenke auf, Prachtstücke aus seiner Sammlung, die ich ohne echte Dankbarkeit annahm und entweder gegen andere Sachen eintauschte oder verlor oder wegwarf. Er ist später ums Leben gekommen, wurde von einem Lkw erfasst, als er nach der Schule nach Hause radeln wollte. Sechzehn war er, als er starb. Armer Ambrose. Die Toten sind meine dunkle Materie; sie füllen unfühlbar die leeren Räume der Welt.

Wir hatten einen angenehmen Lunch, Toby und ich, und sprachen über viele Dinge, seine Familie, seine Freunde, seine Hoffnungen und Ambitionen. Ich finde ihn wirklich nett. Als wir fertig waren und ich mich von ihm verabschiedete, sagte ich, er solle sich keine Sorgen machen, Dawn Devonport sei sicher nur mal kurz abgetaucht und werde bestimmt bald zurückkommen und wieder unter uns sein. Toby wohnt in den Towers und ließ es sich nicht nehmen, mich hinauszubegleiten. Der Portier tippte sich an den Zylinder und zog mit einem Boing-g-g! die hohe Glastür auf, und gemeinsam traten wir hinaus. Bemerkenswert, dieses Wetter, dafür, dass wir Ende Dezember haben, klar und frisch und sehr still, dieser zarte, nachgerade japanische Himmel, und man hat den Eindruck, als wäre so ein permanentes leises, helles Läuten in der Luft, als striche jemand unablässig mit dem Finger über den Rand eines Glases. Der Dichter hat recht, Mittwinterfrühling: eine Zeit für sich. Toby, beduselt von den ganzen Martinis und noch ein paar Gläsern Wein dazu, begann von Neuem, ernsthaft auf mich einzureden und mir zu erklären, dass Dawn Devonport unbedingt wieder zur Arbeit kommen müsse. Ja, Toby, sagte ich und klopfte ihm auf die Schulter, ja, ja. Und dann verzog er sich torkelnd wieder nach drinnen und hat sich hoffentlich erst mal hingelegt und seinen Rausch ausgeschlafen, denn er hatte doch so einiges intus.

Ich ging durch den Park. Der Ententeich war zugefroren und auf dem Eis die krakelierte Reflexion des grellen, wärmelosen Sonnenlichts. Da entdeckte ich plötzlich vor mir auf dem Schotterweg, unter den schwarz glänzenden Bäumen, eine vertraute Gestalt. Ich hatte ihn eine ganze Weile nicht mehr gesehen und mir schon allmählich Sorgen gemacht; irgendwann wird er garantiert rückfällig, und das war's dann. Als ich ihn fast eingeholt hatte, wurde ich langsamer und blieb dicht hinter ihm. Ich merkte nichts von dem Mief, der ihm normalerweise auf dem Fuße folgte, was ein gutes Zeichen war. Mir wurde schnell klar, dass er tatsächlich wieder eine seiner regelmäßig wiederkehrenden Metamorphosen durchgemacht hatte – wahrscheinlich hatte sein Mädchen ihn sich mal wieder vorgeknöpft und ihm ordentlich die Leviten gelesen. Stimmt schon, ganz so flott wie bei seinen früheren Auferstehungen wirkte er diesmal nicht – speziell mit den Füßen ist wohl definitiv nichts mehr zu machen, trotz der flauschig gefütterten Veloursstiefel –, und überm rechten Schulterblatt hat er inzwischen einen Buckel, der nicht zu übersehen ist. Aber trotz alledem ist er ein neuer Mensch – verglichen mit dem alten, der er noch vor Kurzem war. Sein Kolani war in der Reinigung, sein College-Schal ist gewaschen, der Bart gestutzt, und diese Knöchelschuhe sehen nagelneu aus – ich frage mich, ob seine Tochter in einem Schuhgeschäft arbeitet. Unterdessen war ich auf gleicher Höhe mit ihm, wahrte aber diskret Abstand und hielt mich auf der anderen Wegseite. So wackelig, wie er auf den Füßen war, legte er dennoch ein ganz schönes Tempo vor. Wie üblich, hatte er die Hände oben und halb zur Faust geballt in seinen fingerlosen Handschuhen; jetzt aber, in diesem wiederbelebten Zustand, sah er eher wie der bevorzugte Sparringpartner irgendeines Champions als wie der sturzbetrunken herumtorkelnde Bursche von ehedem aus. Ich überlegte, ob ich etwas für ihn tun oder ihm etwas geben oder einfach irgendwas zu ihm sagen könnte, um das kleine Wunder seiner erneuten Rückkehr aus der Tiefe zu würdigen. Aber was hätte ich denn tun können, was ihm sagen? Hätte ich versucht, ihn in ein Gespräch zu verwickeln, und sei es auch bloß über ein ganz banales Thema, etwa das Wetter, das wär doch einfach nur peinlich gewesen, für uns beide, und wer weiß, ob er nicht gar auf mich losgegangen wäre, so ausgenüchtert und von forscher Kampfeslust, wie er mir jetzt erschien. Aber es war mir eine Freude, ihn so gut in Form zu sehen, und als er nach einer kleinen Weile abdrehte und sich anschickte, um den Teich herumzulaufen, ging ich mit spürbar leichterem Schritt weiter meiner Wege.

Ich darf nicht vergessen, Lydia zu erzählen, dass ich ihn gesehen habe, in seiner ganzen rundumerneuerten lazarinen Vitalität. Sie kennt ihn nur dem Namen nach, aus meinen Erzählungen, nimmt aber trotzdem lebhaften Anteil daran, wie er periodisch untergeht und immer wieder hochkommt. Sie ist schon eine gute Seele, meine Lydia, sorgt sich um die Verlorenen dieser Welt.

In den langen, unruhigen Jahren von Cass' Kindheit gab es gewisse Momente, gewisse Unterbrechungen, wo eine Ruhe sich herniedersenkte, nicht allein auf Cass, sondern auf unseren ganzen kleinen Haushalt, obschon das eine fragwürdige, im tiefsten Grund verzweifelte und bange Ruhe war. Manchmal, spät in der Nacht, wenn ich an ihrem Bett saß und sie endlich, nach Stunden der Wirrsal und wortlosen inneren Qual, irgendwie eingeschlafen war, kam es mir vor, als wäre das Zimmer, und nicht nur das Zimmer, sondern das Haus selbst und alles Drumherum irgendwie unmerklich unter die normale Höhe der Dinge abgesackt an einen Ort, wo Stille herrschte und erzwungene Gelassenheit. Dieser schläfrige und leicht klösterliche Zustand erinnerte mich daran, wie ich als Junge am Meer an manchen windstillen Nachmittagen, wenn der Himmel bedeckt und die Luft schwer war, bis zum Hals im lauwarmen, klebrigen Wasser stand und langsam, ganz langsam, immer tiefer hineinging, erst bis zum Mund, dann bis zur Nase, zu den Ohren, bis ich ganz untergetaucht war. Was für eine sonderbare Welt das war, dort unter der Wasseroberfläche, graugrün, trübe, schwerfällig wabernd, und dieses Dröhnen in den Ohren, dieses Brennen in der Lunge. Und dann ergriff mich etwas wie ein freudiges Erschrecken, und in meiner Kehle war eine Art Blase, die aber nicht aus Atemluft bestand, sondern aus wilder, angsterfüllter Freude und die immer weiter anschwoll, bis ich am Ende mit einem Satz wieder hinaufgetrieben wurde und keuchend und verdreht wie ein springender Lachs hochkam in die verhangene, explodierte Luft. Wenn ich in den letzten Tagen nach Hause komme, bleibe ich immer einen Moment lang im Flur stehen, horche mit zuckenden Antennen und fühle mich, als wäre ich wieder nachts in Cass' Krankenzimmer, wollte ich gerade schreiben, denn nichts anderes war es ja die meiste Zeit – so angespannt und lautlos ist die Luft, so irgendwie abgeschattet und gedämpft das Licht, selbst dort, wo es am hellsten ist –, Dawn Devonport hat einen negativen Zauber ausgeübt, durch den in unserem Heim nun permanent Halbdunkel herrscht. Darüber beklage ich mich nicht, dieser Effekt gefällt mir, ehrlich gesagt, ganz gut – er wirkt beruhigend auf mich. Ich stelle mir gern vor, wenn ich aufgeregt innen an der Haustür auf dem Fußabtreter stehe, atemlos, total versunken, dass es mir, wenn ich mich richtig konzentriere, allein durch Anstrengung des Gedankens gelingen wird, herauszufinden, wo genau die beiden, meine Frau und Dawn Devonport, sich im Haus aufhalten. Wie ich diese hellseherische Fähigkeit entwickelt haben soll, vermag ich nicht zu sagen. In letzter Zeit beherrschen diese zwei wie eine Zwillingsgottheit unsere häusliche Nachwelt. Zu meiner Überraschung – aber warum denn Überraschung – haben die beiden ihre Sympathie füreinander entdeckt. Glaub ich jedenfalls. Es erübrigt sich zu sagen, dass sie darüber nicht mit mir diskutieren. Selbst Lydia äußert sich im geschützten Raum des Schlafzimmers, wo solche Angelegenheiten doch zur Sprache kommen sollten, nicht über unseren Gast, sofern dies das rechte Wort ist – ist sie nicht eher unsere Gefangene? –, und gibt nichts von sich, was ihre Gefühle oder Ansichten in Bezug auf Dawn Devonport verraten würde. Ich vermute, es geht mich nichts an. Als Dawn Devonport und ich aus Italien zurück waren, nahm Lydia sie ohne ein Wort des Protests oder der Klage bei uns auf, als ob das längst beschlossene Sache war. Ist es so, dass Frauen einander von Natur aus beistehen, wenn es Probleme gibt? Tun sie das eher, als Männer Männern beistehen oder Frauen Männern oder Männer Frauen? Ich weiß es nicht. Ich weiß überhaupt nichts von solchen Dingen. Die Motive anderer Menschen, ihre Desiderate und Anathemata sind mir ein Rätsel. Genauso wie meine eigenen. Ich komme mir vor, als bewegte ich mich in Verwirrtheit, bewegte mich unbeweglich, wie der schwachsinnige und glücklose Held in einem Märchen, gefangen in Dickichten, eingeklemmt im Dornengestrüpp.

Eins von Dawn Devonports Lieblingsplätzchen hier bei uns im Haus ist der alte grüne Sessel oben in meinem Adlerhorst in der Dachstube. Dort verbringt sie viele Stunden, ohne irgendwas zu tun, schaut einfach nur zu, wie sich da drüben in der Ferne, über den allgegenwärtigen Hügeln am Rande unserer Welt, das Licht verändert. Sie sagt, sie mag dieses Gefühl von Himmel und Weite da oben. Sie hat sich einen Pullover ausgeborgt, den Lydia vor langer Zeit einmal für mich gestrickt hat. Lydia und Stricken, das kann ich mir inzwischen gar nicht mehr vorstellen. Die Ärmel sind zu lang; sie benutzt sie als Muffersatz. Sie friere immer, sagt sie mir, selbst bei voll aufgedrehter Heizung. Ich denke an Mrs Gray: Auch sie hat sich immer über die Kälte beklagt, als unser Sommer im Schwinden war. Dawn Devonport sitzt in sich zusammengesunken in dem Sessel, hat die Beine angezogen und die Arme um sich geschlagen. Sie trägt kein Make-up und bindet sich die Haare mit einem Stückchen Schleifenband im Nacken zusammen. Sie sieht sehr jung aus so, mit diesem ungeschminkten Gesicht, oder nein, nicht jung, aber unfertig, ungestaltet, wie eine frühere, primitivere Version ihrer selbst – ein Prototyp, ist dies das Wort, nach dem ich suche? Ich schätze ihre Anwesenheit, insgeheim. Ich sitze an meinem Schreibtisch, in meinem Drehstuhl, wende ihr den Rücken zu und schreibe mein Buch. Sie sagt, sie mag das Kratzen der Feder. Ich erinnere mich daran, wie Cass als kleines Mädchen immer seitlich auf dem Fußboden lag, während ich mit meinem Skript in der Hand auf und ab ging und laut meinen Text ablas, immer wieder und wieder, so lange, bis ich ihn im Kopf hatte. Dawn Devonport hat zwar nie Theater gespielt – »Direkt auf die Leinwand, so war das bei mir« –, sagt aber, die Berge sehen aus wie eine gemalte Bühnenkulisse. Sie behauptet steif und fest, die Schauspielerei ganz aufgeben zu wollen. Was sie machen will, wenn sie wirklich aufhört, sagt sie nicht. Ich erzähle ihr von Marcy Meriwethers Drohungen, von Toby Taggarts herzzerreißenden Appellen. Sie schaut wieder hinüber zu den Hügeln, die aschblau im für die Jahreszeit untypischen Schein der Nachmittagssonne liegen, und sagt nichts. Ich habe den Verdacht, sie gefällt sich in der Rolle einer Frau, die auf der Flucht ist und von allen gesucht wird. Wir beide sind Komplizen in einer Verschwörung; Lydia gehört auch mit dazu. Ich versuche, mich daran zu erinnern, wie es war, Cass zu lieben. Lieben, jenes Wort, kaum spreche ich es aus, schon lässt es mein armes altes Herz schneller schlagen, ticke-tacke-ticke-tacke, das kleine Schwungrad saust ordentlich im Kreis herum. Ich sehe nichts, verstehe nichts oder jedenfalls nicht viel; nicht viel. Es scheint egal zu sein. Vielleicht geht es ja auch gar nicht mehr um Verständnis. Nur noch ums Sein, das scheint genug, fürs Erste, hier oben in dem hohen Raum und mit dem Mädchen da im Sessel hinter mir.

Heute hat ein Brief auf mich gewartet auf meinem Schreibtisch, ein Brief in einem langen cremefarbenen Kuvert mit dem eingeprägten Wappen der University of Arcady. Da hat etwas bei mir geklingelt, wenn auch nicht sehr laut. Natürlich – Axel Vanders sicherer Zufluchtsort drüben auf der Sonnenseite von Amerika, von wo auch Marcy Meriwether uns grüßt. Ich liebe teures Schreibpapier, das satte Rascheln, die mattglänzende, leicht angeraute Oberfläche, der Duft nach Leim, der für mich identisch ist mit dem Geruch nach Geld. Man lädt mich ein, an einem Seminar teilzunehmen, dessen ernüchternder Titel lautet *Anarch: Autark – Störung und Steuerung in den Schriften Axel Vanders.* Ja, auch ich war gezwungen, das Wörterbuch zu konsultieren; das Resultat war nicht erhellend. Aber sämtliche Kosten werden übernommen, Erste-Klasse-Flüge und es gebe sogar ein »Honorarium«, wie der Unterzeichner des Briefes, ein gewisser H. Cyrus Blank, das dezenterweise ausdrückt. Dieser Blank ist Inhaber der *Paul-de-Man-Professur* – wieder dieser Name! – für Angewandte Dekonstruktion am Fachbereich Anglistik in Arcady. Seinem Ton nach scheint er ein freundlicher Bursche zu sein. Allerdings bleibt er vage und sagt nicht, in welcher Eigenschaft man mich einlädt, diesen arkadischen Festivitäten beizuwohnen. Womöglich will man mich als den alten Fälscher selbst antanzen lassen, hinkend und mit einem Gehstock aus Ebenholz, Augenklappe und allem Drum und Dran – zutrauen würde ich denen das durchaus, diesem Professor Blank und seinen Dekonstruktionistenkollegen, dass sie sich überlegt haben, mich als Verkörperung, als so eine Art beweglicher Wachsfigurenkabinettdarstellung ihres Helden anzuheuern. Soll ich hinfahren? JB ist auch eingeladen. Das könnte ein netter kleiner Ausflug werden – man denke nur an die ganzen frischen Apfelsinen, direkt vom Baum –, aber ich bin vorsichtig. Die Menschen, die wirklichen Menschen, erwarten von einem Schauspieler immer, dass er der ist, den er spielt. Ich bin nicht Axel Vander, ich bin auch niemand, der ihm ähnelt. Oder?

Blank. Der Name ist mir in JBs Vander-Biografie begegnet, ja, ich bin mir ganz sicher. War nicht ein Blank irgendwie mit im Spiel, als Vanders Frau starb, unter verdächtigen Umständen, wie es heißt? Ich muss im Register nachschauen. Könnte mein Professor Blank der Vater dieses anderen Blank sein oder sein Sohn? Diese spinnennetzartigen Verbindungsstränge, die kreuz und quer über die ganze Welt verlaufen, mich schaudert bei dem Gedanken an ihre klebrige Konsistenz. Blank.

Es ist an der Zeit, Dawn Devonport der Welt zurückzugeben. Ich bin mir nicht sicher, wie ich es ihr beibringen soll. Lydia wird helfen, ich weiß. Sie haben eine Menge Zeit miteinander verbracht unten in der Küche, haben geraucht und Tee getrunken und geredet. Lydia ist eine eingefleischte Teetrinkerin geworden, genau wie meine Mutter. Ich nähere mich der Küchentür, doch als ich von drinnen ihre Stimmen höre, ein auf- und abschwellendes, vermischtes Summen, bleibe ich stehen, mache kehrt und schleiche mich wieder davon. Ich kann mir nicht vorstellen, worüber sie miteinander reden. Wenn ich Stimmen hinter einer Tür höre, habe ich immer das Gefühl, als kämen sie aus einer anderen Welt, wo andere Gesetze herrschen.

Ja, ich werde Lydia bitten, mir zu helfen, unseren morgendlich rosigen Gast, unseren Morgenstern zu überzeugen, sich wieder an die Arbeit zu begeben, wieder in seine Rolle zu schlüpfen, zurückzukehren in die Welt. Die Welt? Als wäre das die Welt.

Ich hab mich mit JB auf einen Drink getroffen, keine Ahnung, warum, und jetzt wünschte ich, ich hätte es bleiben lassen. Wir gingen um die Cocktailstunde in ein Lokal seiner Wahl, eine Art Herrenclub in einer Seitenstraße, merkwürdiges Etablissement, äußerlich unauffällig, innen aber düster und schlossartig, mit Pfeilern und Säulenportalen, in schläfriges Schweigen versunken. Die Säulen waren weiß, die Wände attisch blau, und es gab zahlreiche Ölporträts von irgendwelchen verschwommenen, starr blickenden Persönlichkeiten mit hohen Kragen und Backenbärten. Wir ließen uns rechts und links eines riesigen Kamins in abgesteppten Ledersesseln nieder, die quietschend und knarrend ihren schwachen Protest zum Ausdruck brachten. Der Kamin war tief und in seiner Tiefe verstörend schwarz, hatte ein verziertes Messinggitter, einen Kohleneimer, ebenfalls aus Messing, und glänzende Feuerböcke, aber kein Feuer. Ein altertümlicher Kellner mit Frack und Fliege brachte auf einem Silbertablett unsere Brandys, stellte sie leise keuchend zwischen uns auf einem flachen Tisch ab und entfernte sich ohne ein Wort. Da ich niemanden außer uns sah, dachte ich zunächst, wir seien die Einzigen dort, doch dann hörte ich aus einer anderen Ecke des Raums ein langes, rau rasselndes Räuspern.

JB ist entschieden ein komischer Kauz, und er wird von Mal zu Mal komischer, wenn wir uns treffen. Er hat so was Verhuschtes, Ängstliches an sich und macht immer den Eindruck, als wollte er sich gerade nervös davonstehlen, selbst wenn er, so wie jetzt, still in seinem hohen Ohrensessel sitzt, die Beine übereinandergeschlagen hat und ein Brandyglas in der Hand hält. Toby Taggart sagt, es sei JB gewesen, der mich für den Vander vorgeschlagen habe. Er hatte wohl an diesem desaströsen Abend damals vor vielen Jahren, als ich auf der Bühne »verreckt« war – ein glubschäugiger Amphitryon, der keinen Ton herausbringt –, im Parkett gesessen und war beeindruckt gewesen. Ich frage mich, wovon. Was hätte er wohl erst für mich getan, wenn ich mich noch bis zum Schlussvorhang über die Runden gerettet hätte? Jetzt saß er da wie eingefroren und gleichzeitig auf dem Sprung, beobachtete eingehend meine Lippen, während ich sprach, als glaubte er, von ihnen eine andere, ein dunkles Geheimnis offenbarende Version der doch allzu unschuldig klingenden Angelegenheiten ablesen zu können, die meine Worte zu vermitteln trachteten. Nein, sagte er hastig, indem er mir ins Wort fiel, nein, er sei sich ganz sicher, dass Axel Vander in Ligurien niemanden bei sich gehabt habe. Das gab mir zu denken. Wenn ich es wolle, werde er noch mal in seinen Aufzeichnungen nachschauen, fuhr er mit einer vehementen Bewegung der anderen Hand, also der, die nicht den Kognakschwenker festhielt, fort, er glaube aber mit Bestimmtheit sagen zu können, dass Vander in Portovenere allein gewesen sei, ganz allein. Dann wandte er den Blick ab, runzelte die Stirn und begann einen leisen, bekümmerten Summton von sich zu geben, der aus den tiefsten Tiefen seines Kehlkopfs kam. Es entstand eine Pause. Demnach sei Vander also, sagte ich, tatsächlich in Portovenere gewesen. Ich fühlte mich wie jemand, der soeben als rundum geheilt aus dem Krankenhaus entlassen wird und, wenn er heimkommt, vor seinem Haus den Notarztwagen mit weit aufgerissenen Türen warten sieht, und auf der Straße stehen zwei gelangweilte Sanitäter und halten die Trage mit ihrer blutroten Decke bereit. Auf meine Frage drehte JB sich um – ich konnte regelrecht die Rädchen in seinem Genick knirschen hören –, glotzte mich an und machte den Mund auf und wieder zu, als wollte er erst einmal die Mechanik testen, bevor er etwas zu sagen wagte. Er könne sich erinnern, sagte er, dass der Wissenschaftler Fargo DeWinter aus Nebraska, als er damals, vor Jahren, in Antwerpen, mit ihm gesprochen habe, etwas von einer Assistentin erwähnt habe, die mit ihm gemeinsam an den Vander-Papieren gearbeitet habe. Ich wartete. JB blinzelte und sah mich unverwandt und, wie mir schien, leicht gequält an. Er habe den Eindruck, sagte er mit der verschreckten Miene eines Menschen, der verzweifelt versucht, einen zerbrechlichen Gegenstand festzuhalten, von dem er weiß, dass er ihn im nächsten Moment fallen lassen wird – und das sei, wohlgemerkt, nur ein Eindruck, ein ganz, ganz leiser Verdacht –, dass diese Assistentin und nicht DeWinter selbst die Sachen ausgegraben hatte, die echten, das heißt, die schlechten Sachen über Vander und seine, um es vorsichtig auszudrücken, fragwürdige Vergangenheit. Ich wartete abermals. JB glotzte und zuckte weiter vor sich hin. Jetzt war ich es, der das Gefühl hatte, gleich etwas Zerbrechliches fallen zu lassen. Als Cass ein kleines Mädchen war, sagte sie immer, wenn sie groß wäre, würde sie mich heiraten, und dann hätten wir genauso ein Kind wie sie, damit sie mir, falls sie stürbe, nicht fehlen würde und ich nicht allein wäre. Zehn Jahre; zehn Jahre ist sie tot. Muss ich mich von Neuem auf den Weg machen, um sie zu suchen, in Trauer und Schmerz? Sie kommt nie mehr in meine Welt, doch ich bewege mich auf ihre zu.

Billie Stryker hat angerufen. Inzwischen fürchte ich diese

Anrufe. Sie sagt, es gebe da jemanden, mit dem ich reden sollte. Ich meinte, sie so verstanden zu haben, dass die betreffende Person eine Nonne sei, und war mir sicher, dass ich mich verhört hatte. Ich muss wirklich mal zum Arzt und mein Gehör nachsehen lassen. Mein Gehör, nachsehen – ha! Da ist es wieder, dieses Spiel der Sprache mit sich selbst.

Ich sehe Billie neuerdings in einem anderen Licht. Nachdem sie so lange im Schatten meines Desinteresses dahindümpelte, kommt sie mir inzwischen selbst schon wie ein Schatten vor. Aber auch sie hat eine Aura. Immerhin ist sie das Bindeglied zu so vielen Personen, an denen ich ein überaus lebhaftes Interesse habe – Mrs Gray, meine Tochter, sogar Axel Vander. Ich frage mich, ob sie mehr sein könnte als ein bloßes Bindeglied, ob sie nicht viel eher gewissermaßen eine Koordinatorin ist. Eine Koordinatorin? Komisches Wort. Ich weiß selbst nicht, was ich damit meine, aber irgendetwas muss ich ja wohl meinen. Früher, vor langer Zeit, dachte ich immer, dass ich selbst für mein Leben verantwortlich bin, auch wenn es nicht den Anschein hat. Sein, sagte ich mir stets, ist Tun, ist Spielen. Allerdings hab ich die Pointe verpasst. Jetzt merke ich, dass ich derjenige bin, mit dem die ganze Zeit gespielt wird, von Kräften, die sich nicht dazu bekennen, von verborgenen Zwängen. Billie ist die Letzte in jener Reihe von Dramaturgen, die hinter der Bühne die Fäden ziehen in dieser schlechten Inszenierung, die ich bin oder sein soll. Was für einen neuen Dreh sie wohl diesmal wieder in der Handlung aufgedeckt haben mag?

Das Konvent Unserer Heiligen Mutter steht auf einer kahlen Anhöhe oberhalb einer windigen Gabelung, an der drei Wege aufeinandertreffen. Wir waren immer noch am Stadtrand, ich aber kam mir vor, als hätte ich mich hinausgewagt in die unwegsame Wildnis. Verstehen Sie mich nicht falsch –

ich mag solche kahlen, scheinbar charakterlosen Orte, wenn das das rechte Wort ist, mögen, meine ich. Oh ja, mir sind diese unbeachteten Ecken allemal lieber als eure saftig grünen Täler, eure majestätisch glitzernden Bergeshöhen. Meine Ausflüge in die Landschaft führen Sie durch abschüssige Straßen, die mit Unrat übersät sind und wo die Wäsche aus den Fenstern hängt und alte Leute in Pantoffeln, die falschen Zähne in der Hand, draußen vor der Haustür stehen und euch nicht aus den Augen lassen. Dort gehen streunende Hunde ihren Geschäften nach, und auf der Brache unter dem verkohlten Himmel spielen Kinder mit schmutzverschmierten Gesichtern hinter Stacheldraht. Junge Männer legen den Kopf weit in den Nacken, blähen die Nüstern und glotzen dreist, und aufgetakelte Mädchen mit hochtoupiertem Haar scharwenzeln in Stöckelschuhen herum und tun so, als bemerkten sie euch gar nicht, und kreischen mit ihren Papageienstimmen aufeinander ein; und immer sind es die Mädchen, die wissen, dass es auch noch etwas anderes gibt, und man kann sehen, wie sie sich danach sehnen. Es gibt Gerüche von Mülltonnen und Gerüche von moderndem Gips und verfaulenden Matratzen. Ihr wollt nicht hier sein, und doch gibt es hier etwas, das euch anspricht, etwas Unbehagliches, das halb erinnert ist, halb ausgedacht; etwas, das ihr seid und auch wieder nicht seid, ein Omen aus der Vergangenheit.

Warum haben die schlauen Schwestern ihr Mutterhaus – ihr Mutterhaus! – ausgerechnet dort erbaut, an einem solchen Ort? Vielleicht war das mantelblau getünchte, vielfenstrige Gebäude, geräumig wie die verheißenen Häuser des himmlischen Vaters, ursprünglich mal für einen anderen Zweck bestimmt gewesen, womöglich als Kaserne oder vielleicht als Irrenhaus. Der Himmel schien an jenem Tag unglaublich tief zu hängen, die bauchigen Wolken ruhten gleichsam auf den in Reih und Glied angetretenen Schornsteinaufsätzen, und die Krähen glitten in tiefen, langen Bögen abwärts, dem windpolierten Gras entgegen, gleichsam niedergedrückt vom Gewicht jenes Himmels, hielten sie mit ihren ausgefransten Flügelenden die Balance.

Schwester Catherine war eine forsche kleine Person mit Raucherhusten. Ich wäre nie darauf gekommen, dass sie Nonne war. Ihre Haare, grau meliert wie meine, aber kürzer geschnitten, waren unbedeckt, und ihre Tracht, wenn man es so nennen will, bestand in einem quadratisch geschnittenen Überwurf aus grauem Serge und sah für mich eher wie die Arbeitskleidung aus, die Bibliothekarinnen und die uneleganten Sekretärinnen irgendwelcher Geschäftsmänner in meiner Jugend getragen haben. Wann genau haben die Nonnen eigentlich aufgehört, sich den Scheitel zu rasieren? Heute muss man schon weit nach Süden reisen, bis ins Land der Römer, um noch das echte Original zu finden: die schweren schwarzen, bodenlangen Röcke, die Haube und den Schleier, den großen, um die nicht vorhandene Taille geschlungenen hölzernen Rosenkranz. Diese Person hier hatte nackte Beine und dicke Knöchel. Sosehr ich mich auch anstrengte, ich konnte keine Ähnlichkeit mit ihrer Mutter entdecken. Sie sei gerade einmal zu Hause, erzählte sie, auf Urlaub, wie sie sich ausdrückte, von ihrer Arbeit in der Auslandsmission. Sogleich stellte ich mir ein riesiges sandiges Gelände unter einer weißen, gnadenlosen Sonne vor, überall mit Schädeln und gebleichten Knochen übersät, und kleine Glasscherben und glitzernde Metallstückchen, die mit Lederriemen an bemalten Stöcken festgebunden sind. Sie ist Ärztin und zugleich Nonne – mir fällt das heiß begehrte Mikroskop wieder ein. Ihr Akzent hat einen Einschlag von Neuer Welt. Sie raucht Kette, Lucky Camels ist ihre Marke. Die dicke Brille hat sie immer noch; die könnte aus dem Laden ihres Vaters sein. Ich erzähle ihr, dass Catherine der Name meiner Tochter war, gewesen war. »Auch Kitty genannt, so wie ich?«, fragte sie. Nein, sagte ich: Cass.

Wir gingen durch einen überdachten Kreuzgang, einen mit Arkaden versehenen, mit Steinplatten gepflasterten Korridor, der den mit Kies bestreuten, nach oben offenen Hof zu allen vier Seiten begrenzte. Auf dem Kies standen in hohen Bottichen Palmen und ein Spalier, an dem sich allerlei Winterblüher mit ihren fahlen Blüten zaghaft emporrankten. Trotz meines Mantels war mir kalt, doch Schwester Catherine, wie ich sie wohl fortan werde nennen müssen, in ihrer dünnen grauen Strickjacke schien die raue Luft und die heimtückischen, eisigen Finger des Windes gar nicht zu bemerken.

Scheint so, als hätte ich mit allem völlig falschgelegen. Niemand habe etwas von der Sache mit mir und ihrer Mutter gewusst. Sie habe niemandem erzählt, was sie an jenem Tag in der Wäschekammer gesehen hatte. Sie zündete sich eine Zigarette an, die Hände um ein Streichholz gewölbt, und nun sah sie mich von der Seite an, und in ihrem Blick blitzte die alte, spöttische und amüsierte Kitty wieder auf. Wie ich denn nur darauf gekommen sei, dass alle Bescheid gewusst hätten, fragte sie. Aber ich dachte doch, sagte ich verdutzt, ich dachte doch, die ganze Stadt zerreiße sich das Maul darüber, wie schändlich ihre Mutter und ich es diesen Sommer über miteinander getrieben hätten. Sie schüttelte den Kopf und wischte sich einen Tabakkrümel von der Lippe. Aber was denn mit ihrem Vater gewesen sei, fragte ich sie, ob sie es dem auch nicht erzählt habe. »Was – Daddy?«, rief sie und spie eine dicke Rauchwolke in die Luft. »Der wär der Letzte gewesen, dem ich das erzählt hätte. Und selbst wenn, der hätte mir eh nicht geglaubt – in seinen Augen war Mumser über jeden Zweifel erhaben.« *Mumser?* »Das war unser Spitzname für sie, Billys und meiner. Erinnerst du dich denn an gar nichts mehr?« Offensichtlich nicht.

Wir gingen weiter. In den steinernen Arkaden ächzte der Wind. Ich spürte wieder jene Befangenheit, die früher immer von mir Besitz ergriffen hatte, wenn ich Kitty mit ihrem Spott und ihrer durchtriebenen Fröhlichkeit erlebte. Und es war schon komisch, sie hier zu sehen, nach all den Jahren, diese zähe kleine Person, die, paffend wie ein altmodischer Dampfzug, belustigt staunend den Kopf darüber schüttelte, wie ahnungslos ich gewesen war und was für Illusionen ich mich hingegeben hatte. Sie sei so zartbesaitet, hätten sie in der Familie immer gesagt; da hätten sie sich offenbar geirrt. Selbst wenn, sagte sie, selbst wenn man ihrem Vater Beweise gebracht hätte, dass seine Frau über Monate mit einem Halbwüchsigen – wie alt ich damals eigentlich gewesen sei? – irgendwelche Zicken gedreht hätte, er hätte garantiert nichts unternommen, denn er habe Mumser so verzweifelt geliebt und sie so hilflos vergöttert, er hätte ihr alles durchgehen lassen. All das sagte sie ohne die geringste Spur von Groll gegen mich, weder gegen den, der ich heute war, noch gegen den Jungen von damals. Sie schien noch nicht einmal der Meinung zu sein, dass ich etwas Falsches getan hatte. Ich hingegen schwitzte vor Verlegenheit und Scham. Zicken gedreht.

Aber Marge, sagte ich und blieb stehen, weil mir der Name plötzlich wieder eingefallen war, was denn mit der gewesen sei? Was denn mit der gewesen sein solle, fragte sie und blieb ebenfalls stehen. Na, die habe doch garantiert allen erzählt, was sie gesehen hatte. Die Nonne runzelte die Stirn, schaute zu mir hoch und sah mich an, als ob ich den Verstand verloren hätte. »Wie kommst du denn darauf?«, sagte sie. »Marge war doch gar nicht da.« Das überstieg endgültig mein Begriffsvermögen. Ich hatte sie doch aber beide in der Tür zur Wäschekammer stehen sehen, ich erinnerte mich genau, wie sie dort gestanden hatten, Kitty mit ihren Rattenschwänzen und der runden Brille und die fette, durch den Mund atmende Marge, beide auf diese tumbe, leicht verdutzte Art glotzend, wie zwei Putten, die aus Versehen in eine Kreuzigungsszene hineingeraten sind. Aber nein, sagte die Nonne mit fester Stimme, ich sei im Irrtum, Marge sei nicht dabei gewesen, sie habe ganz allein in der offenen Tür gestanden.

Wir waren an einer Ecke des rechteckigen Hofes angekommen, an der sich ein schmales, unverglastes Bogenfenster befand, eine Schießscharte oder ein Guckloch, nennt man das, glaube ich, von wo aus man den Hang hinabschauen konnte bis zu der Stelle, wo sich die bereits erwähnten drei Wege trafen. Vor uns sahen wir Straßen, zugebaut mit Wohnhäusern – dichte Dächerreihen, parkende Autos, die wie bunte Käfer dastanden, Gärten, Fernsehantennen, pilzartige Wassertürme. Unentwegt strömte der Wind durch den steinernen Schlitz, kraftvoll und kalt wie ein Wasserfall – und blieben stehen, lehnten uns an die tiefe Brüstung, um uns die unerwartet frische Luft ins Gesicht wehen zu lassen. Schwester Catherine – nein, Kitty, ich werde sie Kitty nennen, alles andere käme mir unnatürlich vor –, Kitty hielt die Zigarette schützend in der Faust und lächelte immer noch gedankenverloren vor sich hin und schien es gar nicht fassen zu können, wie falsch ich das damals alles verstanden hatte und wie verkehrt meine Erinnerungen waren. Ja, sagte sie wieder fröhlich, ich hätte echt mit allem falschgelegen, wirklich mit allem. Der Tag, an dem sie uns in der Wäschekammer ertappt hatte, sei auch nicht der Tag gewesen, an dem Mrs Gray zu ihrer Mutter zurückgegangen sei, das sei einen Monat später gewesen, mehr als einen Monat, und erst viel, viel später habe Mr Gray den Laden dichtgemacht und das Haus zum Verkauf angeboten, erst um Weihnachten herum. Mittlerweile sei es rapide bergab gegangen mit ihrer Mutter, die ja schon den ganzen Sommer über krank gewesen sei, während unseres Sommers also, den wir zusammen hatten, sie und ich; alle hätten sich gewundert, dass sie überhaupt so lange durchgehalten hatte. »Wahrscheinlich deinetwegen«, sagte Kitty und tippte mir mit dem Finger an den Mantelärmel, »wenn dich das irgendwie tröstet.« Ich ging mit dem Gesicht ganz nah an die schmale Fensteröffnung und schaute hinab in das dicht besiedelte Tal. So viel, so viel Leben!

Da war sie also schon lange todkrank gewesen, meine Mrs Gray, und ich hatte nicht die leiseste Ahnung gehabt. Das Kind, das gestorben war, hatte während der Geburt etwas in ihrem Innern zerrissen, und in diesem Riss hatten irgendwelche außer Rand und Band geratenen Zellen sich zusammengerottet und auf ihre Stunde gewartet. »Endometriumkarzinom«, sagte Kitty. »Brr« – sie schüttelte sich – »als Arzt weiß man einfach zu viel.« Am letzten Tag jenes Jahres sei ihre Mutter gestorben, sagte sie. Da war mein Herz schon wieder geheilt; ich war sechzehn geworden und hatte andere Dinge im Kopf. »Ihr war so kalt, die ganze Zeit, damals im September«, sagte Kitty, »und dabei – weißt du noch, wie heiß es war? Pa hat jeden Morgen Feuer für sie gemacht, und dann hat sie immer den ganzen Tag davorgesessen, eingewickelt in eine Decke, und hat in die Flammen geschaut.« Kitty schnaubte ein kurzes, ärgerliches Lachen und schüttelte den Kopf. »Ich glaube, sie hat auf dich gewartet«, sagte sie mit einem raschen Blick zu mir. »Aber du bist nicht gekommen.«

Wir machten kehrt und gingen über den Hof zurück. Ich erzählte ihr, wie Billy sich damals an dem Tag in der Schmiede auf mich gestürzt, geschrien und geweint und die Fäuste geschwungen hatte. Ja, sagte Kitty, ihm habe sie es erzählt, er sei der Einzige gewesen, dem sie es erzählt habe. Sie habe das Gefühl gehabt, es ihm schuldig zu sein. Ich fragte nicht, warum. Wir gingen jetzt wieder unter den Arkaden entlang, und unsere Schritte hallten hart auf den Steinplatten. »Schau mal«, sagte sie und zeigte mit ihrer Zigarette, »die Palmen da. Ist doch merkwürdig, dass die hier wachsen, nicht wahr?« Billy war vor drei Jahren gestorben, irgendwas im Gehirn, sie habe den Verdacht, dass es ein Aneurysma war. Sie hatte ihn lange nicht gesehen, hatte ihn kaum noch wiedererkannt. Ihr Vater hatte ihn um ein Jahr überlebt – »Stell dir mal vor!« Jetzt waren sie alle tot, und sie war die Letzte in der Reihe, mit ihr würde der Name aussterben. »Ach, naja«, sagte sie, »ein paar Grays mehr oder weniger, davon wird die Welt ja wohl nicht untergehen.«

Ich hätte sie gern gefragt, warum sie Nonne geworden war. Ob sie wirklich daran glaubt, an das alles, die Krippe und das Kreuz, das Wunder der Geburt, die Opferung, an die Erlösung und die Auferstehung? Wenn ja, dann müsste Cass nach ihrer Sicht der Dinge ewig leben, Cass und Mrs Gray und Mr Gray und Billy und meine Mutter und mein Vater und die Väter und Mütter aller anderen Menschen, durch sämtliche Generationen, bis zurück zum Paradies. Das aber ist nicht der einzig mögliche oder höchste Himmel. Zu den Wundern, von denen Fedrigo Sorrán mir in jener Schneenacht in Lerici erzählt hatte, gehörte auch die Lehre von den vielen Welten. Manche Gelehrte sind der Ansicht, dass es eine Vielzahl von Universen gibt, die alle gegenwärtig sind, alle gleichzeitig nebeneinander existieren und in denen alles, was passieren kann, auch wirklich passiert. Genau wie in Kittys lebensvoller paradiesischer Ebene, so ist auch dort irgendwo, in dieser aus unendlich vielen einander überlagernden Schichten bestehenden, unendlich sich verzweigenden Wirklichkeit Cass nicht gestorben, ihr Kind wurde geboren, Swidrigailow ist nicht nach Amerika gegangen; irgendwo hat auch Mrs Gray überlebt, überlebt vielleicht noch immer, ist immer noch jung und erinnert sich immer noch an mich, so wie ich mich an sie erinnere. An welche Ewigkeit soll ich glauben, für welche soll ich mich entscheiden? Für keine, denn für mich, dem die Vergangenheit eine leuchtende und immerwährende Gegenwart ist, sind meine Toten alle lebendig; lebendig für mich und dennoch verloren, außer in der fragilen Nachwelt dieser Worte.

Müsste ich mich für eine bestimmte Erinnerung an Mrs Gray entscheiden, an meine Celia, für eine letzte Erinnerung aus der übervollen Schatzkammer meiner Erinnerungen, so wär es diese hier: Wir waren im Wald, in Cotters Haus, saßen nackt auf der Matratze, genauer gesagt, sie saß, während ich halb in ihrem Schoß lag, die Arme locker um ihre Hüften geschlungen, und mein Kopf ruhte an ihrer Brust. Ich blickte an ihrer Schulter vorbei nach oben, wo ich die Sonne sah, die dort durch einen Riss im Dach schien. Dieser Riss kann nicht viel größer als ein Nadelöhr gewesen sein, denn der Lichtstrahl, der durch ihn hindurchdrang, war sehr fein, aber doch auch intensiv, und strahlte gleichsam speichenartig in alle Richtungen, sodass jedes Mal, wenn ich den Kopf auch nur um eine Winzigkeit bewegte, ein zitterndes, wild brennendes Feuerrad entstand, das herumwirbelte, stehen blieb und wieder weiterwirbelte wie das goldene Rad einer riesigen Uhr. Plötzlich streifte mich der Gedanke, dass ich der einzige Zeuge jenes an diesem einen entscheidenden Punkt durch die Konjunktion der großen Sphären der Welt entfachten Phänomens war – mehr noch, dass ich es war, der dieses Phänomen hervorbrachte, dass mein Auge der Ort war, an dem es erzeugt wurde, und dass niemand außer mir es sehen oder erkennen konnte. In diesem Moment hob Mrs Gray die Schulter und löschte so den Sonnenstrahl, und das Speichenrad war verschwunden. Rasch hatten sich meine geblendeten Augen wieder an die schattendunkle Gestalt über mir gewöhnt, und rasch war der Moment der Sonnenfinsternis vorüber, und sie war wieder da, beugte sich zu mir herab, hielt ihre linke Brust auf drei gespreizten Fingern etwas in die Höhe und bot sie meinen Lippen dar wie eine kostbare, polierte Kalebasse. Doch was ich sah oder jetzt sehe, ist ihr Gesicht, verkürzt aus meiner Perspektive, breit und unbeweglich, mit schweren Lidern, der Mund nicht lächelnd, und mit einem Ausdruck, nachdenklich, melancholisch und abwesend, betrachtete sie nicht mich, sondern etwas jenseits von mir, weit, weit jenseits.

An einer Ecke des Kreuzgangs ließ Kitty mich hinaus durch eine Hinterpforte oder ein kleines Ausfalltor – ach ja, wie ich sie liebe, diese alten Wörter, wie sie mich erfreuen. Ich spielte mit meinem Hut herum, mit meinen Handschuhen, und war auf einmal ein verstörter alter Mann. Ich wusste nicht, was ich ihr sagen sollte. Wir schüttelten einander schnell die Hand, dann drehte ich mich um und fühlte mich, als rollte ich bergab den Weg hinab, und schon war ich wieder dort unten in diesen schäbigen, verkommenen Straßen.

Ich gehe nach Amerika. Ob ich dort Swidrigailow suchen soll? Vielleicht. JB und ich werden zusammen reisen, kein ideales Paar, ich weiß. Wir verlassen uns ganz auf die Freigiebigkeit von Professor Blank, unserem mutmaßlichen Gastgeber bei der Festveranstaltung für Axel Vander in Arcady, wo es, wie ich höre, keine Jahreszeiten gibt. Die Flüge sind gebucht, die Koffer gepackt, wir können es gar nicht erwarten, endlich aufzubrechen. Es bleibt uns nur noch, das Schlussbild abzudrehen, die Szene, in der Vander kommt, um sich von Cora zu verabschieden, seinem tragischen Mädchen, das aus Liebe zu ihm gestorben ist. Ja, Dawn Devonport ist wieder am Set. Am Ende war's natürlich Lydia, die sie überzeugt hat, zurückzukommen und sich wieder zu den Lebenden zu gesellen. Ich werde nicht fragen, was die beiden da unten im Küchenversteck bei ihren Teelibationen und Zigarettenrauchopfern miteinander ausgehandelt haben. Stattdessen werde ich an den Rändern des Lichts warten, derweil sie die berühmte Hauptdarstellerin in ihrem Grabtuch aufgebahrt und noch die letzten Korrekturen an ihrem Make-up vorgenommen haben, und während ich herumstehe und warte, bis ich zu ihr gehen und mich hinunterbeugen und ihr einen Kuss auf die kalte, geschminkte Stirn drücken kann, werde ich darüber nachdenken, dass so ein Filmset, so ein kleiner, hell erleuchteter Raum, um den herum es von dunklen, äußerst angespannten Gestalten wimmelt, doch enorme Ähnlichkeit mit einer Darstellung der Geburt Christi hat.

Auch Billie Stryker wird bald auf Reisen gehen, nach Antwerpen, Turin, Portovenere. Ja, ich habe sie beauftragt, jede noch so feine Schleimspur zu verfolgen, die Axel Vander damals vor zehn Jahren auf jener Route hinterlassen haben mag. Noch so eine unabgeschlossene Angelegenheit. Ich mag mir gar nicht ausdenken, was sie dabei zutage fördern könnte, würde es aber schon ganz gerne wissen. Ich fürchte, da ist einiges begraben. Sie möchte lieber heute als morgen losfahren, freut sich bestimmt darauf, endlich von ihrem Mann wegzukommen. Ich habe ihr das gesamte Geld überschrieben, das ich in den letzten Wochen für meine Darstellung des Vander bekommen habe. Gibt es denn einen besseren Zweck, dem ich dieses schändliche Kopfgeld zuführen könnte? Billie, mein Spürhund.

Auch ich habe als Kind an Schlaflosigkeit gelitten, genau wie Cass. Ich glaube, bei mir war es so, dass ich mich mit Absicht wach gehalten habe, denn ich hatte schlechte Träume und war ständig von der Angst verfolgt, plötzlich zu sterben – ich weiß noch, dass ich mich nie auf die linke Seite legte, weil ich überzeugt war, dass ich, sollte mein Herz im Schlaf aussetzen, aufwachen und den Stillstand bemerken würde und dann wüsste, dass ich gerade starb. Ich weiß nicht mehr, wie alt ich war, als ich diese Beschwerden hatte: Wahrscheinlich war das ungefähr zu der Zeit, als mein Vater starb. Wenn ja, dann habe ich die

Qualen meiner trauernden Mutter noch dadurch vergrößert, dass ich Nacht für Nacht wach lag. Ich habe gebettelt, dass sie ihre Schlafzimmertür offen ließ, damit ich alle paar Minuten nach ihr rufen und mich versichern konnte, dass sie noch wach war. Irgendwann schlief sie doch endlich ein, gewiss erschöpft von ihrem eigenen Schmerz und meinem gnadenlosen Drängen, und dann war ich allein und verkroch mich mit weit aufgerissenen Augen und brennenden Lidern unter die schwarze Decke der Nacht, die mir die Luft zum Atmen nahm. In Angst und Schrecken blieb ich dort liegen, solange ich es aushielt, was jedoch nicht lange war, dann stand ich auf und ging ins Zimmer meiner Mutter. Die Übereinkunft lautete – und davon gab es keine Abweichungen –, dass ich geschlafen hatte und durch einen meiner Albträume geweckt worden war. Arme Ma. Sie ließ mich nicht zu sich ins Bett, das war eine Regel, die sie mit aller Entschiedenheit durchsetzte, die sanfte Seele, der es an nichts so sehr gebrach wie an Durchsetzungskraft, aber sie gab mir irgendwas, eine Decke oder ein Federbett, das ich neben ihrem Bett auf dem Boden ausbreiten und worauf ich mich hinlegen konnte. Dann steckte sie auch die Hand unter ihrer Zudecke heraus und überließ mir einen Finger, an dem ich mich festhalten konnte. Als dieses Ritual zur Norm geworden war und ich immer einen Teil der Nacht auf dem Boden neben ihrem Bett verbrachte und dabei ihren Finger umklammert hielt, dachte ich mir irgendwann mein eigenes Arrangement aus. Oben auf dem Speicher fand ich einen Schlafsack aus Segeltuch – wahrscheinlich hatte ein Pensionsgast ihn dort vergessen – und versteckte ihn in einem Schrank; den schleppte ich dann immer mit hinunter ins Zimmer meiner Mutter, wickelte mich darin ein und legte mich so auf meinen Platz neben ihrem Bett. Monatelang ging das so, bis ich wohl endlich eine gewisse Sperre überwunden hatte und in eine robustere Wachstumsphase eingetreten war und allmählich nachts in meinem eigenen Zimmer blieb und allein in meinem Bett schlief. Und dann, Jahre später, kurz nach dem für mich so schmerzhaften Erlebnis von Mrs Grays Verschwinden, ertappte ich mich eines Nachts dabei, wie ich den Schrank nach jenem alten Schlafsack durchstöberte und mich, nachdem ich ihn gefunden hatte, mit unterdrücktem Schluchzen ins Zimmer meiner Mutter schlich und ihn wie früher dort auf dem Fußboden ausbreitete. Was mag sich meine Mutter wohl gedacht haben? Ich glaubte, sie würde schlafen, doch da – wusste sie etwa, dass ich weinte? – hörte ich ein Rascheln, und ihre Hand kam unter der Bettdecke hervor und fasste mich an der Schulter und bot mir einen Finger zum Festhalten an, wie in alten Zeiten. Ich erstarrte natürlich und wich vor ihrer Berührung zurück, und da zog sie die Hand sofort wieder ein und drehte sich stöhnend und ächzend auf die andere Seite, und kurz darauf hörte ich sie schnarchen. Ich beobachtete das Fenster über mir. Die Nacht ging zu Ende, es wurde langsam hell, und an den Rändern des Vorhangs kam Licht hereingesickert, unsicher noch, so schien es, ein schwaches Glänzen nur. Mir taten vom Weinen die Augen weh, mein Hals war geschwollen und brannte. Etwas war zu Ende gegangen, etwas, wovon ich geglaubt hatte, es werde niemals enden. Wen würde ich nun lieben, und wer würde mich lieben? Ich hörte zu, wie meine Mutter schnarchte. Die Luft im Raum war schal von ihrem Atem. Eine Welt ging zu Ende, geräuschlos. Ich sah wieder zum Fenster. Das Licht um den Vorhang herum war jetzt stärker, ein Licht, das irgendwie in sich zu zittern schien, obwohl es doch an Kraft gewann, und es war, als käme ein strahlendes Etwas auf das Haus zu, über das graue Gras, über den bemoosten Hof, die großen, bebenden Schwingen weit ausgebreitet, und während ich es erwartete, erwartete, glitt ich, ohne es zu merken, hinüber in den Schlaf.

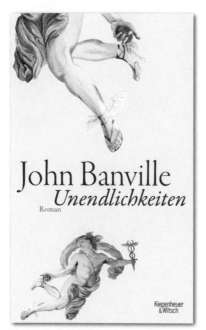

John Banville. Unendlichkeiten. Roman. Gebunden.
Deutsch von Christa Schuenke. Verfügbar auch als Book

Ein langer Sommertag in einem Herrenhaus in Irland:
Adam Godley liegt im Sterben, Grund genug für seinen
Sohn Adam jun. und seine Tochter Petra, Ressentiments
über Bord zu werfen und ihren Vater und ihre erheblich
jüngere Mutter Ursula noch einmal zu besuchen. Was
die Godleys nicht wissen: Ihr Familientreffen wird von
den Göttern beobachtet, die sich nicht scheuen, korrigie-
rend und bisweilen boshaft einzugreifen ...

Leseproben und mehr unter www.kiwi-verlag.de

Kiepenheuer
&Witsch